AMELI

Traumfrau mit

Buch

Cora ist erfolgreich in ihrem Job als PR-Frau und bei Männern. Sie sieht gut aus, ist couragiert und witzig, eine echte Traumfrau eben. Als sie dreißig wird, gerät ihr ansonsten unerschütterliches Selbstbewußtsein ins Wanken. Ihr wird klar, daß die Bilanz ihres bisherigen Lebens nicht berauschend ist: Ihr Freund betrügt sie, ihr wichtigster Kunde ist auf dem Absprung, ihre beste Freundin ist schwanger und will bei ihr einziehen. Cora findet Schwangere blöd und kleine Kinder nervig, aber was bleibt ihr übrig, als Uli aufzunehmen? Mit traumwandlerischer Sicherheit sucht Cora sich die falschen Männer aus. Mal fällt sie auf einen notorischen Frauenhelden rein, mal verführt sie ihren besten Freund – und es endet jedesmal im Katzenjammer. Allmählich fragt sie sich: Was mache ich falsch?

Dann aber tritt Ivan in ihr Leben, und Cora hat zuerst mal Krach mit dem coolen Künstlertypen. Um so verblüffter ist sie, als er mit ihr zusammenarbeiten will – in einer Angelegenheit, die viel sinnvoller ist, als es ihr PR-Job je war.

An ihrem einunddreißigsten Geburtstag läßt sie das letzte Jahr Revue passieren, und diesmal ist sie hochzufrieden – denn: Traumfrauen wie Cora haben noch eine Menge vor im Leben!

Autorin

Amelie Fried wurde 1958 in Ulm geboren. Nach ihrem Studium in München arbeitete sie als Moderatorin fürs Fernsehen.

Für ihre Arbeiten wurde sie mit dem Grimme-Preis, dem Telestar-Förderpreis und dem Bambi ausgezeichnet. Sie schreibt Beiträge für Zeitschriften und verfaßt Drehbücher. 1995 erschien ihr erstes Buch »Die Störenfrieds – Geschichten von Leo und Paulina«. Amelie Fried ist verheiratet, hat zwei Kinder und lebt bei München.

Amelie Fried

Traumfrau mit Nebenwirkungen

Roman

GOLDMANN

Für Iris

Umwelthinweis:
Alle bedruckten Materialien dieses Taschenbuches
sind chlorfrei und umweltschonend.

Der Goldmann Verlag
ist ein Unternehmen der Verlagsgruppe Bertelsmann GmbH

Genehmigte Taschenbuchausgabe 8/98

Umschlaggestaltung: Design Team München
Umschlagillustration: Buchholz, Hinsch, Hensinger
Druck: Elsnerdruck, Berlin
Verlagsnummer: 43865
FB · Herstellung: Sebastian Strohmaier
Made in Germany
ISBN 3-442-43865-9

9 10

Eins

Es war der Abend vor meinem dreißigsten Geburtstag. Ich hatte zweihundert Leute eingeladen, ein Buffet organisiert, eine Band engagiert. Es sollte die Party meines Lebens werden. Und ich war in Weltuntergangsstimmung.
In zwei Stunden sollte es losgehen. Ich hatte eine alte Fabrikhalle gemietet und sie mit Video-Wänden, roten Samtvorhängen und Fackeln dekoriert. Ein New Yorker Rapper sollte auftreten, die schrillste Performance-Frau der Szene war gebucht. Zum Schluß sollte die Halle in Schaum versinken. Die halbe Stadt sprach seit Wochen von diesem Fest.
Ich stand lustlos vor dem Badezimmerspiegel und sprach mit mir selbst.
»Alte, du siehst zum Kotzen aus.«
»Weiß ich, halt's Maul!«
»Kein Wunder, du bist ja keine zwanzig mehr.«
»Sehr witzig.«
Ich versuchte, mittels einer raffinierten Drehung aus einer Handvoll schwarzer Haarsträhnen eine avantgardistische Hochfrisur zu zaubern. Vergeblich. Meine Haare verweigerten ebenso den Gehorsam wie mein Gemütszustand.
Dann probierte ich es vor dem Kleiderschrank. Keine Lust auf gar nichts. Rot? Macht mich noch blasser. Schwarz? Würde meiner Begräbnisstimmung entsprechen. Rock? Hose? Kleid? Ich bin sowieso zu fett. Ihr könnt mich alle mal. Ich bleib' zu Hause.
Das Telefon klingelte. Florian.
»Du, Cora, ich habe beruflich in Rom zu tun und hänge ein paar Tage dran. Carlo und Marina würden sich auch riesig freuen, dich wiederzusehen. Hast du Lust? Nimm die

Abendmaschine, meine Sekretärin hat dir den Flug gebucht. Ich hol' dich ab.«
Mir verschlug es die Sprache. Nicht nur, weil dieser Schnösel offenbar meinen Geburtstag vergessen hatte. Seit zwei Wochen hatte ich nichts von ihm gehört. Was bildete sich dieser Typ eigentlich ein? Daß ich seit Tagen auf seinen Anruf wartete?
Er hatte leider recht.
Florian war meine große Liebe, und ich seine.
Wir hielten es ohne einander nicht aus. Miteinander leider auch nicht. So trennten und versöhnten wir uns seit vier Jahren. Jede Trennung war »für immer«, jede Versöhnung auch. Meine Freundin Uli verdrehte nur noch die Augen, wenn das Gespräch auf den Stand unserer Beziehungen kam.
»Heirate den Kerl endlich, oder schieß ihn in den Wind«, so lautete ihr stereotyper Kommentar, wenn ich mich wieder mal bei ihr über Florian beklagen wollte.
Ich stellte mir vor, wie zweihundert Leute ohne mich feiern. Ich müßte keine geschmacklosen Geschenke auspacken, keine Küßchen verteilen, keine Beileidsbezeugungen entgegennehmen.
Kein Gastgeberinnen-Getue, kein Party-Small-talk, kein Kater danach . . .
Die Idee gefiel mir.
Ohne es zu merken, hatte ich bereits angefangen zu packen. Was Nettes zum Ausgehen, den Badeanzug für Strandausflüge, eine Strickjacke für den kuscheligen Abend zu zweit. Carlo und Marina, unsere römischen Freunde, würden sicher Verständnis haben. Im Geiste sah ich uns schon in einem romantischen italienischen Landhaus, im Hintergrund Vivaldi-Musik, in der Hand ein Glas Rotwein. Mein Geliebter hatte die Kulisse bedachtsam gewählt, um mir nun endlich, nach Jahren der Irrungen und Wirrungen, einen

Heiratsantrag zu machen. Ich würde zunächst zögern, ihn ein bißchen schmachten lassen, aber dann ...

Das Telefon klingelte noch mal.

Aus der Traum. Von Rotwein wurde mir sowieso schlecht. Florian hatte nicht den geringsten Sinn für klassische Musik, und er dachte nicht daran, mich zu heiraten. Im übrigen wollte ich auch nicht geheiratet werden – jedenfalls nicht von ihm. Unser Hotelzimmer würde er wie immer erst mal mit Sagrotan desinfizieren, weil er eine Bakterienphobie hatte, und unsere Gespräche würden sich um seine zweifellos interessante Tätigkeit als Textchef von »Stil«, einer Design-Zeitschrift, drehen.

Es war die Lufthansa. »Leider muß ich Ihnen mitteilen, daß der Flug um 20.45 Uhr nach Rom ausgebucht ist. Ich habe Sie auf die Warteliste gesetzt. Bitte halten Sie sich ab 20 Uhr bereit.«

Scheiße. Es war kurz nach sieben, zum Flughafen brauchte man eine halbe Stunde. Ich haßte es, in Hektik zu packen.

Plötzlich wurde mir siedendheiß. Hennemann! Ich hatte morgen einen lebenswichtigen Termin mit Hennemann, meinem größten Kunden!

Ich machte PR, diesen Yuppie-Job, in dem alle tierisch erfolgreich waren, bloß ich nicht. Das heißt, ich verdiente nicht schlecht, aber die Arbeit ödete mich an. Allerdings hatte ich ein gewisses Talent dafür, diese Tatsache zu verschleiern. Deshalb hielten mich alle Leute für wahnsinnig dynamisch und kompetent. Ich hatte mich nach ein paar Jahren Mitarbeit in einer Agentur selbständig gemacht. Jetzt beschäftigte ich zwei feste und bei Bedarf eine Horde freier Mitarbeiter.

Woran es lag, daß ich mich nicht erfolgreich fühlte? Ich weiß es nicht. Vielleicht war ich zu anspruchsvoll. Geldverdienen allein machte mir einfach keinen Spaß mehr. Ich lehnte massenhaft Aufträge ab, weil ich keine Lust hatte,

Broschüren für den deutschen Skiverband abzufassen oder Designer-Preisverleihungen für mittelständische Büromöbelhersteller zu gestalten. Womöglich war ich einfach im falschen Job.
Ich malte einen großen Zettel BIN IN ROM! und legte ihn auf den Schreibtisch im Büro. Hella und Arne würden morgen früh in Ohnmacht fallen. Aber man soll seine Angestellten ja zu selbständiger Arbeit animieren. Die beiden würden schon fertig werden mit Hennemann.
Der Kerl war ein Gschaftlhuber schwäbischer Herkunft, hatte eine gutgehende Schokoladenfabrik und einen unseligen Hang zur Verbreitung von Kultur. Oder besser: dem, was er dafür hielt. Einen Auftritt der Fischer-Chöre zum Beispiel. Oder eine Ausstellung »Bierdeckel aus zwei Jahrhunderten«. Mich hatte er engagiert, um seinen Sponsor-Aktivitäten einen etwas »zeitgeischtigeren« Touch zu geben. Seither quoll unser Büro von Gratis-Schokoriegeln über, aber auf die Fischer-Chöre fuhr er immer noch ab.
Ich stieg in meine Jeans, streifte achtlos ein T-Shirt über und schnappte meine Lederjacke. Dann bestellte ich ein Taxi. Gleich halb acht. Verdammt, hatte ich alles? Geld, Paß, Kontaktlinsen-Dose, Unterwäsche, Badelatschen? Nervös suchte ich nach Zigaretten. Ach Blödsinn, ich rauchte ja seit zwei Jahren nicht mehr. Ich vergaß es immer, wenn ich mich aufregte. Leider war das ziemlich oft der Fall.
Endlich kam das Taxi. Schon zwanzig vor acht. Hoffentlich bekam ich einen Platz in dem dämlichen Flieger. Warum, zum Teufel, mußte heute alle Welt nach Rom fliegen? Möbelmesse, Modenschau, Papstwahl? Keine Ahnung, was es dort so Spannendes gab. Ich wußte nur eines: Ich mußte mit!
Der letzte Krach mit Florian hatte es in sich gehabt. Zwei Wochen Funkstille, das gab es selten. Und jetzt sein Anruf. Sicher hatte er sich endlich Gedanken über uns gemacht.

Gute Vorsätze gefaßt. Entscheidungen getroffen. O Gott, was für Entscheidungen?
»Haben Sie eine Zigarette?«
Der Taxifahrer drehte den Kopf nach hinten und knurrte: »Nichtraucher!«
Ich sank in meinen Sitz zurück.
Nach einer Weile fragte er überraschend sanft: »Warum machen Sie denn das?«
»Was?« fragte ich entgeistert zurück.
»Rauchen.«
»Tu' ich ja gar nicht.«
»Ach so.«
Wieder Pause.
»Wo geht's denn hin?«
»Nach Rom.«
»In die Ewige Stadt also.«
Ewig. Ewigkeit. Für immer und ewig.
»Sagen sie, schaffen wir's bis acht?«
Bedächtiger Blick auf die Uhr. »Nein, schaffen wir nicht.«
»Könnten Sie vielleicht ein kleines bißchen schneller fahren?«
»Nein, kann ich nicht.«
Halleluja. Warum hatte ich bloß immer so ein Glück mit Taxifahrern? Entweder trödelten sie, oder sie rasten wie die Geistesgestörten, oder sie schwafelten mich voll. Einer hatte es mal geschafft, mir während einer Viertelstundenfahrt sein gesamtes Lebensleid zu beichten. Frau weg, vom Freund übers Ohr gehauen, Job verloren, aus Wohnung geflogen. Um ein Haar hätte ich ihn bei mir aufgenommen.
»Du hast eben so eine therapeutische Ausstrahlung«, pflegte Uli zu sagen.
Tatsächlich konnte ich in keinem Wartezimmer sitzen, ohne von einem alten Mütterchen detailliert seine Krankengeschichte erzählt zu bekommen.

Draußen glitten Häuser, Bäume und Strommasten gemächlich vorbei. Es war ein feuchter, grauverhangener Abend. Schwül. Es war Juli. Genauer gesagt, der 8. Juli. Morgen hatte ich Geburtstag. Mir war zum Heulen. Statt dessen fauchte ich den Fahrer an: »Geht's vielleicht noch ein bißchen langsamer?«
Er warf mir im Rückspiegel einen Blick zu. »Ja, schon.«
Kaum war eine Ewigkeit vergangen, schon waren wir am Flughafen. Zehn nach acht. In zwanzig Minuten begann meine Geburtstagsparty. Ich mußte grinsen. Was meine lieben Freunde wohl sagen würden? »Typisch«, würden sie sagen, »die Cora spinnt eben.«
Und dann würden sie sich vermutlich prächtig ohne mich amüsieren. Leider auf meine Kosten. Als mir einfiel, wieviel Kohle ich für den Spaß abgedrückt hatte, schwand meine gute Laune. Ich war doch total bescheuert. Gleich fand die Party statt, auf die ich immer schon eingeladen werden wollte – und ich war auf dem Weg nach Rom, mitten hinein in die Beziehungskrise mit den immer gleichen Diskussionen.
Florian. Flori. Der nette Kunststudent mit der John-Lennon-Brille und den braunen Locken. Immer das Hemd aus der Hose. Ein bißchen zerstreut, aber bezaubernd. Die ersten zwei Jahre waren eine einzige Studentenlieben-Seligkeit. Spaziergänge im Englischen Garten, Spätvorstellungen im »Türkendolch«, Liebesnächte bis mittags und Pizza zum Frühstück.
Irgendwann schnitt er die Locken ab. John Lennon mußte Alain Mikli weichen. Statt raushängender Hemden trug er italienische Anzüge. Da verlor er ein bißchen von seinem Charme, aber er gewann etwas Weltmännisches. Ich liebte ihn weiter. Er mich auch. Aber er liebte auch andere Frauen. Nie sehr lange, nie sehr tief. Aber sehr oft. Damals begannen unsere Streitereien. Um Liebe, Treue, Freiheit. Darum,

ob man sich alles sagen muß. Ob man eifersüchtig sein darf. Ob Liebe ewig währen kann.
»Gate Nr. 19 bitte. Sie werden aufgerufen.«
Die Bodenstewardeß drückte mir eine weiße Bordkarte in die Hand. Weiß hieß, man stand auf der Warteliste und mußte hoffen, daß ein paar andere Passagiere auf dem Weg zum Flughafen verunglückten oder doch wenigstens zu spät kamen.
Ich ließ mich in der Wartehalle nieder. Die Hölle war los. Ferienbeginn. Konnte man es den Leuten ansehen, ob sie einen Platz hatten oder darauf warteten, einen zu ergattern? Der Dicke vor mir mit dem Vollbart und den stechenden Äuglein sah so widerlich zufrieden aus. Er hatte sicher einen Platz. Besser hätte er zwei. Ich stellte mir vor, wie er beim Aufstehen die Sitzbank aus ihrer Verankerung riß, weil seine Fettwülste sich unter den Armlehnen verklemmt hatten.
Aus Erfahrung wußte ich, daß man unweigerlich auf einem Mittelplatz landete, wenn man auf der Warteliste gestanden hatte. Ich haßte Mittelplätze. Die Vorstellung, anderthalb Stunden eingequetscht zwischen einem staubig riechenden Bürohengst und einem vergnügungssüchtigen Italienliebhaber zu sitzen, verursachte mir Übelkeit. Fast hätte ich meinen Plan aufgegeben. Dann dachte ich wieder an Florian. Ich hatte das Gefühl, daß wir vor einer Entscheidung standen, ich mußte ihn einfach sehen. Aber es war bei weitem nicht sicher, daß ich mitkam. Ich erwartete den Aufruf durch die Stewardeß wie ein Orakel. Kam ich mit, dann hatte die Liebe zu Florian eine Chance. Mußte ich dableiben, war alles aus.
Neben mir kaute ein Typ mit Schnauzbart auf einem Müsliriegel und starrte mich ununterbrochen an. Ob man mir schon ansah, daß ich langsam wahnsinnig wurde? Ich starrte zurück. »Hey du, noch nie 'ne Hexe ohne Besen ge-

sehen?« Der Schnauzbart verschluckte sich an seinem Riegel und sah erschrocken in eine andere Richtung. Zwei knutschende Teenies neben mir kicherten.
Die Wartehalle hatte was von einer Kathedrale. Edler, schwarzweißer Marmorboden. Mindestens zwanzig Meter bis zur Kuppel. Rechts und links die Kanzeln, an denen man für den Gottesdienst einchecken konnte. Nur die Beichtstühle vermißte ich. Welche Gottheit hier wohl angebetet wurde? Die Götzen Fortschritt und Technik? Die Göttinnen Kerosina und Propella?
»Alte, jetzt werd nicht albern!«
»Schon gut, ich bin nervös.«
20.38 Uhr. Allmählich könnten die aber in die Gänge kommen. Wie wollten die denn um 20.45 Uhr starten, wenn jetzt noch alle auf ihren Stühlchen hockten? Zwischen welchen beiden Gestalten würde ich wohl landen – wenn überhaupt?
Der Kleine da drüben sah ganz nett aus. Wirkte wie frisch geduscht. Die hochnäsige Blonde mit dem riesigen Kosmetikkoffer würde mich wenigstens nicht zulabern. Oje, Mutter mit Kleinkind. Das bitte nicht!
Orangensaft auf der Hose, klebrige Finger am Ärmel. Womöglich Gebrüll während des gesamten Fluges. Eine hilflos lächelnde Mutter: »Es stört Sie hoffentlich nicht!« »Mich? Ach nein, natürlich überhaupt nicht!« Gott schütze mich vor Sturm und Wind und vor 'ner Mutter mit 'nem Kind! Dann lieber zwischen zwei Kettenrauchern. Oder, wenn's unbedingt sein muß, zwischen dem Müsliriegel-Schnauzbart und dem Fettsack.
20.43 Uhr. Eine Priesterin in blauer Uniform betrat die Kanzel Nr. 19. Ich war gespannt auf ihre Predigt.
»Meine Damen und Herren, wer im Besitz einer Bordkarte ist und sich noch nicht am Schalter 19 gemeldet hat: Bitte kommen Sie jetzt!«

Niemand rührte sich. Wer eine Reservierung hatte, war schlau genug gewesen, sich frühzeitig zu melden.
»So, Sie können dann an Bord gehen, meine Damen und Herren. Die anderen warten bitte noch einen Moment, bis ich die Warteliste aufrufe.«
Ein Gedränge und Geschubse wie auf einem Schulhof begann. Ich sah mich um. So viele Leute paßten einfach nicht in ein Flugzeug. Ein paar mußten wohl zurückbleiben. Aber ich war schließlich bisher immer mitgekommen. Warum nicht aus diesmal?
Ich sah Florian vor mir.
Er wartete auf mich am Flughafen, mit einer Rose in der Hand. Er umarmte mich. »Hab' dich vermißt, Kleines!« Später, in einem wundervollen Restaurant irgendwo in Rom, würden wir uns in die Augen sehen, und alles wäre gut.
Die Stewardeß verlas jetzt Namen. »Friedrich . . . Hauschild . . . Schulze . . . Jachmann . . . Abele . . . Maier . . . « Flori. Zu dir, mein Herz, zu dir! Warum hing ich so an dem Kerl? Warum verklärte ich ihn so? Noch nie hatte er mich mit Blumen empfangen. Und mit In-die-Augen-Schauen hatten wir noch kein Problem gelöst. Alles war immer so kompliziert. Man mußte stundenlang reden. War er eigentlich noch der Mann, in den ich mich damals verliebt hatte? Oder hing ich einer Vorstellung von ihm nach, die gar nichts mehr mit ihm zu tun hatte? Wenn ich ihn ein paar Tage nicht gesehen hatte, wußte ich es nicht mehr.
»Leopold . . . Naumann . . . Ebert . . . Pauli . . . Klotz . . .«
Jetzt. Gleich mußte er kommen, mein Name. Schiller wie Goethe. Haha. Aber so schrieben ihn die Leute wenigstens richtig. Ein schöner Name, fand ich. Klassisch.
»Der letzte Passagier auf meiner Liste ist Passagier Schiller. Passagier Schiller, bitte zu mir.«
Na also, wer sagt's denn! Ich schnappte meine Reisetasche und steuerte siegesgewiß Richtung Schalter. Dabei stieß ich

fast mit der jungen Mutter zusammen, deren Baby inzwischen plärrte. Wir kamen gleichzeitig bei der Stewardeß an. Wie aus einem Mund sagten wir beide »Schiller« und starrten uns gleich darauf verblüfft an.
»Wie bitte?« fragte die Stewardeß.
»Mein Name ist Schiller«, sagte ich.
»Meiner auch«, sagte die junge Mutter.
Das Kind hatte sein Geschrei zum Crescendo gesteigert. Die Stewardeß blätterte verwirrt in ihrer Liste.
»Da muß ein Irrtum vorliegen«, murmelte sie.
»Das glaube ich auch«, sagte ich kühl.
Ich konnte mir beim besten Willen nicht vorstellen, was Mutter und Kind in Rom zu suchen hatten. Möbelmesse kam nicht in Frage, Modenschau noch weniger und Papstwahl schon gar nicht.
Hier stehe ich und weiche nicht.
»Meine Damen, tut mir leid, da muß ich rückfragen. Könnten Sie mir bitte Ihre Vornamen sagen?«
»Susanne«, sagte meine Rivalin.
Typisch. Hätte man sich fast denken können. Susanne! »Und Sie bitte?« wandte sich die Stewardeß an mich. »Corinna Luise«, sagte ich hoheitsvoll.
Tatsächlich war das mein Taufname, aber wer will schon heißen wie eine greise Herzogin? Seit ich denken konnte, nannten mich alle Cora.
Die blaue Uniform verschwand, und ich lehnte mich mit unbeteiligtem Gesichtsausdruck gegen den Schalter. Die Mutter hatte den schreienden Balg aus dem Kinderwagen genommen und mit einem Schnuller zum Schweigen gebracht. Jetzt schniefte es nur noch gelegentlich. Aus verheulten Augen schaute es mich vorwurfsvoll an.
Ein paar quälende Minuten vergingen. Inzwischen war es fast 21 Uhr. Dieses Flugzeug würde nicht pünktlich starten, so viel stand fest.

Endlich erschien die Stewardeß wieder. Sie hatte eine zweite Liste in der Hand.
»So, meine Damen. Die Sache hat sich aufgeklärt. Ein Computerfehler.« Sie wandte sich an die Mutter. »Sie können dann an Bord gehen. Entschuldigen Sie bitte das Mißverständnis.«
»Was soll denn das heißen?« fragte ich empört.
»Tut mir leid, Frau Schiller. Die Dame steht vor Ihnen auf der Liste. Das hat die Überprüfung der Vornamen eindeutig ergeben. Leider ist die Maschine bis auf den letzten Platz besetzt. Ich kann Sie nur auf die erste Maschine morgen früh verweisen. Abflug 9.50 Uhr, Ankunft in Rom 11.25 Uhr. Tut mir leid.«
Ich war wie vom Donner gerührt. Das konnte doch wohl nicht wahr sein! Die siegreiche Frau Schiller schob ihren Kinderwagen durch die Sperre. Das Baby schaute mich an. Es grinste.
Schon immer hatte ich Mütter und Kleinkinder als lästig empfunden. Aber nach diesem Erlebnis beschloß ich, sie zu meinen natürlichen Feinden zu erklären.

Zwei

Es nieselte, als ich aus dem Flughafen kam.
Alles war seltsam unwirklich. Florian war plötzlich endlos weit weg. Meine Sehnsucht nach ihm war verschwunden. Ich konnte mir kaum noch vorstellen, wie wild ich noch vor einer halben Stunde darauf gewesen war, ihn wiederzusehen. Jetzt erschien es mir völlig richtig, daß ich nicht auf dem Weg zu ihm war. Sollte er sich doch allein in einem durchgelegenen italienischen Hotelbett amüsieren. Oder von mir aus auch zu zweit.
Es war zwanzig nach neun. Mein Geburtstagsfest hatte angefangen. Ich warf meine Reisetasche in ein Taxi und mich daneben.
»Merkur-Halle, bitte!«
Im Rückspiegel sah ich ein südländisches Gesicht mit tiefschwarzen Augen. Der Fahrer startete den Wagen.
»Muß was los sein heute abend. Kollegen sind schon mehrmals hingefahren.«
»Eine Geburtstagsparty.«
»In so großer Halle?« wunderte sich der Fahrer. »Ist doch ungemütlich!«
»Ist eben ein ungemütliches Geburtstagskind.«
»Und Sie, von woher kommen Sie?«
»Ich komme gerade aus Rom zurück.«

Bei der Halle angekommen, bemerkte ich lauter festlich gekleidete Gestalten, die vorsichtig über die Pfützen stiegen, um ihre Abendroben nicht zu beschmutzen. Ich blickte an mir hinunter. Ein Outfit, als wollte ich mal eben um die Ecke zum Brötchenholen. Null festlich. Na ja, darauf kam's

jetzt auch schon nicht mehr an. Ich fühlte mich sowieso wie im falschen Film.
Musik dröhnte mir entgegen. Die »Drei Tournedos«, eine intellektuell angehauchte Rockband mit satirisch-obszönen Texten, war derzeit der letzte Schrei. Glücklicherweise war Rudi, der Sänger, ein Ex-Lover von mir. So traten sie an diesem Abend zum Freundschaftspreis auf.
Als ich den Halleneingang erreichte, richtete sich ein gleißend heller Spot auf mich. Ich sah nichts mehr. Dafür hörte ich einen Trommelwirbel und dann Rudi, der ins Mikro brüllte.
»Hipp, hipp, hurra, das Geburtstagskind ist da! Cora, du liebste, du schönste, du wunderbarste aller Frauen, wir grüßen dich!«
Es folgten Beifall, Johlen und Pfeifen. Dann spielte die Band »Obladi, oblada, life goes on, bra!« Alle sangen im Chor.
Das Leben ging also weiter, obwohl ich in zwei Stunden dreißig werden würde. Ich stand da, unfrisiert, ungeschminkt, in Lederjacke und Jeans, und wußte nicht, ob ich lachen oder heulen sollte.
Jemand umarmte mich von hinten. »Hey, da bist du ja endlich!«
Es war Uli, meine beste Freundin. Sie musterte mich mit hochgezogenen Augenbrauen. »Ah ja, interessant. Dein Aufzug soll wohl so was wie eine Protesthaltung sein oder was?«
»So ähnlich«, sagte ich mit schiefem Grinsen.
Endlich schwenkte der Spot in eine andere Richtung, und ich konnte in die Halle sehen. Der riesige Raum wurde durch Fackeln erhellt, deren flackerndes Licht eine mystische Stimmung verbreitete. An der Stirnwand flimmerte eine gewaltige Videoskulptur im Takt der Musik. Zwischen meterhohen Säulen bauschte sich roter Samt. Die Leute waren fast ausschließlich schwarz gekleidet, und der Feuer-

schein warf dunkle Schatten über ihre Gesichter. Wie eine schwarze Messe, dachte ich. Oder doch lieber eine Teufelsaustreibung? Konnte schließlich nichts schaden, geläutert ins nächste Lebensjahrzehnt zu gehen.
Uli bugsierte mich an die Bar. Dort warteten Hella und Arne, meine beiden Unentbehrlichen.
Hella war – bei einer Größe von ungefähr einem Meter sechzig – das, was man vollschlank nennt. Dabei war sie unglaublich beweglich. Sie trug einen blonden Pagenkopf und sah ein bißchen aus wie die Käthe-Kruse-Puppe aus meiner Kindheit. Aber ihr harmloses Äußeres täuschte: Sie war eine listige Person, die immer erreichte, was sie sich in den Kopf gesetzt hatte.
Arne war lang, dünn und eher phlegmatisch. Dafür war er unschlagbar im Umgang mit Computern und aufgebrachten Kunden. Am Telefon wirkte er beruhigend wie Valium, deshalb schickten wir ihn vor, wenn es Ärger gab.
Beide hielten Gläser in der Hand und prosteten mir fröhlich zu. »'n Abend, Chefin, wie stehen die Aktien?« feixte Hella.
Arne umarmte mich väterlich und brummte: »Jetzt kannst du dich bald nicht mehr Jungunternehmerin nennen, was?«
Ich bestieg einen Barhocker. Das waren die Sprüche, auf die ich gewartet hatte. Uli hatte mir einen Drink geordert und drückte mir das eiskalte Glas in die Hand.
»Hier. Golden Angel. Was immer der Grund für deine Verspätung und dein Outfit sein mag – das bringt dich wieder hoch. Hier ist übrigens deine Ehrenloge. Von hier aus kannst du deinem Volk zuwinken.«
»Irgendwann muß ich ja wohl mal auf die Bühne und mein Volk begrüßen, oder, Arne? Was meinst du?«
Arne nickte mir zu. »Aber erst was trinken.«
Recht hatte er. Ich nahm einen Schluck. Mhm, köstlich. Ein süßer, irgendwie tröstlicher Geschmack.
Das Leben war kein Jammertal. Und dreißig zu werden

hatte bestimmt auch 'ne Menge Vorteile. Zum Beispiel ... äh ... na, mir fiel sicher noch was ein. Später. Nach einem weiteren Golden Angel vielleicht.
Ich lauschte der Musik und ließ meinen Blick durch den Raum schweifen. Im Hintergrund entdeckte ich einen Tisch, der mit Paketen und Päckchen übersät war. Das hatte sicher die gute Hella organisiert. So blieb mir heute abend zumindest das Auspacken erspart.
Von allen Seiten kamen Freunde und Bekannte, um mich zu begrüßen. Manchmal wunderte ich mich selbst, wie viele Leute ich kannte. Kannte ich sie wirklich? Kannten sie mich? Egal. Heute abend hüllten sie mich ein in ein Gefühl von Wärme, Nähe und Geborgenheit.
»Hallo, Süße! Du siehst keinen Tag älter aus als neunundzwanzig! Danke für die Einladung!«
Das war Egon, ein uralter Freund. Er kam aus derselben miefigen Kleinstadt wie ich, und wir hatten schon in der Grundschule gemeinsam die Bänke bekritzelt. Später war er durch Zufall auch hier gelandet, und von Zeit zu Zeit gingen wir einen trinken. Er war ein kleiner, drahtiger Bursche mit viel Charme und einem losen Mundwerk. Die Mädels standen auf ihn, was sich äußerst hinderlich auf sein berufliches Fortkommen auswirkte. Er war einfach zu leicht abzulenken.
»Na, meine Traumfrau, wie fühlst du dich? Heiratest du mich jetzt endlich? Kommst ja allmählich in das Alter, was?«
Thomas. Mein Hintergründler. Der Mann, der seit Jahren hinter den Kulissen auf mich wartete. Er hatte sich so ans Warten gewöhnt, daß er vermutlich vor Schreck tot umgefallen wäre, wenn ich ihn erhört hätte.
Aber die Gefahr bestand nicht. Er sah nicht schlecht aus und war ein lieber Kerl, aber ich fand ihn langweilig. Aber weil er mir so sehr ergeben war, betraute ich ihn immer wieder

mit kleinen Aufgaben, die es ihm ermöglichten, in meiner Nähe zu sein. Ich glaube, im Grunde reichte ihm das.

»Willkommen im Club! Die Party hat ja einiges gekostet. Bist wohl schon Millionärin geworden mit deinem PR-Laden!«

Markus. Mein Ex. Der Mann vor Florian. Sproß aus verarmtem Adel, intelligent, aber zynisch. Am Arm Tabea, seine neue Flamme. Tabea war damit beschäftigt, »interessant« zu wirken. Sie rauchte Zigaretten mit langen Filterspitzen, bemühte sich, ihrem Blick etwas Verruchtes und ihrer Stimme einen tieferen Klang zu geben. Sie war Kaffeeholerin am Städtischen Theater, erzählte aber allen, sie sei »Dramaturgin«. Klassischer Fall von Profilneurose. Markus war naiv genug, auf die Inszenierung hereinzufallen.

Ich sah ihn mir noch mal genau an. Schöne Augen, sinnlicher Mund. Leicht abfallende Schultern und ein Hang zum Bauch. Strebsam und standesbewußt bis zum Dünkel. Nein, ihm mußte ich wahrhaftig nicht nachtrauern.

»Hallo, schöne Frau.«

Diese Stimme ließ mich leicht erschauern. Mit Raoul hatte ich eine kurze und heftige Affäre, als es mal wieder aus war zwischen Florian und mir. Er gehörte zu den Männern, die Gift für mich waren. Undurchschaubar, unberechenbar, ungreifbar. Ich hatte mich damals in Sicherheit gebracht. Diese Katz-und-Maus-Spielchen brachten mich um den Verstand. Das kleine Zittern in meinen Knien verriet mir, daß er immer noch gefährlich für mich war.

Zwischen den vertrauten Gesichtern entdeckte ich einige Leute, die ich nicht kannte. Freunde von Freundinnen, Bekannte von Bekannten. Vielleicht ein paar Party-Profis, die sich reingemogelt hatten. Egal. Auf wie vielen Parties ich schon war, ohne eingeladen gewesen zu sein . . .

Mein Blick traf auf einen anderen Blick.

Den Typ kannte ich nicht. Dunkles Haar, Dreitagebart, mar-

kante Nase. Er sah mich unverschämt lange an, ohne mit der Wimper zu zucken. Ich hielt ihm nicht stand. Scheinbar beiläufig drehte ich mich ein Stück zur Bar und griff nach meinem Glas. Ich nahm einen Schluck und sah wieder auf. Er war weg.
Rudi sang eine Nummer im Walzertakt. Seine Texte waren wie die Karikaturen von Manfred Deix: Gemein, treffend und lustig.

Bist du mal achtzig und verwittert,
verlebt, vertrocknet und verbittert,
dann freu dich: Endlich hast du Ruh'
vor deinen Trieben, schubidu!

Ich mochte seinen Humor. Meistens jedenfalls.
Plötzlich stutzte ich. Konnte das wahr sein, oder halluzinierte ich? Da hinten war Hennemann. Mit roten Backen und wichtiger Miene arbeitete er sich durch die Menge. Was in aller Welt wollte der denn hier?
»Sag mal, Hella, ich sehe wohl nicht richtig?!«
Hella drehte den Kopf. »Ach ja, hab' ich vergessen, dir zu sagen. Ich habe ihn eingeladen, um ihn für morgen gnädig zu stimmen.«
Aha. Das verstand man wohl unter selbständiger Arbeit. Ich mußte mir noch überlegen, ob das in mein unternehmerisches Konzept paßte.
Hennemann hatte sich bis zu uns vorgearbeitet. Er nahm meine Rechte zwischen seine beiden Hände und schüttelte sie überschwenglich. »Ja, liebe Frau Schiller, des isch ja eine wunderbare Veranstaltung! So zeitgeischtig! Wissen Sie, die Bänd, die solltet mir mal engagiere. Zum Beispiel für die Bräsentation von dene Bralline!«
»Bralline?« echote ich ratlos.
»Ich meine ja die Pralinen, liebe gnädige Frau«, bemühte

sich Hennemann, »Sie wissen doch, die neue Pralinen-Kollektion, die wir demnächscht auf den Markt bringen.«
Wenn er aufgeregt war, verfiel er in sein Heimatidiom. Die »Drei Tournedos« bei der Pralinen-Präsentation? Ein pikanter Gedanke. Offenbar hatte Hennemann nicht auf die Texte geachtet. Ich hoffte inständig, daß es so bleiben möge.
Ich lächelte ihn strahlend an. »Wie schön, daß Ihnen die Musik gefällt. Darüber könnte man natürlich mal nachdenken. Wir haben aber auch einige andere interessante Vorschläge für Sie. Die wollen wir Ihnen dann morgen unterbreiten. Es bleibt doch bei unserem Termin?« Ich intensivierte mein Lächeln. »Oder wäre Ihnen ein anderer lieber???«
Das hätte ich besser nicht gefragt. Schlagartig schien sich Hennemann zu erinnern, daß wir in letzter Zeit ziemliche Meinungsverschiedenheiten gehabt hatten und er nicht besonders zufrieden mit uns war. Seine Stirn umwölkte sich. »Doch, doch, natürlich bleibt's bei morgen. Da gibt es einiges zu klären! Aber das wissen Sie ja.«
Mist. Ich hatte gehofft, daß er in seiner Euphorie die Besprechung platzen lassen würde.
Hella machte große Ohren. Sie spannte sofort, daß ein Tiefdruck im Anzug war. Gekonnt rollte sie mit den Augen und machte ein verführerisches Schmollmündchen.
»Lieber Herr Hennemann, ich freue mich so sehr, daß wir bei dieser Gelegenheit auch mal ein paar persönliche Worte wechseln können«, flötete sie.
Gut so, dachte ich.
»Wissen Sie, man hat ja nicht viele Kunden, bei denen man das möchte«, fuhr sie fort.
Weiter so, Kleine!
Sie prostete ihm zu. Dann brach es plötzlich aus ihr heraus: »Aber Sie, Sie sind wie Ihre Pralinen – einfach süß!« Sie fiel vor Lachen beinahe von ihrem Barhocker, während Arne mich ansah und die Augen verdrehte.

O nein, dachte ich. Das ist das Ende. Morgen werde ich sie feuern. Ich wagte nicht, Hennemann anzusehen. Er war Choleriker und brüllte manchmal los, so daß einem die Ohren wegflogen. Mit einem solchen Anfall rechnete ich.

Es blieb still. Aus den Augenwinkeln sah ich, daß er Hella erstaunt betrachtete. Dann sagte er langsam: »Ja, Sie sind mir vielleicht oine. Dabei hann i immer denkt, Sie möget mi net. Des freit mi jetzt richtig! Kommen Sie, Frollein Hella, mir trinket jetzt was zamm!«

So einfach war das also. Der brauchte auch bloß ein paar Streicheleinheiten, und schon war er handzahm. Ich schaute mich nach den anderen um.

Uli platzte fast vor Lachen.

Arne saß da und staunte mit offenem Mund.

Ich kippte beherzt meinen dritten Golden Angel.

Allmählich begann meine Umgebung angenehm zu verschwimmen. Keine Ahnung, was in dem Zeug drin war, die Wirkung war jedenfalls prima. Ich fühlte mich allmählich richtig wohl. Vergessen waren der geplatzte Flug, Frau Schiller, das dämlich grinsende Baby. Und Florian.

»Was war denn eigentlich los?« wollte Uli wissen. »Wieso bist du zu spät und in dem Aufzug?«

»Vergiß es einfach!« befahl ich und prostete ihr zu.

Mit einem Wink orderte ich meinen nächsten Golden Angel. Als Joey, der Barkeeper, mir zwinkernd das Glas rüberschob, setzte auf einmal die Musik aus.

Wieder ertönte ein dumpfer Trommelwirbel.

Uli stieß mich an. »Zwölf Uhr!«

Die Band stimmte »Happy birthday to you!« an, und die ganze Halle schunkelte mit. Ich flog von einem Arm in den nächsten, wurde beglückwünscht und abgeküßt, bis mir fast die Sinne schwanden. Als die Euphorie sich etwas gelegt hatte, erklomm ich die Bühne, um endlich meine Geburtstagsgäste zu begrüßen.

Drei

Als ich am nächsten Tag das Bewußtsein wiedererlangte, war es nach elf.
Ich lag in meinem eigenen Bett. Immerhin. Und neben mir lag keiner. Ich hatte sogar ein Nachthemd an – allerdings über der Jeans. Und einen Turnschuh. Zugedeckt war ich mit der Zeitung. Sie trug das Datum vom 9. Juli. 9. Juli? Geburtstag. Dreißig geworden. Mein Kopf fühlte sich an, als wären die Gehirnwindungen mit Blei ausgegossen. Bei jeder Bewegung ertönte ein Gong, der vibrierend nachhallte.
Ich krabbelte vorsichtig zum Kühlschrank und holte eine Flasche eiskaltes Mineralwasser heraus. Die eine Hälfte schüttete ich in mich hinein, die andere über meinen schmerzenden Kopf. Dann schleppte ich mich zurück ins Bett. Erst mal so tun, als wär' nichts. Ein Kater verschwindet am schnellsten, wenn man ihn nicht beachtet.
Hella und Arne würden erst um drei auftauchen. In weiser Voraussicht hatte ich ihnen den Vormittag freigegeben. Um drei war der Termin mit Hennemann. Bis dahin war ich hoffentlich wieder zurechnungsfähig.
Ich versuchte den Buchstabensalat auf der Zeitung zu ordnen. »Atmo-Manege voprschen 000000 DM Brodell«.
Wie bitte?
»Atom-Manager verprassen 30 000 DM in Bordell«.
Ach so. Sehr vernünftig. Make love, not war. Solange die Kerle rumvögelten, bauten sie keine Atombomben.
»Bundesanstalt für Arbeit verteilt 16 Milliarden Mark.«
Ich stellte mir vor, wie ein Beamter Geldscheine unters jubelnde Volk wirft. Sechzehn Milliarden! Wie viele Hundertmarkscheine das wohl waren?

»Bei Bonbons dient Sex zur Versöhnung.«
Das war nicht nur bei Bonbons so. Bonbons? Ich las die Zeile noch mal. Bonobos, ach so, das waren diese Affen.
Mein Blick wanderte weiter.
»Bundesbürger essen zu fett.«
Stimmte nicht. Sie tranken nur zuwenig Alkohol dazu. Beim Gedanken an Alkohol wurde mir schlecht.
Als ich aus dem Bad zurückkam, klingelte das Telefon.
Es war Uli.
»Hallo, Süße, weilst du wieder unter den Lebenden?«
»Ich weiß noch nicht so genau«, murmelte ich.
Seit Uli und ich uns kannten, verging kein Tag, an dem wir nicht telefonierten oder uns sahen. Der morgendliche Anruf war Tradition. Meist meldete sich Uli, wenn sie gegen neun in ihren Laden kam. Sie verkaufte die schrägsten Hüte der Stadt. Leider hatten nicht alle so viel Sinn fürs Ausgefallene wie sie, deshalb lief ihr Salon mehr schlecht als recht. Uli ließ sich davon aber nicht beeindrucken. »Ich kann nur verkaufen, was mir selbst gefällt!« verkündete sie. »Bevor ich Queen-Elizabeth-Hüte verscherble, mach' ich den Laden lieber dicht.« Sie hatte gut reden, ihr Freund Michael hatte die dicke Kohle, und sie mußte sich um ihr Auskommen keine Sorgen machen.
Ich saß um neun gewöhnlich beim Frühstück, das aus einer großen Tasse Tee mit Milch und einer Multivitamintablette bestand. Wir erzählten uns die neuesten Liebesgeschichten, wen wir kennengelernt hatten, wer was gesagt hatte und ähnlichen »Weiberkram«. So pflegte Michael unser morgendliches Viertelstündchen zu bezeichnen.
Ich konnte Michael nicht ausstehen. Er war Chirurg, ehrgeizig und arrogant. Keine Ahnung, was Uli an ihm fand. Wir sparten das Thema nach Möglichkeit aus.
Ich fragte mit unverfänglicher Stimme: »Sag mal, Uli, was war'n noch so los gestern?«

»Du warst doch wohl dabei, oder irre ich mich?«
»Ja, schon. Aber mein Hirn ist total vernebelt. Ab dem Auftritt von Capt'n Cool (das war der New Yorker Rapper) erinnere ich mich an nichts mehr.«
»Aha. Absentia alcoholica, oder wie das heißt.«
Uli liebte Fachausdrücke und Fremdwörter. Wenn ihr der richtige Begriff nicht einfiel, erfand sie einfach einen.
»Mir egal, wie das heißt. Klär mich gefälligst auf! Sag mir, ob ich mich gestern danebenbenommen habe.«
»Laß mich mal nachdenken. Nachdem du mit Hennemann eine Runde Lambada getanzt hast, bist du rauf auf die Bühne und hast Rudi 'nen Heiratsantrag gemacht. Komischerweise hast du ihn Florian genannt. Später wolltest du unbedingt singen. Du bestandest auf ›Baby, come back to me‹, aber außer dem Refrain kanntest du keine Zeile vom Text. Hundert Punkte auf der nach oben offenen Peinlichkeitsskala. Kam aber gut an. Na ja, und als dann die Schaum-Nummer kam, wolltest du den Leuten die Haare waschen.«
Ich sagte eine Weile gar nichts. Dann räusperte ich mich.
»Und wie geht's dir heute?«
Jetzt war Uli plötzlich still.
»Uli, was ist denn?«
Ich hörte ein Schlucken am anderen Ende der Leitung.
»Was ist denn, Uli? Was ist los?«
»Ich bin schwanger.«
»Waaaaas???«
Ich schoß senkrecht aus dem Bett. »Was bist du? Das kann nicht dein Ernst sein! Bist du sicher?«
»Total sicher. Ich bin zwei Wochen überfällig. Heute morgen habe ich den Test gemacht.«
Wie von einem rechten Haken getroffen, fiel ich in mein Kissen zurück. Fast hätte ich angefangen zu heulen.
Uli! Ein Kind! Das bedeutete: Keine Komplizin mehr auf

nächtlichen Streifzügen. Keine Gefährtin mehr für gelegentliche Wochenenden in den Bergen. Keine spontanen Kinobesuche mehr, keine langen, ungestörten Gespräche bei viel Wein und Zigaretten. (Ach, Scheiße, ich rauchte ja nicht mehr!)
Es bedeutete: Kindergeschrei, Stillprobleme, Windelgespräche, dada, baba, kacka. Und es bedeutete: Michael als stolzer Vater. Den kriegten wir nie mehr los. Verdammt!
»Du willst es doch wohl nicht kriegen?« forschte ich vorsichtig nach.
»Spinnst du? Ich bin einunddreißig. Wann soll ich denn Kinder kriegen, wenn nicht jetzt?«
Überhaupt nicht, dachte ich. Jedenfalls nicht von diesem Kerl. »Wer ist denn der Vater?«
»Also, hör mal, Cora, du hast echt Nerven. Dreimal darfst du raten.«
»Schon gut, war 'ne rhetorische Frage. Weiß er's schon?«
»Ja.«
»Und?«
»Er freut sich total.«
Klar, dachte ich. Der eitle Affe ist stolz darauf, daß seine einzigartigen Gene sich fortpflanzen. Wahrscheinlich geht er heimlich zum Samenspenden, weil er findet, daß gar nicht genug kleine Michaels auf der Welt rumlaufen können.
»Und jetzt?« fragte ich hilflos.
»Nichts. Ich dachte, du freust dich.«
»Tu' ich ja auch.«
Klang wohl nicht überzeugend.
»Ach, Cora, das ist doch nicht das Ende der Welt. Was macht das schon? Ich habe vielleicht ein bißchen weniger Zeit für Spaß. Aber sonst? Zwischen uns ändert sich doch nichts, Süße!«
Denkst du. Ich weiß doch, wie Frauen anfangen zu spinnen,

wenn sie Kinder kriegen. Als gehörten sie plötzlich zu einer Sekte. Interessieren sich für nichts anderes mehr. Reden nur noch über Kinder. Männer übrigens auch. Bei denen ist es fast noch schlimmer. Völlig gaga werden die meisten. Tragen mit blödem Gesichtsausdruck ihre sabbernden Babys durch die Gegend und platzen vor Stolz. »Uli, laß uns Schluß machen. Wir reden morgen. Ich muß erst mal zu mir kommen, o.k.?«

»O.k. Bis morgen dann.«

Ich legte auf. Das war ungefähr so, als hätte Uli mir gesagt, daß sie nach Neuseeland auswandern wolle. Auf einen Schlag war sie unerreichbar weit weg.

Ich dachte an unser erstes Gespräch. Es war ziemlich genau zehn Jahre her, als mich eines Tages eine wildfremde Frau anrief.

»Hallo, bist du die Cora?«

Ich kannte die Stimme nicht.

»Bin ich. Mit wem habe ich das Vergnügen?«

»Ich heiße Uli. Ich bin die Freundin von Egon. Genauer gesagt, seine Ex-Freundin. Er hat gestern mit mir Schluß gemacht. Und dann hat er mir deine Nummer gegeben. Du könntest mir alles erklären.«

Ich schnappte nach Luft. Der Typ hatte wohl 'ne Vollmeise! Hetzte mir seine abgelegten Mädels auf den Hals, weil er keinen Bock hatte, sich um einen eleganten Abgang zu bemühen!

»Gib mir deine Nummer, Uli. Ich ruf' dich gleich zurück!« bat ich.

Dann knöpfte ich mir Egon vor. Der zeigte nicht die Spur eines schlechten Gewissens.

»Ach, Cora, sei doch nicht so moralisch! Uli ist ein nettes Mädchen, aber mehr halt nicht. Was soll ich ihr denn sagen?«

»Laß dir gefälligst was einfallen! Wenn du eine Mieze

rumkriegen willst, bist du doch auch nicht auf den Mund gefallen!«
»Du kannst das viel besser als ich. Erzähl ihr was von meiner schwierigen Kindheit. Du machst das schon.«
Ich knallte den Hörer auf und rief wieder bei Uli an. Am nächsten Tag trafen wir uns. Sie wohnte in einem winzigen Dachzimmer zur Untermiete. Die Heizung war ausgefallen, und es war eiskalt. Wir tranken zwei Liter Glühwein und erzählten uns gegenseitig unser Leben. Von da an waren wir unzertrennlich.
Und nun war sie schwanger. Wahrscheinlich würde sie Michael heiraten. Alles war aus.
Der Tag fing beschissen an und ging so weiter. Das Telefon klingelte wieder. Hella.
»Mensch, Chefin, ich versuche seit einer Ewigkeit, dich zu erreichen.«
Sie übertrieb, wie meistens. Ich hatte höchstens fünf Minuten telefoniert.
»Was ist denn so dringend?«
»Hennemann hat gestern im Suff rausgelassen, daß er eine andere Agentur gegen uns antreten lassen will. Er meint, Konkurrenz belebt das Geschäft. Wer ihm das überzeugendere Konzept für die Pralinen-Kampagne macht, kriegt den Etat fürs nächste Jahr.«
»Wer sind die anderen?«
»Halt dich bitte fest.«
Ich griff nach meinem Kopfkissen.
»Es ist Macke und Co.«
»Oh, no!« stöhnte ich auf.
Das war ja ein reizender Zufall! Macke und Co. war die Agentur, bei der ich gearbeitet hatte, und wenn ich einen Feind auf der Welt hatte, dann war es Jens Macke. Er gehörte zu den Männern, die sich für unwiderstehlich halten. Er war ein eingebildeter, selbstgefälliger, unaussteh-

licher Macho, der jede Frau anbaggerte, die nicht bei drei auf dem Baum war. In der Agentur gab es kein weibliches Wesen, das sicher vor seinen Nachstellungen gewesen wäre.
Ich hatte ihm allerdings von Anfang an derartig die Krallen gezeigt, daß er sich bei mir nie richtig getraut hatte. Deshalb hatte er dann auf jede denkbare Art und Weise versucht, mir das Leben schwerzumachen. Und ausgerechnet der trat gegen uns an!
Am liebsten hätte ich in mein Kopfkissen gebissen.
»Danke, Hella. Wir sehen uns nachher.«
Schöner Mist. Hennemann war zwar ein Nervtöter, aber sein Etat war unser größter Brocken. Und Schokolade war ja kein so übles Thema. Wenn er absprang, wurde es ziemlich eng, denn gerade hatte ich seinetwegen ein paar lukrative Aufträge abgelehnt.
Mein Magen fühlte sich nicht gut an. Ich stieg aus dem Bett und kochte mir eine Kanne Tee. Die Teebeutel legte ich mir auf die Augen. Sollte abschwellend wirken. Ich schluckte drei Vitaminpillen. Dann stellte ich mich unter die Dusche.
Es war ein Uhr. Noch zwei Stunden bis zum Showdown. Ich schmierte mir ein Wurstbrot, füllte ein Glas mit Eiswürfeln, Cola und Zitrone. Dann setzte ich mich an den Computer. Ich hatte vor, diesem schwäbischen Schokoriegel ein Pralinen-Konzept vorzulegen, das ihn zum Schmelzen bringen würde.
Mit feurigen Formulierungen erläuterte ich, warum nur eine kleine, flexible Agentur wie meine der Herausforderung »Praline« gewachsen wäre. Daß die idealen Pralinen-Käufer unter den jungen, gutverdienenden, erfolgreichen Aufsteigern zu suchen wären. Und daß wir den Draht zu diesen Leuten hätten. Die Praline zur Zeitgeist-Leckerei der 90er Jahre zu machen – das war die Aufgabe! Es wurde kein Konzept, es wurde ein Pamphlet.

Als ich fertig war, ließ ich vier Exemplare ausdrucken. Meine Armbanduhr zeigte immer noch auf eins. Das konnte nicht sein. Ich rief die Zeitansage an. Es war 14.28 Uhr. Gleich würden Hella und Arne kommen.

Ich räumte meinen Schreibtisch auf und hörte dabei den Anrufbeantworter ab.

»Hallo, hier spricht Tante Elsie. Hallo, Cora? Bist du da? Ist das wieder dieser blöde Apparat? Geh doch mal ran!? ... Also, wenn du mich hörst: Alles Gute zum Geburtstag, mein Prinzeßchen!« Piep.

Tante Elsie war meine Familie. Ich war bei ihr groß geworden. Meine Eltern hatten sich getrennt, als mein Vater spitzgekriegt hatte, daß ich ein Kind der Liebe war – allerdings nicht der Liebe zu ihm. Mein richtiger Vater war ein spanischer Geschäftskollege, den er irgendwann zum Essen angeschleppt hatte und der lange Zeit so eine Art Hausfreund gewesen war. Der Mann meiner Mutter war viel auf Reisen, wo er sie sicher ständig betrog. Seine Eroberungen aber waren offensichtlich nicht so blöde, sich von ihm schwängern zu lassen.

Es ergab sich wohl, daß der Spanier und meine Mutter sich näherkamen, und so verfüge ich heute über einen stattlichen kastilischen Zinken und eine wilde schwarze Mähne.

Ich hing sehr an Tante Elsie. Sie war eine einfache, stinkbürgerliche Frau, und sie nahm mich sofort auf, als meine Mutter plötzlich nicht mehr für mich sorgen konnte. Ihrer Liebe habe ich es vermutlich zu verdanken, daß ich keinen größeren Schaden davongetragen habe, bedauernswerte Scheidungswaise, die ich war!

Der nächste Anrufer. »Guten Tag, Frau Schiller, hier Merkle, Firma Topsped & Co. Dürfte ich Sie um einen Rückruf bitten?« Piep.

Was wollten die denn? Ich hatte bei denen doch gar nichts bestellt.

»Hallo, Cora, Florian hier. Du, es tut mir echt leid, daß ich nicht am Flughafen sein konnte. Deshalb weiß ich auch gar nicht, ob du überhaupt gekommen bist. Dieser Möbel-Typ, Avarezzi, hat mir kurzfristig ein Interview zugesagt. Echt wichtig für mich. Sei nicht sauer. Bitte fahr zu Carlo und Marina, die erwarten dich.« Piep.
Als ich gerade einen Tobsuchtsanfall kriegen wollte, kam Hella zur Tür rein. »Hallo, Chefin, alles klar?«
»Kann man so sagen«, knurrte ich.
Das Band lief weiter.
»Hallo, Cora. Sie kennen mich nicht. Ich war gestern auf Ihrem Fest. Sie sind eine bemerkenswerte Frau. Aber das wissen Sie wahrscheinlich. Auf bald.« Piep.
»Ach, ist ja interessant. Wer ist denn das?« fragte Hella mit unverhohlener Neugierde.
»Erstens weiß ich es nicht. Zweitens geht es dich nichts an.« Ich war gereizt wie ein Tiger.
Wer konnte das sein? Ich ließ die Gesichter Revue passieren, die mir aufgefallen waren. Keiner drunter, zu dem die Stimme gepaßt hätte. Doch, da war dieser Typ mit dem durchdringenden Blick und der großen Nase. Vielleicht der? Keine Ahnung.
»Hallo, Cora, gut geschlafen?« Geräuschlos war Arne eingetreten.
»Es geht so, danke.« Ich riß mich zusammen. Die beiden konnten echt nichts dafür. »Wollt ihr 'nen Tee?«
Während ich in der Küche frischen Tee kochte und ein Tablett mit Geschirr und Keksen vorbereitete, vertieften sich die beiden in das Konzeptpapier. Als ich ins Büro zurückkam, machten sie beeindruckte Gesichter. Bevor wir darüber reden konnten, klingelte es an der Tür. Hennemann, der schwäbische Pedant, war natürlich zehn Minuten zu früh. Die Schlacht begann.

Vier

*D*iese Schlacht wurde mein Waterloo.
Hennemann hatte die Konkurrenz gleich mitgebracht: Mit einem süffisanten Lächeln in der Yuppie-Fresse spazierte Jens Macke in mein Büro. Unter dem Arm trug er einen Stapel Papier.
»Hallo, Cora, Schätzchen, wirklich nett, Sie zu sehen.«
Er versuchte tatsächlich, mir so ein Schicki-Micki-Begrüßungsbussi auf die Wange zu drücken, aber ich wich ihm geschickt aus. Was glaubte der eigentlich!
Trotzdem versuchte ich, locker und unbefangen zu wirken. Schließlich war ich keine seiner Angestellten mehr, sondern selbst Agentur-Chefin. Meine zwei Getreuen standen wie eine Eins hinter mir. Hella war sowieso eine begnadete Komödiantin, und neben Arne konnte eine Bombe hochgehen, ohne daß er mit der Wimper zuckte.
Ich holte den Tee und eine zusätzliche Tasse und machte es mir bequem. Ich war gespannt, was passieren würde.
Hennemann fühlte sich offensichtlich auch nicht wohl in seiner Haut. Es war ihm schon klar, welchen Affront der überraschende Auftritt von Macke uns gegenüber darstellte. Aber offenbar wollte er aufs Ganze gehen.
Er überspielte seine Unsicherheit mit ein paar launigen Bemerkungen über das gestrige Fest, und wie nett es doch gewesen sei. »Gell, Frollein Hella«, zwinkerte er mit Verschwörermiene, »richtig luschtig ham wir's gehabt!«
Hella kicherte peinlich berührt.
Dann kam Hennemann zur Sache. Er sprach von »Kreativitätsmaximierung«, »neuen Impulsen«, »gemeinsamem Brainstorming«, »positiven Synergieeffekten« und ähnli-

chem Blabla. Dann forderte er mich auf, mein Kampagnen-Konzept vorzustellen.
Ich verteilte die Papiere und stellte kurz und anschaulich dar, was ich ausgearbeitet hatte. Präsentation war meine Stärke; ich wußte, daß ich überzeugend rüberkam.
Hennemann wirkte nicht unzufrieden. Er brummte in sich hinein, äußerte sich aber nicht.
Dann war Macke dran.
Er plusterte sich auf wie ein Hahn, stellte sich in Positur und legte los. Sein fast zwanzigminütiges Referat konnte man in einem Satz zusammenfassen: »Die Gummibärchengeneration von heute ist die Pralinengeneration von morgen.«
Macke schlug allen Ernstes vor, man müsse Kinder auf den Pralinengeschmack bringen. Schließlich gebe es Kinderschokolade, Kinderschokoriegel und Kinderschokoeier. Kinderpralinen hingegen gebe es noch nicht. Das sei eine Marktlücke.
Hennemann wirkte überrascht. Seine Lippen bildeten ein erstauntes O. Dann zogen sich die Mundwinkel auseinander zu einem immer breiter werdenden Lächeln.
»Kinder«, murmelte er. »Kinderbralline. Genial. Einfach genial!«
Er schlug Jens Macke auf die Schulter. Der ließ diese Vertraulichkeit geschmeichelt über sich ergehen.
»Des isch großartig, Herr Macke! Genau so machen wir das! Kinderfeste, Aktionen auf Schulhöfen, Sportveranstaltungen, Ballonfahrten, Wettkämpfe . . . die Möglichkeiten sind ja da fascht unbegrenzt! Herr Macke, Sie kriegen den Zuschlag! Und Frau Schiller mit ihren Kollegen wird Ihnen zuarbeiten.«
Jens Macke lächelte triumphierend.
Die Gesichter von Arne und Hella wurden immer länger. Wie ich in diesem Moment aussah, wollte ich lieber nicht wissen.

Als der Horrortrip vorbei war, saßen wir zu dritt einige Zeit schweigend da.
Arne studierte seine Schuhspitzen, Hella zwirbelte gedankenverloren in ihrem Blondhaar. Ich guckte aus dem Fenster auf die Balkonbrüstung gegenüber, auf der eine Katze in offenbar selbstmörderischer Absicht entlangbalancierte. Im letzten Moment überlegte sie es sich anders und sprang zurück auf den Balkon.
Arne brach als erster das Schweigen. Er räusperte sich. »Was machen wir jetzt?«
»Was wohl?« lachte Hella höhnisch auf. »Sklavendienste für Herrn Macke, was denn sonst?«
Ich sagte mit betont fester Stimme: »Kinder, laßt mich in Ruhe überlegen. Den Scheißtag heute streichen wir aus dem Kalender. Macht euch ein schönes Wochenende. Wir sehen uns am Montag. O.k.?«
Die beiden zogen ab wie Kinder, denen man ihr Spielzeug weggenommen hat. Oder ihre Kinderpralinen.
Komischerweise war ich völlig ruhig. Immer, wenn es ernst wurde, war ich die Ruhe selbst. Sonst regte ich mich bei jeder Kleinigkeit tierisch auf. Aber im Katastrophenfall bemächtigte sich meiner ein grenzenloser Fatalismus. Es würde sich schon alles regeln, irgendwie. Wer waren schon Macke und Hennemann? Alles Würstchen. Lächerlich. Ich würde schon wieder auf die Beine kommen.
Ich beschloß, das ganze Thema erst mal auszublenden. Heute abend konnte ich sowieso nichts mehr machen.
Ich zog mir was Schickes an, malte mir ein bißchen Farbe ins Gesicht und griff zum Telefon.
»Hallo, Thomas? Hör mal, ich möchte gern zum Essen gehen. Kommst du mit?«
Keine Sekunde hatte ich damit gerechnet, daß Thomas mir den Gehorsam verweigern würde. Deshalb fiel ich aus allen Wolken, als er am anderen Ende der Leitung stotterte: »Äh,

Cora, tut mir echt leid, aber heute kann ich nicht. Ich habe eine Verabredung.«
Thomas, eine Verabredung? Mit wem, um alles in der Welt?
Ich war zu verblüfft, um ihn zu fragen. Also murmelte ich nur ein undeutliches »Viel Spaß« und legte auf.
Ich konnte mir Thomas nicht mit einer Frau vorstellen. Er war ein guter Freund, ein Kumpel, ein Tröster in der Not – aber doch völlig unerotisch. Sozusagen neutral. Fand ich jedenfalls. Sollte es tatsächlich Frauen geben, die ihn als erotisches Wesen empfanden? Erstaunlich.
Ich war in meinem Tatendrang abrupt gebremst worden. Nun wußte ich einen Moment lang nicht mehr, was ich tun sollte.
Uli? Dafür war ich noch nicht reif. Außerdem wollte sie diesen Abend sicher in trauter Zweisamkeit mit dem werdenden Vater verbringen.
Egon, der Unwiderstehliche? Der würde mich sicher wieder auf eine Party mitschleppen, wo er von einer Herde zwanzigjähriger Anbeterinnen umschnattert werden würde.
Noch während ich nachdachte, klingelte es an der Tür.
»Firma Topsped, wir haben eine Lieferung für Sie«, schnarrte es durch die Gegensprechanlage.
Lieferung? Was für eine Lieferung?
Ich öffnete die Wohnungstür und wurde fast unter einer Paketflut begraben. Ach, du großer Gott, die Geburtstagsgeschenke! Hella, die Gute, hatte offenbar die Spedition bestellt. Ich drückte dem Spediteur einen Zehner in die Hand und schloß mit einiger Mühe die Tür.
Ein Wahnsinn! Ich vergaß völlig, daß ich im Begriff gewesen war, auszugehen. Den Rest des Abends verbrachte ich damit, Päckchen zu öffnen und Glückwunschkarten zu lesen. Ich hockte zwischen Bergen von Papier und Schleifen und war einfach gerührt.

»Siehst du, Alte«, sagte ich zu mir, »es mögen dich doch 'ne Menge Leute.«
»Hättest du nicht gedacht, was?«
»Na ja, manchmal können einem Zweifel kommen.«
»Du meinst Florian?«
»Florian? Wer ist Florian?«
»Schon gut, Alte, vergiß es.«
»Halt jetzt besser die Klappe, o.k.?!«
»O.k.«
Ich beendete die Unterhaltung. Schließlich wollte ich mir ja nicht selbst den gemütlichen Abend verderben.

Den Samstagvormittag verbrachte ich im Büro. Ich wollte rausfinden, in welcher Lage die Firma C.S.-Promotion sich durch den Verlust des Hennemann-Etats befand. Das Resultat war nicht gerade ermutigend.
Ich allein hätte mich mit den restlichen Aufträgen über Wasser halten können. Aber schließlich hatte ich Arne und Hella. Wenn ich nicht beiden kündigen wollte, mußten wir in den sauren Apfel beißen und Wasserträger für Macke spielen. So würden wir Zeit gewinnen, und ich könnte versuchen, neue Kunden zu akquirieren.
Gegen Mittag meldete sich Hunger. Mein Eisschrank war bis auf eine halbe Zitrone und ein paar Flaschen gähnend leer. Im Gefrierfach langweilte sich ein Rest Apfelkuchen neben einer angebrochenen Packung Fischstäbchen. Traurige Aussichten fürs Wochenende. Ich hatte tatsächlich vergessen einzukaufen.
Fischstäbchen und Kuchen zusammen drapierte ich auf einem Teller und schob ihn in die Mikrowelle. Als ich mich gerade zum Essen hinsetzen wollte, klingelte es an der Tür.
Vor mir stand Thomas. Die Hand bandagiert, ein Auge blau unterlaufen, die Lippe aufgesprungen. Ich ließ vor Schreck fast meinen Teller fallen.

»Was ist denn mit dir passiert?« fragte ich entgeistert.
»Verabredung gehabt«, nuschelte er.
»Aber doch nicht mit Henry Maske, vermute ich.«
»Nee. Mit Sabine.«
»Wer ist Sabine? Eine Ringkämpferin?«
»Kollegin aus der Heilpraktikerschule.«
»Und ihr habt 'ne neue Heilmethode ausprobiert, oder was?«
Ich konnte mir das Lachen nicht mehr verkneifen. Thomas war der sanfteste und konfliktscheuste Mensch, den es gab. Sobald es Spannungen gab, floh er. Sein seelisches Gleichgewicht stellte er durch Meditation wieder her. Ich konnte mir beim besten Willen keine Situation vorstellen, in der er sich prügeln mußte.
»Ich wußte nicht, daß sie 'nen Freund hat. Er kam überraschend nach Hause. Totaler Macho. Ist gleich auf mich losgegangen.«
»Wie??? Er hat euch in flagranti erwischt?«
»Nennt man wohl so.«
»Mensch, Thomas, das ist doch irre! Daß du mal in so eine Situation kommst! Hätte ich dir gar nicht zugetraut!«
»Na, hör mal!«
Thomas schaute mich beleidigt an und hob seine bandagierte Hand. »Ich habe ihm einen Zahn rausgehauen!«
»Du bist verrückt! Womöglich zeigt er dich an?«
»Glaub' ich nicht. Sabine wird ihn schon davon abhalten. Aber ich wäre wohl doch besser mit dir zum Essen gegangen!«
»Sehr richtig, mein Lieber. Da siehst du, wo es hinführt, wenn du deiner Herrin und Gebieterin nicht zu Willen bist!«
»Ach Cora, du weißt doch, daß ich nichts lieber wäre als dir zu Willen! Aber wenn du mich nicht erhörst, dann muß ich doch wenigstens versuchen, mich für andere Frauen zu interessieren.«

Ich umarmte ihn. Er tat mir leid. Gleichzeitig fand ich seine Geschichte zu komisch.
»Nimm's nicht so schwer, Alter. Ich bin eine neurotische, beziehungsgestörte Chaotin. Du hast was Besseres verdient. Willst du einen Tee?«
»Lieber einen Schnaps, wenn du hast.«
Ich holte eine Flasche Cognac und zwei Gläser. Wir prosteten uns zu.
»Und wie geht's dir?« fragte er.
Als hätte ich auf diese Frage gewartet, sprudelte ich los und erzählte ihm alles.
Von Florian, der meinen Geburtstag vergessen und mich nach Rom bestellt hatte, von der anderen Frau Schiller, die mir den letzten Platz weggeschnappt hatte, von Hennemann und Macke und der Pralinen-Schlappe und von Uli, die einfach schwanger wurde, ohne mich zu fragen.
»Uli ist schwanger?«
Das schien ihn sehr zu interessieren. »Aber das ist doch toll! Freust du dich denn nicht für sie?«
»Warum freuen sich eigentlich immer alle, wenn jemand schwanger ist?« giftete ich. »Hinterher sind alle nur genervt von den Kindern und beschweren sich, daß es zuwenig Kindergartenplätze gibt.«
Thomas schaute mich nachdenklich an. »Kann es sein, daß du neidisch auf Uli bist?«
»Neidisch? Ich? Das ist ja lächerlich!«
»Warum regst du dich dann so auf?«
»Weil mir der ganze Kinderkram auf die Nerven geht.«
»Na, dann bist du bei Macke mit seiner Kinderpralinen-Kampagne ja genau am richtigen Platz«, feixte Thomas.
»Schlaumeier«, knurrte ich.
Mein Mikrowellenmenü war inzwischen wieder kalt und sah ungenießbar aus. Mein Magen hing in den Kniekehlen, und der Cognac machte sich bemerkbar.

»Hör mal, Thomas, sei ein Schatz«, nuschelte ich, »hol uns eine Pizza oder irgendwas. Ich sterbe vor Hunger.«
Ich drückte ihm meinen Schlüsselbund in die Hand.
»Und bring bitte die Post mit, ich war heute noch gar nicht unten.«
Thomas verschwand artig und kehrte wenig später mit einem Stapel Pizza zurück. Wir setzten uns gemütlich auf dem Sofa zurecht, aßen, redeten und lachten. Gegen Abend verabschiedete er sich auf seine übliche linkische Art. »Tschüß, meine Traumfrau. Bleib mir gewogen!«
Ich goß mir genüßlich noch einen Cognac ein. Besser ein guter Freund als ein schlechter Liebhaber.
Telefon. Florian. Sieh mal an.
»Hallo, Cora, tut mir wahnsinnig leid, daß alles so schiefgelaufen ist. Wo warst du eigentlich? Carlo und Marina haben sich total Sorgen gemacht! Ist alles in Ordnung?«
»Danke der Nachfrage. Mir geht es glänzend.«
»Sag mal, Schätzchen, wollen wir uns heute abend sehen? Ich habe dich vermißt! Bin extra früher zurückgekommen!«
Was waren denn das für ungewohnte Töne? Mußte eine akustische Halluzination gewesen sein. Ich klemmte mir den Hörer zwischen Ohr und Schulter und begann, durch die Wohnung zu spazieren.
»Ich weiß nicht«, zögerte ich, »eigentlich bin ich ziemlich sauer auf dich. Du hast meinen Geburtstag vergessen.«
»Aber nein, Cora, hab' ich nicht! Den wollte ich ja in Rom mit dir feiern!«
Schnelle Reaktion, der Bursche. Ob ihm das gerade eingefallen war? Vielleicht stimmte es ja auch. Punkt für ihn.
»Na, und dann bestellst du mich nach Rom und versetzt mich.«
»Bist du denn überhaupt geflogen?«
»Nein.«
»Na bitte, dann habe ich dich auch nicht versetzt!«

»Aber du hättest.«
»Ach Cora, sei nicht so. Ich bin ehrlich zerknirscht. Gib mir eine Chance!«
Während seine Worte wie süßer Sirup in mein Ohr tropften, räumte ich Pizzakartons und Gläser aus dem Wohnzimmer in die Küche. Als ich zurückkam, fiel mein Blick auf einen Stapel Post, den Thomas vorhin dort abgelegt hatte. Ich begann die Umschläge zu öffnen.
»Mal sehen. Ich weiß noch nicht, ob ich Lust habe. Wenn ich mich recht erinnere, hatten wir einen ziemlichen Krach, als wir uns zuletzt gesehen haben.«
Rechnung. Mein Geburtstagsbuffet.
»Das ist fast drei Wochen her, Cora!«
»Ja eben, und bis vorgestern hast du dich nicht einmal gemeldet!«
Süddeutsche Klassenlotterie. Super-Gewinnchancen.
»Aber jetzt melde ich mich doch. Und ich will alles wieder gutmachen!«
Glückwunschkärtchen von Tante Elsie. Noch mal alles Liebe und Gute!
»Und wie?«
»Laß uns heute abend toll ausgehen, deinen Geburtstag nachfeiern und in Ruhe über alles reden.«
Einladung zu einer Ausstellungseröffnung. Samstag, 10. Juli, 21 Uhr, Galerie Koller.
»Ich habe heute abend schon was vor.«
»Was denn?«
»Ausstellungseröffnung. Bilder von ... (ich schaute schnell auf die Einladung) ... von Ivan Remky.«
»Wer ist das denn?«
Ich hatte nicht die geringste Ahnung. »Hochbegabter Künstler. Alle reden zur Zeit von ihm. Kennst du ihn etwa nicht?«
»Nie gehört.«
»Bildungslücke.«

»Tja, was machen wir da?«
Allmählich klang er mürbe, aber er machte noch einen Anlauf: »Wir könnten ja einfach zusammen hingehen und hinterher noch was trinken. Was meinst du?«
»Na gut«, gab ich mich gnädig. »Hol mich um halb neun ab.«
Ich lächelte grimmig in mich hinein. Diese Rom-Nummer würde er mir büßen. Und überhaupt hatte ich große Lust, den Spieß umzudrehen. Lange genug hatte er mich am ausgestreckten Arm verhungern lassen. Jetzt war Schluß.
Ich schmiß mich in Schale.
Schwarzes Minikleid, hohe Plateau-Pumps, die Haare offen, feuerroter Lippenstift. Ich sah aus wie Cleopatra auf dem Weg in die Schlacht von Aktium. Weh dir, Octavian!
Gegen seine Gewohnheit kam Florian pünktlich. Er wartete auch nicht, wie sonst, im Auto auf mich. Nein, er bemühte sich tatsächlich drei Treppen hoch, um mir die Tür aufzuhalten. Ob er krank war?
»Du siehst umwerfend aus, meine Süße!« begrüßte er mich.
»Weiß ich, danke«, gab ich zurück.
»Schmollst du denn immer noch?« fragte er vorsichtig.
»Ach, weißt du«, antwortete ich gedehnt, »schmollen ist vielleicht nicht ganz der passende Ausdruck.«

Die Galerie war brechend voll. Ohne es zu wissen, hatte ich mit meiner Bemerkung, der Maler sei derzeit irre angesagt, den Nagel auf den Kopf getroffen. Das ganze Szenevolk trieb sich hier rum und kommentierte mit Kennerblick die Bilder.
»Ungemein tiefgründig, nicht wahr?«
»Ja, aber auch von einer gewissen neoexpressionistischen Triebkraft.«
»Doch eher poststrukturalistisch, findest du nicht?«
»Nein, das kann ich gar nicht nachvollziehen. Aber wenn du meinst . . .«

Ich hatte eigentlich nicht viel Bezug zu moderner Malerei, und im übrigen nicht die geringste Idee, wer mir die Einladung geschickt hatte. Diese Bilder aber erstaunten mich. Sie waren schwarz-weiß. Wie alte Fotos. Und tatsächlich zeigten sie Momente und Stimmungen, wie sie ein Hobbyfotograf in den fünfziger Jahren hätte aufnehmen können: Eine Familie am Strand, ein Kind mit einem Ball, ein altmodischer Bus voller Leute, Segelboote in einem Hafen. Eigentlich waren es auch Kinobilder. Ich dachte an frühe Filme von Antonioni und Fellini. Die Bilder erzählten Geschichten, hielten kleine melancholische Momente aus dem Alltag ganz normaler Leute fest.
In mir erweckten sie eine merkwürdige Sehnsucht. Nach unbeschwerten Sommernachmittagen, nach dem Geruch von Tante Elsies Apfelkuchen, nach dem Moment, als auf meiner ersten Italienreise der Zug durch einen Zitronenhain gebraust war.
»Seit wann interessierst du dich eigentlich für Kunst?« hörte ich Florian süffisant fragen.
»Seit wann interessierst du dich eigentlich für das, was mich interessiert?« fauchte ich zurück.
Ich drehte mich um und schaute ihm zum erstenmal an diesem Abend ins Gesicht. Und plötzlich begriff ich, daß auch Florian ein Bild aus der Vergangenheit war. Daß ich mich nach etwas sehnte, was längst vorbei war. Und ich konnte diese Erkenntnis nicht für mich behalten.
»Du hast doch nie eine Ahnung gehabt, was wichtig für mich ist. Du hast immer nur an dich gedacht, an deine Karriere, dein Vergnügen, deine Weibergeschichten! Jahrelang habe ich geglaubt, ich finde den Florian wieder, mit dem ich mal glücklich war. Aber der ist tot, den gibt es nicht mehr. Du bist doch nur noch eine Karikatur deiner selbst!«
Das Gemurmel um uns her war verstummt. Die Leute standen da, mit ihren Gläsern in den Händen, und schauten uns

an. Ohne es zu merken, hatte ich immer lauter gesprochen, am Schluß sogar geschrien.
Florian packte meinen Arm und sah mich beschwörend an. »Hör bitte auf!« raunte er mir zu.
»Nimm deine beschissenen Pfoten weg!« heulte ich auf und schleuderte seine Hand weg.
»Toll«, zischte Florian, »hast du's mal wieder geschafft, mich öffentlich zu blamieren!«
Die Leute starrten uns an und schwiegen immer noch. Sie schienen wie zu einem Standbild erstarrt. Endlich begannen sie, sich wieder zu bewegen. Zuerst in Zeitlupe, dann in normaler Geschwindigkeit. Es war, als hätte ein Film, der angehalten worden war, wieder zu laufen begonnen. Das Murmeln schwoll wieder an.
Alles war wie vorher. Nichts war wie vorher.
Florian stellte sein Glas ab und sagte: »Ich geh' dann.« Er drehte sich um und verschwand in der Menge.
Ich stand da wie gelähmt, fühlte mich wie in einem komischen Traum. Plötzlich hörte ich eine Stimme. »Guten Abend, Cora.«
Ich schaute auf.
»Schön, daß Sie gekommen sind«, sagte die Stimme. »Mein Name ist Ivan Remky.«
Es war der Kerl von meinem Geburtstagsfest.

Ich weiß nicht genau, wie ich aus der Galerie wieder rauskam. Ich erinnere mich, daß ich irgendwann diesem Ivan gegenübersaß. Wir waren in einer kleinen Crèperie mit einfachen Holztischen und Bänken. Er bestellte mir Crèpe mit Banane und Schokoladensoße und einen Apfelcidre. Freundlich schaute er mich an.
»Was muß man anstellen, um Sie derart in Rage zu bringen?«
Ich holte tief Luft. »Wollen Sie das wirklich wissen?«

»Wenn Sie's erzählen wollen?«

Wollte ich? Ja, ich wollte. Ich hatte geradezu das dringende Bedürfnis, diesem Mann mein Herz auszuschütten. Ich kannte ihn nicht, er kannte mich nicht, voraussichtlich würden wir uns nie wiedersehen – was hatte ich zu verlieren?

»Es genügt, mich hundertmal zu betrügen, Verabredungen nicht einzuhalten, sich wochenlang nicht zu melden und meinen Geburtstag zu vergessen. Schon hat man die einmalige Chance, einen meiner beliebten Wutausbrüche zu erleben«, erklärte ich grimmig.

»Und womit kann man Sie wieder versöhnen?«

»Crèpes mit Banane und Schokolade ist eine ziemlich gute Methode.«

In diesem Moment stellte der Kellner mir einen Teller hin. Unter einem Berg Schlagsahne lagen zwei appetitlich gerollte Pfannkuchen, aus deren Enden die Schokoladensoße heraustropfte.

»Wußte Ihr Begleiter das nicht?« erkundigte sich Remky.

Ich verspeiste andächtig den ersten klebrig-süßen Bissen. Nach emotionalen Erschütterungen gibt es nichts Tröstlicheres als solche kindlichen Genüsse.

»Doch, aber bei ihm hätte es nichts mehr genutzt«, sagte ich mit vollem Mund.

»Na, dann hab' ich ja Glück gehabt«, stellte Remky fest und fragte weiter: »Was kann man sonst noch für die Wiederherstellung Ihres Wohlbefindens tun?«

Plötzlich wurde ich mißtrauisch. War der vielleicht bloß so nett, weil er sich Chancen bei mir ausrechnete? Nervlich angegriffen, wie ich war, machte ich offenbar den Eindruck leichter Beute auf ihn.

Ich leckte die Schokolade vom Löffel. »Nicht, daß wir uns mißverstehen«, klärte ich ihn mit blitzenden Augen auf, »ich brauche keine Schulter zum Ausweinen! Ich sitze hier nur mit Ihnen, weil ich keine Lust habe, allein zu sein.«

»Könnte es sein, daß eines Ihrer Probleme darin besteht, daß Sie immer Publikum brauchen?« gab er zurück.

Erstaunt sah ich auf. Was bildete der sich denn ein? »Ich wollte was zum Essen, keine Therapiestunde!«

»Ich fand es nur ungewöhnlich, daß Sie ausgerechnet eine Ausstellungseröffnung als Schauplatz für ihre Auseinandersetzung gewählt haben.«

Allmählich reichte es mir. »Jetzt hören Sie schon auf! Ich weiß, daß es peinlich war! Was soll ich machen? Hundertmal schreiben: ›Ich darf in der Öffentlichkeit keine Szene machen.‹?«

Remky lachte. »Ich habe mich nur mal in Ihren Freund reinversetzt. Ein bißchen leid tat er mir schon!«

»Wie rührend, er tat Ihnen leid! Zu schön, daß es in dieser Welt noch echte Männersolidarität gibt!« höhnte ich.

Jetzt war ich wirklich sauer. Erst wollte er wissen, warum ich so ausgeflippt war, und nachdem ich es ihm erzählt hatte, schlug er sich plötzlich auf die andere Seite!

Ich schluckte den letzten Bissen runter, tupfte mir mit der Serviette den Mund ab und stand auf.

»Wahrscheinlich haben Sie recht, ich sollte mir jetzt ein dankbareres Publikum suchen. Danke für die Einladung, Sie . . . Sie arrogantes Arschloch!«

Ich warf die Serviette auf meinen Teller und rauschte hinaus.

Der hatte mich reingelegt. Erst versuchte er mich anzubaggern, und dann machte er einen auf Hobbypsychologe. Typisch Mann! Wenn eine Frau nicht wollte, lag es daran, daß sie Probleme hatte!

Ich begann zu laufen. Kein leichtes Unterfangen mit Plateau-Sohlen und Absätzen von ungefähr zwölf Zentimetern Höhe. Nach wenigen Metern knickte ich um. Ein höllischer Schmerz durchzuckte meinen Knöchel. Tränen schossen mir in die Augen. Ich zog die Schuhe aus und humpelte bar-

fuß weiter. Vor Wut und Kummer weinte ich immer heftiger.
Kam denn hier nie ein Taxi vorbei?
Verzweifelt suchte ich die Straße ab. Endlich tauchte in der Ferne ein beleuchtetes Taxischild auf. Ich warf mich auf die Fahrbahn, wäre um ein Haar von einem Wagen erfaßt worden und schaffte es endlich, das Taxi anzuhalten. Aufschluchzend ließ ich mich auf den Rücksitz fallen und nannte meine Adresse.
Cleopatra hatte gesiegt, aber sie war geschlagen.

Fünf

*I*n den folgenden Tagen konzentrierte ich mich auf die Arbeit. Ich teilte Hella und Arne mit, daß wir leider keine Wahl hätten und uns mit Macke arrangieren müßten.
Hella war schon wieder obenauf.
»Den kriegen wir doch klein«, grinste sie kampfeslustig.
»Eigentlich ist er ja ganz nett«, wagte Arne sich zaghaft hervor.
»Nun übertreib nicht gleich!« zischte ich. »Keine Identifikation mit dem Aggressor!« Ich warf meine Haare theatralisch zurück und setzte eine bedrohliche Miene auf. »Ich betrachte diesen Schritt nicht als Kapitulation, sondern lediglich als strategischen Zug. Das langfristige Ziel heißt: Haut dem Macke auf die Backe!«
Wie aufs Stichwort klingelte das Telefon, und der Aggressor persönlich wollte mit seinen neuen Sklaven über ihr Tagwerk reden.
»Herr Kollege, einen wunderschönen guten Morgen!« flötete ich.
»Was ist Ihnen denn passiert, Gnädigste?«
»Nichts, Verehrtester. Ich kann nur meine Freude über unsere zukünftige Zusammenarbeit kaum zügeln.«
»Da geht es Ihnen wie mir. Auch ich schätze nichts mehr, als wenn verlorene Schäfchen wieder zu mir zurückfinden.«
Selber Hammel.
»Zur Sache, Herr Macke. Wie stellen Sie sich unseren kleinen Pas de deux denn vor?«
»Macke beschrieb umständlich, wie er sich die Aufteilung zwischen Konzeption, Organisation und Durchführung der Einzelmaßnahmen für die Kampagne gedacht hatte.

Es war offensichtlich, daß er versuchte, möglichst die lästige Kleinarbeit abzuschieben. Seinen Anteil an der Kooperation sah er mehr im »kreativen Bereich«. Sollte heißen, er dachte sich was aus, und wir könnten zusehen, wie wir seine Geistesblitze umsetzten. Das schmeckte mir überhaupt nicht.
»Lieber Kollege, so einfach ist das nicht. Wie Sie wissen, ist die Firma C.S.-Promotion ein feines, aber kleines Unternehmen. Im Klartext: Wir sind nur zu dritt. Was Sie uns da aufhalsen wollen, erfordert aber ein Vielfaches an Personal. Natürlich könnten wir aufstocken. Aber neues Personal muß man erst mal finden! Außerdem kostet das eine Kleinigkeit.«
Was Macke nicht wußte, war, daß ich über ein schlagkräftiges Heer von freien Mitarbeitern verfügte, die ich je nach Bedarf rekrutieren konnte. Dadurch war ich in Wirklichkeit sehr flexibel. Aber so leicht wollte ich es ihm nicht machen. Beim Thema Kosten kam Macke gleich ins Schleudern.
»Über die genaue Etathöhe und die einzelnen Posten, also, ich meine jetzt auch Personal und dergleichen, müssen wir uns natürlich noch verständigen. Ich werde zunächst eine Kalkulation erstellen lassen und komme dann wieder auf Sie zu.«
»Gute Idee, Verehrtester. Ich wünsche einen angenehmen Tag!«
»Gleichfalls. Übrigens, wollen wir gelegentlich mal ein Schlückchen auf unsere Zusammenarbeit trinken?«
Immer noch der alte. Vermutlich würde er jetzt, wo ich nicht mehr seine Angestellte war, noch mal sein Glück bei mir versuchen.
»Klar«, säuselte ich, »das ergibt sich bestimmt bald mal.«
Von wegen Schäfchen. Der Gute würde bald merken, daß er's mit einem Wölfchen im Schäfchenpelz zu tun hatte.

Der Donnerstag dieser Woche war ein Feiertag.
Ich wachte früh auf. Schlagartig fiel mir ein, daß Uli und ich seit meinem Geburtstagsmorgen nicht mehr miteinander gesprochen hatten. Ob sie sauer war?
Meine Reaktion auf ihre brisante Mitteilung war mir inzwischen selbst peinlich, aber Einlenken war nicht gerade meine Stärke. Jetzt jedoch hielt ich das Schweigen plötzlich nicht mehr aus. Ich faßte mir ein Herz und wählte Ulis Nummer.
»Morgen, Michael. Ist Uli da?«
Bloß keine falsche Herzlichkeit.
»Hallo Uli, ich bin's. Hör mal, es wird ein Supertag heute, kommst du mit zum Waldsee? Noch wirst du ja in einen Badeanzug passen, oder?«
Ich tat so, als sei nichts vorgefallen zwischen uns.
»Cora, ich weiß noch nicht, wir sind gerade erst aufgewacht. Kann ich dich gleich zurückrufen?«
Wir sind gerade erst aufgewacht.
»Paß auf, Uli, machen wir's so«, sagte ich knapp, »ich bin in jedem Fall am See. Wenn du Lust hast, komm einfach nach. Du weißt ja, wo du mich findest.«
Verdammt. Warum war ich nicht in der Lage zu sagen, was ich wirklich fühlte. Nämlich: Komm bitte, ich hab' ein schlechtes Gewissen und Sehnsucht nach dir und will unbedingt mit dir sprechen!
Ich zog meinen Badeanzug an und Shorts darüber. Dann packte ich meine Tasche, trank schnell einen Schluck Tee, warf die Vitaminpille ein, klappte das Verdeck meines Cabrios auf und knuddelte die Haare unter eine Schiebermütze. Die Sonne brannte vom Himmel.
Am See war noch nicht viel los, aber das würde sich bald ändern. Nahe am Ufer, unter einem Baum, war mein Stammplatz, nicht weit vom Kiosk. Der hatte zum Glück auf, denn natürlich war ich hungrig.

Mit einer Käsesemmel, einer Tüte Gummibärchen und einer Cola machte ich es mir auf dem Badetuch gemütlich. Dann vertiefte ich mich in einen Stapel Frauenzeitschriften. Ich liebte ihre Mischung aus Mode, Kochrezepten und postfeministischen Reportagen. Nirgendwo war das Leben so übersichtlich wie in so einer Zeitschrift. Man machte das Beste aus seinem Typ, dann war man in jeder Lebenslage erfolgreich. Ob man im Büro arbeitete, kleinen Kindern die Rotznasen abwischte oder ein Dinner für die Geschäftsfreunde des Mannes kochte – es kam nur darauf an, daß man sich selbst treu blieb. Diese Frauen hier waren alle so vielseitig! Wahrscheinlich hatte ich meine Möglichkeiten noch längst nicht ausgeschöpft.
Die Zeit verging. Ich schwamm, aß ein Eis und hörte Musik aus dem Walkman. Irgendwann muß ich eingedöst sein. Ich wachte auf, als mich jemand am Fuß kitzelte.
»Hallo, Süße, du kriegst gleich eine dermatitis solaris. Solltest besser aus der Sonne gehen.«
Ich sprang auf und blinzelte ins Licht. »Uli, da bist du ja!«
»Und sogar in charmanter Begleitung!« hörte ich eine Männerstimme.
Ich blinzelte noch mal. Michael. Da ging er hin, der gemütliche Nachmittag.
»Oh, hallo.«
Offenbar wollte Uli mir die Fakten noch einmal vor Augen führen. Oder sie war sauer und wollte mich ärgern. Oder sie hatte einfach beschlossen zu ignorieren, daß ich Michael nicht mochte. War ja auch egal. Er war einfach da.
Die Haut an meinen Schultern brannte schon. Ich zog mein T-Shirt an.
»Na, wie geht's euch so?« Ich gab meiner Stimme einen unbeschwerten Klang.
»Gut geht's uns, danke! Wir sind ziemlich aufgeregt. Passiert ja nicht alle Tage, daß man ein Kind kriegt!«

Michael lachte etwas gezwungen.
»Eltern werden ist nicht schwer, Eltern sein dagegen sehr!« gab auch ich eine Spruchweisheit zum besten.
Uli cremte sich sorgfältig mit Lichtschutzfaktor 15 (empfindliche Haut und Kleinkinder) ein. Sie tat, als hörte sie nicht zu.
»Ist dir schon schlecht?« fragte ich lauernd.
»Nö.« Sie schaute nicht auf.
»Aber dein Busen ist größer geworden!« stellte ich mit Scharfblick fest.
»Neidisch?« Sie warf mir einen Blick zu.
Ich hatte nicht viel Busen und gelegentlich einen Anflug von Minderwertigkeitsgefühlen. Uli wußte das natürlich.
»Ach, nicht direkt. Ich habe ja dafür eine schmale Taille.«
Das wiederum war Ulis Schwachpunkt. Sie neigte zum Bäuchlein und hatte sicher schon einen Horror davor, daß die Schwangerschaft ihre Leibesmitte vollends ruinieren würde.
»Wenn ihr hier Weibergespräche führen wollt, geh' ich ins Wasser!« sagte Michael gönnerhaft.
Ach, würdest du doch, murmelte ich unhörbar vor mich hin. Am besten für immer!
Endlich war er weg.
Uli lag auf dem Rücken und hatte die Augen geschlossen. Sie rührte sich nicht.
»Mensch, Uli, hör auf zu muffen. Tut mir ja leid wegen neulich. Ich war nur so überrumpelt. Und ich hab' halt Angst, daß du eine von diesen langweiligen Muttis wirst. Einfach so, ohne daß du was dafür kannst.«
Uli blinzelte, blieb aber liegen. »Du solltest mich besser kennen.«
»Ja, aber vielleicht muß man so werden, wenn man eine gute Mutter sein will. Vielleicht muß man das Interesse an allem verlieren, was bisher spannend war. Männer, Parties,

laute Musik, Reisen, fröhlich in der Bar sitzen bis früh um vier, all diesen Freiheit-und-Abenteuer-Kram eben.«
Jetzt rollte Uli sich auf den Bauch, um mich ansehen zu können. »Ja, glaubst du denn, ich hab' davor keine Angst? Ich schlafe schon keine Nacht mehr, so viele Sorgen mach' ich mir. Werde ich jetzt zu Hause versauern? Kann ich mein Geschäft weitermachen? Wird Michael ein guter Vater? Werde ich jemals wieder für mich sein? Das alles interessiert mich mindestens so wie dich!«
Ich war überrascht. Offenbar wirkten die Hormone bei ihr noch nicht. Ich kannte nur diese runden, selbstzufriedenen Schwangeren, die keinen Zweifel daran ließen, daß Schwangersein ihre wahre Bestimmung war.
»Aber du wolltest doch ein Kind. Jetzt mußt du doch glücklich sein!«
»Ach Süße, so einfach ist das nicht. Das wirst du auch irgendwann merken.«
»Ich? Niemals.«
Ich fand Uli undankbar. Nun kriegte sie schon, was sie sich offenbar gewünscht hatte, und freute sich gar nicht richtig darüber.
»Wann ist denn der Geburtstermin?«
»März. Wahrscheinlich Fisch. Wie meine Mutter. Hoffentlich wird es nicht so stur.«
Michael kam klatschnaß angetrabt und schüttelte sich wie ein Hund. Die Wassertropfen spritzten umher. Er schnappte sich ein Handtuch und trocknete sich ab.
Auch schon 'ne Wampe über der Badehose. Und schrecklich dünne, behaarte Beine. Ich war sehr dankbar, daß ich nicht jeden Morgen und jeden Abend diesen Bauch und diese Beine sehen mußte. Und die blöden Sprüche dazu hören. Obwohl er sich heute Mühe gab.
»Ich hol' uns 'ne Runde Eis, o.k.? Cora, was willst du?«
»Orangen-Wassereis.«

»Liebchen?«
»Schoko-Vanille.«
Liebchen, ich spür' mein Triebchen, gleich gibt es Hiebchen! Alte, reiß dich zusammen!
Das süße Eis hob, wie immer, meine Laune. Wir plauderten zwanglos und sparten das Reizthema aus.
Plötzlich legte eine großbusige Bikini-Schönheit von hinten die Arme um Michael. »Na, alter Schwerenöter, mal wieder Hahn im Korb?«
Uli richtete sich langsam auf.
Michael kicherte nervös.
»Oh, hallo Doris, was machst du denn hier? Darf ich dir Uli und Cora vorstellen?«
Doris begrüßte uns mit Verschwörermiene. »Hallo Mädels!«
Michael geriet zusehends aus der Fassung, und Uli betrachtete ihn interessiert.
»Na, Maiki, Liebling der Frauen, wie geht's denn so? Bist du endlich getrennt?«
Michael lachte laut auf, als habe Doris einen Witz gemacht. Sie ließ nicht locker.
»Mußt du ja sein, sonst könntest du wohl schlecht mit zwei Mädels rumziehen. So eifersüchtig, wie deine Freundin immer war!« Sie gab ihm einen neckischen Klaps auf die Backe. »Also dann, schönen Nachmittag noch!«
Jetzt saß Uli ganz aufrecht. »Vielen Dank!« sagte sie.
Ich war gespannt, wie Michael sich aus dieser Nummer rauswinden würde.
Uli sagte nichts. Sie schaute ihn nur an.
»Liebchen, reg dich bitte nicht auf! Doris ist ein kleines, dummes Mädchen, das ich mal irgendwo kennengelernt habe. Es war nie was zwischen uns. Das heißt, sie hat sich natürlich total an mich rangeschmissen. Und ich wußte mir einfach nicht anders zu helfen. So hab' ich halt behauptet, meine Freundin sei furchtbar eifersüchtig!«

Du Weichei, dachte ich.
Uli schwieg immer noch.
Michael setzte seine klägliche Vorstellung fort. »Das mit der Trennung war nur ein Witz! Wir redeten halt damals über Beziehungen und daß so viele Leute sich trennen oder scheiden lassen, und ich habe vielleicht gesagt, man wüßte ja nie, und vielleicht würde ich mich auch irgendwann trennen oder so was, ich weiß es nicht mehr genau. Mensch, Uli, glaub mir, da ist überhaupt nichts dahinter!«
Uli sagte immer noch nichts. Sie reichte mir die Flasche mit der Sonnenschutzlotion und fragte: »Schmierst du mir bitte den Rücken ein?«
Ich schmierte. Sie legte sich wieder hin und schwieg weiter.
Michael war fertig mit den Nerven. Fast hätte er mir leid getan.
Ungefähr nach einer halben Stunde sagte Uli unvermittelt: »Ich will noch ein Eis.«
Michael sprang auf, wie von der Tarantel gestochen.
»Aber gerne, Liebchen, ich hol' dir eines. Schoko-Vanille?«
Er zischte los.
»Cool reagiert«, bemerkte ich.
»Was hätte ich denn tun sollen?« fragte Uli. »Entweder er rafft es von allein, daß diese Dinger nicht mehr gehen, oder es hat eh keinen Sinn. Ich tu' ihm doch nicht den Gefallen und mach' ihm eine Szene wegen so einer Dummtrulla. Doris!« Sie lachte verächtlich auf.
Wie recht sie hatte. Wie blöd ich war, mich zu dem Auftritt in der Galerie hinreißen zu lassen! Man setzte sich immer ins Unrecht mit diesen Ausbrüchen. Und ich hatte Hunderte davon gehabt in der Zeit mit Flori. Anstatt mich von ihm zu trennen, als ich merkte, daß sich doch nichts ändern würde.
»Du gibst ihm also noch eine Chance?«
»Ehrlich gesagt, ich hätte schon gerne, daß mein Kind mit seinem Vater aufwächst. Ja, eine Chance geb' ich ihm noch.«

Sechs

*D*as Schicksal war unbarmherzig.
Ich stand, gemeinsam mit Hella und Arne, auf einem Schulhof und verteilte Kinderpralinen. Die undankbare Schülerbrut lungerte um unseren Stand herum, gaffte und machte blöde Sprüche.
»Schmeckt das Zeug so ätzend, daß ihr es verschenken müßt?« lästerte ein pickliger Halbstarker.
»Wer ißt denn heute noch Schokolade? Ist doch völlig out!« sekundierte eine affige Vierzehnjährige.
Trotz ihrer frechen Kommentare griffen die Jugendlichen ungeniert zu. Massenhaft verschwanden die klebrigen Kugeln in ihren Mäulern.
»So, ihr Kids, hier wird aber nicht nur genascht, ein bißchen was müßt ihr schon dafür leisten!« meldete Arne sich zu Wort und begann die Fragebögen zu verteilen.
»Was? Auch noch arbeiten für das bißchen Schokolade? Ihr habt wohl 'n Rad ab!« murrten die älteren Schüler und zerstreuten sich in Windeseile. Ein paar Erst- und Zweitkläßler blieben stehen und studierten die Erhebungsbögen.
»Ich würde den schon ausfüllen«, krähte einer, »aber ich kann noch nicht schreiben!«
Eine Klingel zeigte das Ende der Pause an. Kichernd rannte die restliche Meute davon. Auf dem Tisch vor uns türmte sich ein Berg leergefressener Pralinenpackungen.
»Na, das war ja wohl ein Totalversenker!« faßte Hella das Ergebnis unserer ersten PR-Aktion zusammen.
Ich konnte ihr nicht widersprechen.
Mein Haß auf Jens Macke, der sich diesen Schwachsinn ausgedacht hatte, wuchs sekündlich.

»Irgendwas an dem Konzept funktioniert nicht richtig.« Arne kratzte sich ratlos am Kopf.
»Ich kann dir genau sagen, was nicht funktioniert!« schimpfte ich. »Diese Kinder heutzutage sind verwöhnte, verzogene, verdorbene, konsumgeile Monster. Die haben zweihundert Mark Taschengeld im Monat zur Verfügung und lachen sich tot, wenn du sie mit ein paar Schokoladenstückchen ködern willst.«
»Was man ihnen nicht mal verübeln kann, oder?« fragte Hella.
»Natürlich nicht«, gab ich zu, »wir finden die Idee ja selbst bescheuert.«
Obwohl der Mißerfolg auf mich zurückfallen dürfte, stellte ich mir vor, wie ich Jens Macke die unberührten Fragebögen aushändigen würde.
»Leider, Herr Macke, haben die Kinder nicht ganz so reagiert, wie es in Ihrer Marktforschung vorgesehen war! Aber vielleicht möchten Sie sich demnächst mal selbst auf einem Schulhof zum Deppen machen? Dort können Sie das jugendliche Konsumverhalten dann vor Ort studieren!«
Meine zwei Getreuen warteten offensichtlich auf Anweisungen. »Kommt, laßt uns einpacken und verschwinden.«

Jens Macke erwartete mich in einem japanischen Restaurant.
Da ich nichts mehr liebe als Sushi und unser Mittagessen auf Kundenrechnung ging, hielt ich die Verabredung ein. Hätte er mich zum Italiener bestellt, wäre ich sicher unpäßlich gewesen.
In Erwartung einer Erfolgsmeldung saß er am Tisch und grinste mich ölig an.
»Na, gut gelaufen?«
»Großartig!« prahlte ich. »Die Zielpersonen haben uns die Pralinen nur so aus den Schachteln gerissen.«

Macke rieb sich zufrieden die Hände.

»Leider dachten sie nicht im Traum daran, irgendwas auszufüllen«, fuhr ich fort und warf elegant einen Packen Fragebögen neben sein Gedeck.

Er schaute mich ungläubig an.

»So läuft das nicht, Jens. Die Kids heute kriegen an jeder Ecke was hinterhergeschmissen. Was umsonst ist, ist nichts wert.«

Macke rutschte auf seinem Stuhl hin und her und setzte schließlich sein Jetzt-werde-ich-dir-mal-die-Welt-erklären-Gesicht auf.

»Ich glaube nicht, Cora, daß der Fehler im Konzept liegt. Es scheint mir eher so, daß bei der Ansprache der Zielgruppe Fehler gemacht worden sind!«

»Sie wollen damit sagen, daß wir zu blöd sind, Schokolade an Kinder zu verteilen?« fragte ich unschuldig.

»Nein, nein«, wehrte Macke ab, »so habe ich das nicht gemeint. An Ihrer Qualifikation und der Ihrer Mitarbeiter würde ich nie zweifeln. Aber die Umsetzung des Auftrittskonzepts ist doch eindeutig nicht optimal gelaufen.«

Schwätzer. Wie ich diese Branchen-Sprechblasen haßte. Diese Typen kriegten doch keinen normalen Satz mehr raus. Ich konnte mir vorstellen, wie der eine Frau in sein Wasserbett quatschte: »Wollen wir jetzt im Teamwork das Come-together-Konzept umsetzen? Die Location ist übrigens exklusiv; ich denke, daß wir hier erstaunliche Synergie-Effekte erzielen können!«

Der japanische Kellner näherte sich unter pausenlosen Verbeugungen unserem Tisch, fragte was auf japanisch und schaute uns erwartungsvoll an.

»Sushi«, bestellte ich, »die große Kombination. Und ein Pils.«

»Für mich die kleine Kombination und dazu eine Portion grünen Tee, bitte«, orderte Macke.

In seinem Tonfall lag Verachtung über meine so ungehemmt zur Schau getragene Freßgier und die unpassende Bierbestellung.
Ich setzte meinen Gletschereis-Blick auf. Weder hatte ich Lust, über Geschmacksfragen zu diskutieren, noch wollte ich mir die Schuld an dem Pralinendebakel in die Schuhe schieben lassen. Ich beugte mich vor und schaute meinem Gegner pfeilgerade in die Augen. »Also, was wollen Sie, Herr Macke? Wenn ich nicht irre, sind Sie doch hier der Boß. Die Idee für die Aktion kam von Ihnen. Also wälzen Sie die Verantwortung gefälligst nicht ab!«
Mackes Blick irrte nervös umher. Mit den Händen knetete er seine Papierserviette.
»Cora, lassen Sie uns sachlich bleiben. Es geht ja hier nicht um Schuldzuweisungen.«
»Ach, nein?«
Er benahm sich wie ein Therapeut, der eine durchgedrehte Patientin beruhigen wollte. Diesen Tonfall konnte ich schon gar nicht leiden.
»Ich bin sachlich, Herr Macke. Und reden Sie nicht mit mir wie mit einem kranken Pferd!«
Macke legte beschwichtigend seine Hand auf meinen Arm. Ich zog ihn weg.
»Wir müssen unkonventionell denken, Cora. Neue Wege gehen. Die Kinderpraline ist ein innovatives Produkt. Da reicht es nicht, die bewährten Strategien zu fahren. Ich rechne auf Ihren Einfallsreichtum, Ihre Ideen!«
Er schaute mich beschwörend an.
Nicht mit mir! Mich wickelst du nicht ein mit deiner Ich-zähle-auf-Sie-bleiben-Sie-dran-Masche!
Der Kellner stellte zwei lackierte Bambustabletts mit Sushi auf den Tisch und legte Stäbchen daneben. Beim Anblick des hellgrünen Meerrettichs und der hauchdünn geschnittenen Ingwerscheiben lief mir das Wasser im Munde zusam-

men. Am liebsten hätte ich sofort eines der leckeren Päckchen in die Hand genommen und herzhaft abgebissen. Aber ich wollte Macke nicht schon wieder einen Anlaß für sein verächtliches Grinsen liefern. Widerstrebend nahm ich die Stäbchen und klemmte ein Lachssushi dazwischen. Vorsichtig balancierte ich es Richtung Sojasauce und tauchte es ein. Dann kam die gefährliche Steigung bis zum Mund. Die Kunst war, abzubeißen, ohne daß die zweite Hälfte der Konstruktion abstürzte. Geschafft! Glücklich kaute ich vor mich hin.

Fast hätte ich Macke vergessen, als plötzlich ein unüberhörbares »Scheiße!« aus seiner Richtung kam.

Ein Sushi war ihm entglitten und in die Sojasauce gefallen. Ein zierlicher brauner Spritzer schmückte seine hellgraue Seidenkrawatte.

Schadenfroh grinste ich ihn an. »Das Essen mit Werkzeug ist nicht auf jeder Zivilisationsstufe eine Selbstverständlichkeit«, dozierte ich. »Aber schon auf der Orang-Utan-Ebene wird es häufig versucht.«

»Sehr komisch«, knurrte Macke und kämpfte weiter mit seinem Sushi.

Seine zwei Stäbchen klappten plötzlich zusammen, der Fisch und kleine Bröckchen aus zusammengepapptem Reis wurden in verschiedene Richtungen geschleudert. Ein paar Reiskörner landeten auf meiner Bluse. Mit einem anzüglichen Räuspern schnippte ich sie ab.

»Ach, Mist!« fluchte Macke, anstatt sich zu entschuldigen. Er knallte die Stäbchen auf den Tisch und packte das nächste Sushi mit den Fingern.

War doch unglaublich, wie schnell diese Flanellanzüge aus der Rolle fielen! Ich kannte das schon von Geschäftsessen mit Kunden oder Flügen in der Business Class: Hinter der seriösen Fassade lauerten ungezogene Halbstarke, die einem nach der Landung ihre Aktenköfferchen in die Weichteile

rammten und zu fortgeschrittener Stunde schmutzige Witze erzählten.
Auch Macke war so ein Flegel im Tarnanzug. Ich hatte große Lust, ihm Unannehmlichkeiten zu bereiten.
Gewinnend lächelte ich ihn an. »Ähnlich wie das Verspeisen von Sushi ist auch das Verkaufen von Pralinen eine Kunst, die nicht jedem gegeben ist. Aber mit ein bißchen Ausdauer kann man eine Menge erreichen! Um auf unser Thema zurückzukommen, ich habe mal einiges angedacht.«
Macke war sichtlich genervt von den Widrigkeiten unserer gemeinsamen Mahlzeit und hob kurz eine Augenbraue.
»Ah ja?«
»Ich habe mir Gedanken über unser Produkt gemacht«, erläuterte ich. »Schokolade.«
Ich machte ein genießerisches Gesicht und leckte mir über die Lippen. In schwärmerischem Tonfall fuhr ich fort: »Schokolade ist süß, ist Trost, Belohnung, Überraschung, Freude. Kinder lieben Schokolade. Aber da die Pralinen nicht ganz billig sind, können sie sich besonders kleinere Kinder von ihrem Taschengeld nicht leisten. Die Eltern müßten sie kaufen. Aber viele Eltern lehnen Schokolade aus gesundheitlichen Erwägungen ab. Sie zu umwerben ist also sinnlos.«
»Wenn es nicht die Kinder sind und nicht die Eltern«, unterbrach mich Macke ungeduldig, »wer, bitte, ist dann unsere Zielgruppe?«
Ich lehnte mich zurück und lächelte. »Genau das ist die Frage. Und jetzt denken Sie mal nach!«
Ich widmete mich meinen restlichen Sushi.
Macke kam natürlich nicht drauf. Er laberte irgendwas von Zielgruppenbestimmung, neuen Werten und vertrauten Standards.
Ich ließ ihn rumschwafeln, bis ich auch das letzte Stück meiner großen Kombination verdrückt hatte. Dann offen-

barte ich ihm meine weltbewegende Erkenntnis: »Ist doch klar, Jens: Die Großeltern! Die sind es, die ungestraft Süßigkeiten schenken dürfen!«
Macke schaute verblüfft.
Man mußte nur im Tonfall höchster Wichtigkeit mit ihm reden, schon glaubte dieser Idiot, man würde ihm wirklich was Bedeutsames erzählen. Mit verschwörerischer Stimme sprach ich weiter. »Und deshalb geht unsere nächste Offensive ins Altersheim. Dort finden wir eine vielversprechende Käufergruppe für unsere Kinderpralinen vor.«
Macke nickte langsam. Es schien ein bißchen zu dauern, bis der Gedanke in seine Hirnwindungen eingesickert war.
»Klingt gar nicht dumm«, gab er schließlich zu.
Ich kramte in meiner Aktentasche und zog einen dünnen Ordner raus. Damit wedelte ich ihm vor der Nase herum. »Hier habe ich zu diesem Thema eine äußerst interessante Studie. Remmers und Meiser haben herausgefunden, daß bei Leuten über fünfundsechzig Jahren in der Werbung nicht mehr jeder Vermittlertypus auf Akzeptanz stößt. Junge Frauen, zum Beispiel, werden vielfach als zu unerfahren und daher nicht kompetent empfunden. Am vertrauenswürdigsten wirken Männer zwischen dreißig und vierzig.«
Macke lächelte geschmeichelt. Klar, Männer wie er! Bevor er auf die Idee kam, nach der Mappe zu greifen, steckte ich sie schnell wieder ein. Es war eine Lose-Blatt-Sammlung mit BRIGITTE-Rezepten, die ich mir von Hella geliehen hatte, um mir einsame Abende kulinarisch zu versüßen.
Ich stand auf. »Damit sind Sie der richtige Mann, um unsere Altenheim-Aktion zu leiten!« stellte ich fest. Dazu machte ich ein Gesicht, als würde ich ihm einen Lotteriegewinn verkünden. »Entscheidend ist natürlich Ihre Präsenz vor Ort, um Oma und Opa vertrauenswürdig zu verklickern, daß jetzt Kinderpralinen angesagt sind«, betonte ich weiter.
Macke fiel das Lächeln aus dem Gesicht.

»Ich werde Ihnen selbstverständlich zuarbeiten, wie besprochen. Morgen liegt eine Liste mit Alteneinrichtungen auf Ihrem Tisch. Also dann, viel Erfolg!« Ich wandte mich zum Gehen.
Als sei mir plötzlich etwas eingefallen, drehte ich mich noch mal um. »Ach, übrigens: Die Sache ist von Hennemann abgesegnet!« Ich lächelte ihm aufmunternd zu und verließ das Restaurant.
Macke glotzte mir mit offenem Mund nach.

Draußen holte ich erst mal tief Luft.
So, den hatte ich fürs erste kaltgestellt! Die Sache mit Hennemann war natürlich eine glatte Lüge. Wenig später rief ich ihn vom Büro aus an. Er fand den Vorschlag zum Glück gut.
»Des isch ganz ungewöhnlich gedacht, Frau Schiller. Des gefällt mir. Sie wisset, ich bin immer zu habe für innovative Schtrategie!«
Klar, wußte ich doch. Unter diesen Umständen sollte ich doch gleich noch eins draufsetzen. »Wie wäre es, Herr Hennemann, wenn wir demnächst eine kleine Pressekonferenz machen würden? Mit diesem unkonventionellen Konzept pushen wir Ihren Namen ganz enorm!« lockte ich ihn. Damit könnte ich auch meinen Namen mal wieder ins Gespräch bringen.
»Sehr gut, Frau Schiller, hervorragend!« Er war ganz aufgeregt.
Lauter Pressevertreter und er, der kleine Hennemann aus Hinterschupfenbach, würde endlich ausführlich über seine sensationellen »Kinderbrallinen« und die großartigen, unkonventionellen »Schtrategien« zu ihrer Vermarktung schwadronieren. Die Vorstellung gefiel ihm ungemein.
»Sie habet freie Hand, Frau Schiller. Informieret Sie mich nur rechtzeitig über den Termin. Ich komme ja auch gern mal wieder zu Ihne in die Großstadt!«

Konnte ich mir vorstellen. Wer hockte schon freiwillig in so einem Pupskaff rum und verbrachte seine Lebenszeit mit der Herstellung von Schokoriegeln? Ob der eine Frau hatte?

»Saget Sie«, hörte ich am anderen Ende der Leitung Hennemanns Stimme, »wie geht's Ihrer Mitarbeiterin?«

Hella? Wieso interessierte er sich für Hella?

»Ich glaube, gut«, antwortete ich. »Sie ist sehr engagiert in unserem Projekt, sie hat das Thema Schokolade wirklich zu ihrem Thema gemacht!«

Das entsprach durchaus der Wahrheit. Was Hella derzeit an Schokoriegeln verdrückte, ging auf keine Kuhhaut.

»Wisset Sie, ich frage, weil ich ja immer auf der Suche nach guten Leuten bin. Und wenn Frollein Hella sich vielleicht mal verändern will, ich meine längerfrischtig . . .«

»Ich kann sie ja mal fragen«, unterbrach ich ihn barsch und beendete das Gespräch.

Der war ja vielleicht dreist. Haute mich allen Ernstes wegen der Hälfte meines Personals an! »Unfriendly takeover« hieß so was, glaube ich, in der Wirtschaft.

Ich war gespannt auf Hellas Reaktion. Sicher würde sie sich kaputtlachen.

Hella lachte sich keineswegs kaputt.

Statt dessen bekam sie rote Bäckchen und einen verträumten Blick.

»Echt? Als Presserepräsentantin für sein Unternehmen?«

»Genau«, konterte ich, »als Meldungsschreiberin in Sachen mittelständische Süßpampenherstellung.«

Der Gedanke schien sie nicht zu schrecken. Ich malte ihr die Vorstellung noch ein bißchen aus. »Ich sehe dich schon in Gummistiefeln durch den Mist in dein Büro waten. Abends spielst du Skat in der Dorfkneipe, und am Wochenende trittst du mit der Volkstanzgruppe auf«, höhnte ich. »Warst du überhaupt schon mal in Hinterschupfenbach?«

»Nein, aber ich stell's mir sehr idyllisch vor. Im Grunde wollte ich immer zurück aufs Land. Dieses Großstadtleben erschöpft sich doch irgendwann. Immer nur Parties, Szenetypen und oberflächliches Blabla. Ganz zu schweigen von den Kosten! Wenn du denkst, daß ich für mein Apartment fast tausend Mark hinlege! Dafür könnte ich mir auf dem Land ein ganzes Haus mieten!«
Klar. Und in Bulgarien eine Villa. In Bangladesh den Regierungssitz. Die tickte doch nicht mehr ganz richtig.
»Na, dann los! Warum bewirbst du dich nicht um den Job?«
Meine Stimme klang wie Metall.
Hella zuckte zusammen. »Mensch, Cora, so hab' ich's doch nicht gemeint! Ich wollte doch nur . . .«
»Ich weiß schon, längerfrischtig.«
»Wenn überhaupt. Das kommt ja völlig überraschend. Und ich lass' dich doch jetzt nicht hängen, mitten in der Kampagne!«
Gedankenverloren griff sie in eine Kiste mit Mini-Riegeln. Sie packte einen aus und steckte ihn in den Mund. Dann schob sie mir zwei zu. Angeekelt kickte ich sie weiter. Allmählich konnte ich keine Schokolade mehr sehen.

Sieben

Die Pressekonferenz war ein voller Erfolg.
An die sechzig Journalisten und andere Meinungsmacher drängelten sich um das Buffet in dem einschlägigen Feinschmecker-Schuppen, den ich für den Abend gemietet hatte.
Ein Fernsehteam filmte die Kauenden beim Small talk, zwei Radiodamen hielten mir und Hennemann abwechselnd ihre Mikros unter die Nase. Die Kellner schafften kistenweise Champagner her, und die Stimmung war prächtig. Anders kriegte man doch keinen Pressefritzen mehr vor die Tür! Der Abend würde Hennemann ein Sümmchen kosten, aber Popularität hat eben ihren Preis.
Auf dem Dessert-Tisch türmten sich Kinderpralinen neben anderen Produkten aus dem Hause Hennemann; der Chef persönlich scharwenzelte leutselig zwischen den Gästen herum und konnte sein Glück nicht fassen.
In einer flammenden Rede lobte er sein Produkt, das PR-Konzept und die großartigen Mitarbeiter, die das alles möglich gemacht hätten.
Jens Macke schäumte, nachdem er durchschaut hatte, welcher Coup mir mit der Veranstaltung gelungen war.
Auf den Einladungen und Pressemappen prangten mehrfach und deutlich sichtbar der Name und das Logo meiner Firma, und am Ende des Abends war auch dem letzten Idioten klar, daß die C.S.-Promotion der aufsteigende Stern am PR-Himmel war.
Ich war also hoch zufrieden mit dem Verlauf des Abends. Angeregt plaudernd kippte ich ein Gläschen Schaumwein nach dem anderen und amüsierte mich mit den Gästen.

Ein niedlicher Lokalreporter mit braunen Augen machte mir heftig den Hof, und je mehr ich getrunken hatte, desto eher konnte ich mir vorstellen, den Burschen später mitzunehmen.
Ich hatte seit Wochen keinen Sex gehabt, wenn man von einem mißglückten One-night-Stand ein paar Tage vor meinem Geburtstag absah.
»Du solltest lieber schreiben«, erklärte er mir gerade, »PR ist doch Scheiße. Da mußt du irgendwelchen Kram verkaufen, hinter dem du gar nicht stehst. Als Journalist tust du wenigstens was für die Demokratie!«
Du großer Gott! Ich hatte es mit einem Weltverbesserer zu tun! Da bestand erfahrungsgemäß die Gefahr, daß man die Nacht durchdiskutierte. Auf die Sorte war ich leider schon öfter reingefallen.
»Das mußt du mir näher erklären«, säuselte ich, »was hat deine Anwesenheit hier mit der Demokratie zu tun?« Ich legte den Kopf schief. »Ach, ich weiß! Du sorgst mit deinem Artikel für die demokratische Verbreitung von Schokolade, nach dem Motto: Süßkram fürs Volk – jeder hat ein Recht auf schlechte Zähne!«
Braunauge war verwirrt.
Ich betrachtete wohlwollend seinen muskulösen Brustkorb, über dem ein weißes T-Shirt spannte, die sonnengebräunten Arme, die schlanken Hüften und die vielversprechende Wölbung, die sich unter den Jeans abzeichnete . . .
»Alte, du erhältst hiermit den Orden Macho der Woche!« meldete sich plötzlich meine bessere Hälfte. »Wie kannst du nur so schamlos sein? Du siehst diesen Mann ja nur als Sex-Objekt!«
Also wirklich, wie konnte ich nur!
»Ich will jetzt echt keine Diskussion mit dir anfangen«, gab ich zurück, »aber versuch nicht wieder, mir in meine Pläne zu funken, verstanden?«

Einen Moment lang hielt sie die Klappe. Dann wagte sie sich wieder hervor. »Du benimmst dich genau so, wie du es bei Männern immer verurteilt hast.«
»Was willst du eigentlich?« fauchte ich erbost, »ich möchte nichts als meinen Spaß haben. Und du kommst mir hier mit feministischen Sprüchen? Außerdem: Als was, glaubst du, sieht mich dieser Mann? Als intellektuelle Herausforderung? Oder der da drüben? Als guten Kumpel? Vergiß es!«
Ich schaute mich um. Ich war umringt von Männern, die mich als Sex-Objekt sahen. Und ich konnte daran nichts Verwerfliches finden. Daß ich auch noch andere Qualitäten hatte, wußte ich sowieso. Und jeder, der es mit mir zu tun bekam, würde nicht umhin können, es zu bemerken.
Plötzlich wurden mir die Knie weich. Da drüben stand Raoul. Was, zum Teufel, hatte der hier zu suchen?
In der einen Hand hielt er eine Kamera, in der anderen ein Stativ. Na klar, Raoul jobbte gelegentlich als Fotograf. Ich hatte eine Einladung an seine Agentur geschickt. Und er hatte sich den Auftrag geschnappt.
Jetzt kam er langam auf mich zu. »Hallo, schöne Frau! So sieht man sich also wieder.«
Wie originell. Aber mir fiel auch nichts Besseres ein. Also sagte ich nur: »Hallo, Raoul.«
Braunauge hatte die Situation sofort erfaßt. Für diesen Abend war das Spiel gelaufen. Er war schlau genug, nicht die Konfrontation mit dem Rivalen zu suchen. In einem letzten Aufbäumen steckte er mir seine Karte zu und sagte in betont professionellem Tonfall: »Ich bin sehr interessiert an Ihren weiteren Projekten, halten Sie mich bitte auf dem laufenden.«
Ich warf einen Blick auf die Karte. Tim Knopf, Lokalredaktion Abendpost. Süß! Ich dachte sofort an Jim Knopf, den Lokomotivführer, und die wilde Dreizehn und steckte die Karte ein. Man begegnet sich immer zweimal im Leben.

Raoul beobachtete Jim Knopf amüsiert. Dann schaute er mich von oben bis unten an. Schlagartig fühlte ich mich völlig nackt. Ich merkte, wie mir die Hitze ins Gesicht stieg.
»Du hast toll ausgesehen neulich, auf deiner Party. So ungestylt irgendwie.«
»Was?« fragte ich hektisch und wurde noch röter, als ich an meinen Um-die-Ecke-zum-Bäcker-Aufzug dachte.
Tolle Klamotten hatten ihn nie sonderlich an mir interessiert. Er sah andere Schönheiten bei einer Frau.
»Wollen wir irgendwo was trinken gehen?«
Meine Knie nahmen die Konsistenz von grüner Götterspeise an. Ich hatte unsere Liaison vor ein paar Monaten ganz plötzlich beendet, dabei war ich wirklich verknallt gewesen in den Kerl. Er war einer von denen, die nie da waren, wenn man sie brauchte, und immer auftauchten, wenn man nicht mit ihnen rechnete. Das fand ich zwar spannend, hielt es aber auch nicht aus. Zumal es ja Flori damals noch gab.
Ach ja: Flori! Scheißkerl. »Gerne, Raoul!« hörte ich mich sagen.
Auch wenn es ein bißchen spät war, um Flori eins reinzuwürgen, war es doch eine Genugtuung. Auf Raoul war er nämlich furchtbar eifersüchtig gewesen.

Kaum eine halbe Stunde später lag ich mit Raoul in meinem Bett. Und plötzlich wußte ich es. Der Kerl war so ein phantastischer Liebhaber, weil er sich scheinbar total hingab. Daß es nicht so war, merkte man immer erst später.
Ich erkannte seinen Duft wieder, den Geschmack seiner Haut, sein lustvolles Stöhnen. Ich fühlte mich, als käme ich in eine Landschaft zurück, die ich fast vergessen hatte. Er war gleichzeitig fremd und vertraut, und diese Mischung erregte mich unglaublich. Ich hatte das Gefühl, nie mit einem tolleren Mann geschlafen zu haben. Gleichzeitig wußte ich,

warum es so einzigartig war: Weil er nicht bleiben würde. Weil er in ein paar Stunden wieder aus meinem Leben verschwunden sein würde. Weil ich nie wissen würde, ob und wann er wieder auftauchte.
»Nett, Sie wiedergetroffen zu haben, schöne Frau«, lächelte Raoul mich irgendwann später an. »Länger keinen Kerl im Bett gehabt, was?«
»Wie kommst du denn darauf?« fragte ich empört.
»Du machst so einen ausgehungerten Eindruck.«
»Du spinnst ja«, nuschelte ich verlegen.
Wie ärgerlich, daß er das gemerkt hatte! Ich hätte ihm zu gern das Gefühl gegeben, daß er nur eine von vielen Gelegenheiten war.
Noch etwas später lag ich erschöpft neben ihm und streichelte seinen Nacken. Gerührt erkannte ich die zarten Sommersprossen auf seinen Schultern wieder. Ich verfolgte mit dem Finger die Linie seines Rückens, die Wölbung seines Hinterns. Er krümmte sich wohlig. Meine Lieblingsstelle war die weiche, glatte Haut in seiner Leistengegend. Dort, wo er am männlichsten und am verletzlichsten gleichzeitig war.
»Willst du?« Er reichte mir eine Zigarette.
Geistesabwesend nahm ich sie und steckte sie zwischen meine Lippen. Erst als das Feuerzeug aufflammte, kam ich wieder zu mir. »Ach Mist, ich rauche doch gar nicht. Leider!«
Bedauernd gab ich ihm die Zigarette zurück und sah zu, wie er sie anzündete.
»Wie geht's dir, schöne Frau?« Er blies den Rauch aus und schaute mich an.
Was sollte ich ihm sagen? Daß mein Job mich nervte, daß meine beste Freundin der Mütter-Sekte beigetreten war, daß ich nicht den Mann fürs Leben fand und daß ich nicht mal sicher war, ob ich so einen überhaupt wollte?

»Ich bin o.k. Und du? Endlich unter der Haube?«
Mein plumper Versuch, etwas über den derzeitigen Stand seiner Liebesbeziehungen herauszufinden, scheiterte kläglich.
»Ich gehe für ein paar Monate nach China. Kann da bei einem unheimlich interessanten Projekt mitarbeiten.«
Raouls Leidenschaft waren Bücher. Er wußte alles über Papierherstellung, Schriftzeichen, Drucktechniken und Bindung. Es waren Kunstwerke, die in seiner Werkstatt entstanden.
»China? Ist ja aufregend!«
Plötzlich beneidete ich ihn. Er reiste um die Welt und machte eine Arbeit, die er liebte, während ich hier rumsaß und mich über einen schwäbischen Schokofritzen ärgerte.
»Wie läuft eigentlich deine Firma? Fing ganz vielversprechend an, oder?« Zielsicher legte er den Finger in die Wunde.
»Es geht so. Die Veranstaltung heute abend war klasse, aber sonst habe ich 'ne Menge Ärger. Eigentlich denke ich darüber nach, was ganz anderes zu machen.«
»Ach ja, was denn?«
Er hüllte mich weiter mit Rauch ein und sah mich freundlich an. Ungefähr so, wie man ein Kind anschaut, das einem ein Kunststück vorturnen will.
»Ehrlich gesagt – ich habe keine Ahnung!«
Wir lachten beide.

Gegen drei Uhr morgens kuschelte ich meinen Kopf mit einem wohligen Schnurren an Raouls Schulter. Gleich würde ich einschlafen.
Da richtete er sich auf und flüsterte: »Ich muß jetzt gehen.«
Schlagartig war ich wieder wach. »Jetzt willst du noch gehen? Mitten in der Nacht?«
Er küßte mich auf den Hals. »Ich ruf' dich an.«

Weg war er.
Ich rollte mich unter der Decke zusammen und starrte in die Dunkelheit. Der Nachtwind bauschte die leichten Nesselvorhänge an den Fenstern, und ein angenehm kühler Hauch strich durchs Zimmer. Der Tag und der Abend waren drückend heiß gewesen, erst jetzt konnte man wieder durchatmen. Draußen fuhr gelegentlich ein Auto vorbei, ein Hund bellte in der Ferne.
Bald würde es dämmern.
Wie oft war ich so früh am Morgen wach gewesen? Nach durchfeierten Nächten, ein paarmal am Meer, wenn der Schlafsack klamm wurde und ich fröstelnd erwachte oder wenn ich vor lauter Aufregung oder Verliebtheit nicht schlafen konnte.
Ich dachte an die Zeit, als ich elf oder zwölf war und das erste Mal verliebt. Jeden Nachmittag pilgerte ich zur selben Parkbank, wo sich die Jugendlichen aus der Nachbarschaft trafen.
Frank war schon vierzehn. Ich betete ihn an. Nie wagte ich es, ihn anzusprechen. Auch er redete nie mit mir. Nur einmal, als ich meinen ersten Lungenzug an einer Roth-Händle machte, nach hinten kippte und in seinem Arm landete, lachte er: »Scheißstark, das Zeug, was?« Ich konnte nur nicken.
Sonst bemerkte er mich überhaupt nicht. Zumindest dachte ich das.
Jahre später, als wir längst erwachsen waren, traf ich ihn wieder und erzählte ihm, wie sehr ich mal für ihn geschwärmt hatte. Da gestand er mir, er sei damals furchtbar in mich verknallt gewesen, aber ich hätte mich so arrogant aufgeführt, daß er sich nie getraut habe, mich anzusprechen. Sogar an die Sache mit der Roth-Händle erinnerte er sich.
So war das wahrscheinlich mit der Liebe. Immer war's der

falsche Typ oder der falsche Zeitpunkt. Lange hatte ich geglaubt, daß auch auf mich irgendwo ein Märchenprinz wartet.
»Wart's ab, Mädchen, der Richtige wird schon kommen«, tröstete mich Tante Elsie nach jeder verkorksten Teenie-Affäre, und unverdrossen stürzte ich mich ins nächste Abenteuer. Man mußte eben viele Frösche küssen, um einen Prinzen zu finden. Aber je älter ich wurde, desto klarer sah ich, daß die Sache mit den Märchenprinzen ein Riesenbeschiß war. Entweder es hatte sie nie gegeben, oder sie waren ungefähr seit den siebziger Jahren ausgestorben. Seit ich mit männlichen Wesen zu tun hatte, war mir jedenfalls nie einer untergekommen, der auch nur im entferntesten Ähnlichkeit mit einem Prinzen gehabt hätte.
Ich tat mir sehr leid. Keiner liebte mich.
Florian nicht. Der liebte nur sich selbst.
Raoul nicht. Der liebte überhaupt niemanden.
Wahrscheinlich liebte mich nicht mal Thomas. Und selbst wenn – den liebte ich nicht. Ich hatte niemanden, zu dem ich gehörte. Und Uli würde ich nun auch verlieren. Bei diesem Gedanken fühlte ich mich erst richtig elend und fing an zu heulen.
Irgendwann beruhigte ich mich wieder und dachte nach.
Der Frosch. Warum eigentlich nicht? Was sollte schon passieren? Entweder er verwandelte sich in einen Prinzen, oder er bliebe, was er war. Es käme auf einen Versuch an.
Ich griff zum Telefon und wählte eine Nummer. Es klingelte mindestens zehnmal. Dann meldete sich eine verschlafene Stimme.
»Ja?«
»Thomas?«
»Wasnlos?«
»Thomas, du bist doch mein allerbester Freund?«
»Mmh.«

»Thomas, ich brauch' dich jetzt.«

»Mmh?«

»Kannst du gleich kommen?«

»Wiespätissn?«

»Vier oder so.«

»Mmh. Is gut.«

Nicht zu fassen. Der kam wirklich! Vielleicht war es ja das, was ich brauchte.

Einen Mann, der einfach für mich da war. Der alles für mich tat und mich bedingungslos liebte, auch wenn er mich nicht vom Hocker riß.

Spannung, Erotik, Herausforderung – alles Quatsch. Zeigte sich wahre Liebe nicht in der Beständigkeit? Irgendwann ließ doch auch das stärkste Feuer nach. Sollte man sich da nicht lieber gleich auf die Qualitäten besinnen, die im Leben wirklich zählten: Zuverlässigkeit, Sicherheit, Loyalität?

Und wieviel Energie die Leidenschaft kostet! Energie, die man viel nutzbringender einsetzen könnte. In den Verkauf von Schokoriegeln zum Beispiel! Na gut, vielleicht auch in wohltätige Projekte oder in eine Umweltschutzorganisation.

Man könnte ein richtig guter Mensch werden, wenn man sich nicht so zum Opfer seiner Leidenschaften machen ließe! Und wenn man jemanden einfach so liebte, ohne Leidenschaft, dann müßte man ja auch gar nicht eifersüchtig sein. Man würde nicht mehr leiden! Es würde keine unwürdigen Auftritte bei Kunstausstellungen mehr geben, keine zerschlagenen Teller und durchweinten Nächte! Ich fand die Vorstellung großartig.

Als Thomas zehn Minuten später klingelte, war ich fast entschlossen, ihm einen Heiratsantrag zu machen.

Schnell kippte ich den Aschenbecher mit Raouls Zigarettenstummeln in den Müll und riß noch ein Fenster auf. Dann öffnete ich die Tür und warf mich ihm an die Brust.

»Thomas!«
»Cora, Liebes, was ist denn passiert?« Thomas schaute mich besorgt an.
Ich versteckte mein Gesicht in seiner Jacke. »Ach, nichts. Ich dachte nur, vielleicht bist du doch der Mann meiner Träume.«
»Wie bitte?« Die Besorgnis in seinem Blick verstärkte sich. Er hielt mich ein Stück von sich weg und sah mich prüfend an. »Cora, bist du betrunken?«
»Nö.«
»Hast du was geraucht?«
»Negativ.«
»Ja, aber was ist dann mit dir los?«
Ich war entschlossen, dem Frosch zu Leibe zu rücken, und schloß die Augen.
»Frag nicht. Küß mich!« flüsterte ich.
Thomas zuckte ratlos die Schultern, entschloß sich aber dann, das zu tun, was er immer getan hatte: meinen Anordnungen Folge zu leisten.

Acht

*E*s war zu erwarten gewesen. Ein totales Desaster. Thomas kriegte keinen hoch, und ich hörte mich immer nur sagen: »Aber das macht doch nichts! Das kann doch jedem passieren!«
Er war den Tränen nahe, beteuerte immer wieder, daß es nur die Aufregung sei und wie sehr er mich liebe.
Ich hatte nur einen Wunsch: Ganz weit weg zu sein. Auf einer Südseeinsel. Oder, wenn's sein mußte, auch auf einer Nordseeinsel. Auf jeden Fall nicht in meinem Bett mit meinem besten Freund, den ich ja wirklich gern hatte, aber mit dem ich nicht schlafen konnte. Oder genauer, der nicht mit mir schlafen konnte, was ja irgendwie das gleiche war.
Was für eine granatenmäßige Schwachsinnsidee, ihn mitten in der Nacht anzurufen, herzubeordern und zu verführen! Ich hätte mich ohrfeigen können. Jetzt lagen wir da wie zwei unartige Kinder, die heimlich Doktor miteinander gespielt hatten, und schämten uns schrecklich.
Nicht nur war aus dem Frosch kein Prinz geworden, nein, ich hatte vermutlich eine gute Freundschaft ruiniert und so zu meiner fortschreitenden Vereinsamung mutwillig selbst beigetragen.
Irgendwann schliefen wir über unserem Katzenjammer ein. Ich träumte, ich würde von einem rasanten Sportwagen mit abgedunkelten Scheiben gejagt, der immer ganz nah an mich herankam, um dann wieder Abstand zwischen uns zu legen. Ich rannte und rannte, versuchte, mich hinter Bäumen und in Hauseingängen zu verstecken, aber der Wagen erreichte mich immer. Es war, als sei er biegsam und durchlässig.

Plötzlich war ich in einer riesigen, alten Fabrik und lief durch verlassene Werkshallen, wo die Maschinen unter Bergen von Spinnweben vor sich hin moderten. An den Werkbänken saßen lauter Leute, die ich kannte. Sie waren wie versteinert, sahen mich nicht an und sprachen kein Wort. Ich versuchte zu schreien, aber es kam nur ein heiseres Krächzen aus meinem Hals. Auf einmal stürzte der Boden unter mir ein, und ich fiel in die Tiefe.
Schreiend erwachte ich und setzte mich im Bett auf.
Was war das? Wo war ich? Wer war der Mann neben mir?
Allmählich kam die Erinnerung zurück.
Es klingelte, zweimal, dreimal.
Thomas bewegte sich und murmelte irgendwas. Ein Blick auf die Uhr. Kurz vor acht.
Ich sprang aus dem Bett, streifte mir schnell ein Paar Leggings und ein T-Shirt über und raste zur Tür. Wieder klingelte es Sturm. Welcher Wahnsinnige war das? Ein wildgewordener Postbote? Ein psychopathischer Zeitungsausträger? Ich räusperte mich, um in die Gegensprechanlage brüllen zu können. Als ich gerade Luft holte, klopfte es. Ich riß die Wohnungstür auf.
Draußen stand Uli mit rotgeweinten Augen, in jeder Hand einen großen Koffer.
»Uli, was ist passiert?«
Ich nahm ihr die Koffer ab. Sie schloß die Tür. Schweigend nahm ich sie in die Arme. Sie schluchzte laut auf. »Er hat's wieder getan.«
»Die Schlampe vom Badesee?« fragte ich.
Uli nickte.
»Dieses Schwein.« In mir stieg ein unbändiger Haß hoch. Wie konnte er meiner Uli so weh tun! Meiner geliebten Uli mit ihrer frechen Klappe, ihrem Humor und ihrer Geduld seinen miesen Eskapaden gegenüber. Bisher hatte man sagen können: O.k., es gehören zwei dazu, und wenn sie

das Spiel mitspielt, bitte schön. Aber jetzt war es etwas anderes. Uli war schwanger. Sie war schutzbedürftig, sie brauchte ihn. Und diese Ratte betrog sie.
Ich löste mich aus der Umarmung. »Komm erst mal rein, ich mache uns einen Tee.«
In diesem Moment kam Thomas aus dem Schlafzimmer. Er war bereits angezogen, seine Haare waren verwuschelt, und er sah ziemlich fertig aus. Einen Moment lang war ich gerührt.
Er schaute von Uli zu mir und wieder zurück.
»Hallo, Thomas.«
Uli grüßte ihn, als wäre es das Normalste von der Welt, daß Thomas morgens um acht aus meinem Schlafzimmer kommt. Wahrscheinlich war sie einfach zu verwirrt, um sich irgendwas dabei zu denken.
Thomas warf mir einen traurigen Blick zu, und ich versuchte zu lächeln.
»Ich ruf' dich an«, sagte er leise.
Ich nickte, und Thomas verließ die Wohnung. Mir schoß durch den Kopf, daß es doch schön wäre, wenn Thomas und Uli sich ineinander verlieben würden. Aber Uli machte nicht den Eindruck, als könnte sie sich in ihrem Leben noch mal in irgend jemanden verlieben.
Also kochte ich Tee und versuchte sie zu trösten. Aus Erfahrung wußte ich, daß es gut tat, über die schrecklichen Tatsachen zu reden. Also fragte ich.
»Wie hast du's rausgekriegt?«
»Er wollte plötzlich nicht mehr mit mir schlafen. Angeblich, weil er Angst hatte, das Baby zu verletzen.«
»Wie rücksichtsvoll«, höhnte ich. »Und dann?«
»Dann habe ich ihn versehentlich am Telefon belauscht. Er hat mich nicht reinkommen hören.«
»Und er hat der Alten die Ohren vollgesülzt?« fragte ich ungläubig.

Uli nickte. Die Erinnerung trieb ihr wieder die Tränen in die Augen. »Wie scharf er sie findet. Und ... daß er es nicht erwarten kann, sie am Abend zu sehen. Mir hat er erzählt, daß er Nachtdienst im Krankenhaus hat«, schluchzte sie und schneuzte sich in ein zerknülltes Taschentuch.
Was für eine billige Nummer. Ich hatte Michael einiges an Schweinereien zugetraut, aber daß er so niveaulos war, erschütterte mich doch.
Uli schaute mich an. »Ich weiß, was du denkst. Ich frage mich auch, wie ich es so lange ausgehalten habe. Ich wollte es einfach nicht sehen. Und gerade jetzt, mit dem Kind ... Ich habe mir so sehr eine Familie gewünscht!«
Sie schlug verzweifelt die Hände vors Gesicht.
Am liebsten hätte ich mitgeweint, so leid tat sie mir. Ich kniete mich vor sie und umfaßte sie mit beiden Armen.
»Aber du hast eine Familie! Du hast mich! Wir kriegen zusammen das Kind, und alles weitere findet sich.«
Sie hob ihr tränenüberströmtes Gesicht. Halb lachend, halb weinend fragte sie: »Ehrlich? Du findest Schwangere doch zum Kotzen.«
Ich küßte eine Träne von ihrer Wange. »Aber doch nicht dich, du Dumme. Klar bleibst du hier!«

Das beste in diesen Fällen war Ablenkung. Also fing ich sofort damit an, die Wohnung auf den Kopf zu stellen, um ein Zimmer für Uli freizubaggern.
Meine Wohnung war mit einer ziemlich wilden Mischung aus Erbstücken, billigem Flohmarktplunder und teuren Designerstücken möbliert. Vieles davon gefiel mir schon lange nicht mehr, und ich nutzte die Gelegenheit, mal wieder auszumisten. Ich ließ Uli keine Möglichkeit, sich in ihrem Kummer zu vergraben, sondern beschäftigte sie. Brav trug sie Wäschestapel von einem Raum in den anderen, staubte Regalbretter ab und sortierte Plunder in Kisten. Das tat ihr

gut. Schon nach ein paar Tagen hellte sich ihr Gesicht ein bißchen auf, und sie weinte seltener.
Wir knuddelten uns so richtig zusammen in unserer kleinen Weiberidylle. Wir beschlossen, daß erst mal kein Mann mehr seinen Fuß über die Schwelle setzen sollte. Ausnahme war natürlich Arne, dem ich als Mitarbeiter meiner Firma Zutritt gewähren mußte. Aber der zählte sowieso nicht mehr als Vertreter der feindlichen Männerwelt, seit er uns eröffnet hatte, daß er schwul war.
Er war neulich zufällig Zeuge einer Unterhaltung von Uli und mir geworden, in der wir wieder einmal festgestellt hatten, was für ein verlogenes, egoistisches und unreifes Pack die Männer doch waren!
Arne hatte sich schüchtern dem Küchentisch genähert und plötzlich gesagt: »Aber ich bin nicht so!«
Wir hörten gleichzeitig auf zu reden und starrten ihn verblüfft an.
»Von dir haben wir auch gar nicht gesprochen«, beruhigte ich ihn.
»Das weiß ich schon«, fuhr Arne ruhig fort, »ihr sollt nur wissen, daß ich auf eurer Seite bin. Ich bin gerade selbst von so einem verlogenen, egoistischen und unreifen Mann verlassen worden und hab' mindestens solchen Liebeskummer wie Uli.«
Damit drehte er sich um und verließ die Küche. Verblüfft schauten wir uns an.
Nach dieser Eröffnung war Arne sozusagen »eine von uns«.
»Wir Mädels«, pflegte er zu sagen, wenn er uns drei meinte, und es fehlte nicht viel, und er wäre mit eingezogen. Tagsüber war er ohnehin meistens da.
»Ich bin richtig froh, daß ich's jetzt weiß«, sagte ich irgendwann zu ihm, »vielleicht hätte ich mich sonst irgendwann gefragt, warum ausgerechnet du nie versucht hast, mich ins Bett zu kriegen!«

Ich mußte kichern. Arne lächelte ebenfalls und fuhr mir liebevoll mit der Hand durch die Mähne.
»Die einzige Gefahr ist, daß ich mich in einen deiner Männer verliebe.«
Daran hatte ich noch gar nicht gedacht. »Stehst du auf blond oder auf dunkel?« wollte ich wissen.
»Ob blond, ob braun, ob henna – ich liebe alle Männer«, sang Arne.
»Ich warne dich!« Scherzhaft erhob ich den Zeigefinger.
In Wahrheit schätzte ich die Gefahr nicht besonders groß ein, denn ich wollte ja mit Männern sowieso nichts mehr zu tun haben. Außer mit solchen wie Arne.

Uli war jetzt im vierten Monat und bekam allmählich ein kleines Bäuchlein. Ich persönlich fand's nicht besonders kleidsam, aber da gingen die Meinungen auseinander. Hella zum Beispiel glotzte neidisch auf diese runder werdende Leibesmitte und seufzte sehnsüchtig. »Wie schön das aussieht! Ich wollte immer fünf Kinder haben, und jetzt bin ich schon achtundzwanzig und hab' noch kein einziges«, jammerte sie.
»Fünf?« kiekste ich mit überschnappender Stimme. »Du mußt wahnsinnig sein!«
»Wieso? Da wo ich herkomme, ist es normal, viele Kinder zu haben.«
»Viele ist ja o.k.«, schränkte ich ein, »aber doch nicht fünf!«
»Was meinst du dann mit viele?« fragte sie verwirrt.
»Na, zwei oder so. Zwei sind doch auch ziemlich viele. Eigentlich schon zwei zu viele!«
Irgendwas war mit Hella nicht in Ordnung. Sie aß immer noch Unmengen von Schokoriegeln und wurde allmählich fett. Ich hatte den Verdacht, sie füllte ihren Bauch mit Schokolade, weil sie in Wahrheit wünschte, er wäre mit einem Baby gefüllt.

»Wenn du weiter so frißt, findest du aber keinen Vater für deine fünf Kinder«, warnte ich sie freundschaftlich. »Außerdem kann ich eine übergewichtige Mitarbeiterin in meinem Unternehmen nicht gebrauchen. Das ist schlecht fürs Image.«

»Ach, wirklich?« Hella war plötzlich ganz ernst, und bevor ich einlenken konnte, war sie schon aufgesprungen und funkelte mich wütend an. »Wenn ich mir solche Sprüche anhören muß, kann ich mir ja gleich einen Chef suchen. Bei einem Mann wundert man sich wenigstens nicht!«

Weg war sie. Ich hörte die Wohnungstür mit einem heftigen Knall ins Schloß fallen.

Am nächsten Tag kam sie nicht. Auch nicht am übernächsten. Ich dachte mir nichts dabei. Sie würde sich schon wieder beruhigen. Am dritten Tag legte Arne mir ein Fax hin. Ich war gerade dabei, den ersten Bericht von Jens Macke aus dem Altersheim durchzuarbeiten.

Die Omis waren offensichtlich ganz wild auf die Pralinen gewesen und hatten auch brav die Erhebungsbögen ausgefüllt. Es drängte sich nur der Verdacht auf, daß sie die Dinger einfach selbst verspachtelten, anstatt sie ihren Enkeln zu schenken. Vielleicht sollten wir Hennemann eine neue Strategie vorschlagen: »Statt Pillen Pralinen, daran kann man verdienen!« Die Seniorenpraline war schließlich mindestens so innovativ wie die Kinderpraline.

Ich überflog das Fax: »Mache ein paar Tage Urlaub. Sicher kannst du leicht auf mich verzichten. Gruß, Hella.«

Ich legte die Nachricht in die Ablage und las weiter den Bericht, aber irgendein komisches Gefühl begleitete mich ab diesem Moment den ganzen Tag.

Kaum hatte ich alles gelesen, war auch schon Macke an der Strippe. Er war zuckersüß.

»Cora, ich brauche dringend zwei junge Damen zur Verstärkung. Könnten Sie nicht was zaubern?« säuselte er.

»Klar kann ich. Die Mädels kriegen zweihundert Mark am Tag, Verpflegung übernehmen Sie, Aktionskleidung wird von uns gestellt. Wo sollen sie hinkommen?«
»Heute nachmittag, vierzehn Uhr, Altenheim am Ring.«
»Geht klar, Herr Macke.«
Allmählich kapierte er, daß er mich brauchte, und behandelte mich entsprechend.
Zwei Mädels? Wenn's weiter nichts war! Ich rief sofort Sandra und Tina an. Die beiden waren ein unzertrennliches Gespann, hübsch, rotzfrech und gemeinsam ziemlich anstrengend. Jens Macke würde bald bereuen, sie angefordert zu haben! Aber sie würden die Pralinen unters Seniorenvolk bringen, und zwar gnadenlos.
Ich hatte sie schon mal für eine Teppichbodenaktion gebucht, da mußten sie Leute dazu überreden, von der Straße in ein nahegelegenes Café mitzugehen, um sich Teppichmuster anzuschauen. Scharen von Mädchen waren an diesem Job gescheitert – nicht aber Sandra und Tina! Sie schleiften die Muttis einfach mit und redeten so lange auf sie ein, bis jeder Widerstand geschwunden war. Die waren genau richtig für die Pralinenaktion!

Ich lag schon im Bett, als mir das Fax plötzlich wieder einfiel. Was war es nur gewesen, was sich wie ein lästiger, kleiner Wurm in meiner Magengegend festgefressen und mich den ganzen Tag nicht losgelassen hatte?
Mit einem Schlag wußte ich es. Ich raste ins Büro und griff in die Ablage. Auf einen Blick sah ich, was ich verdrängt hatte. Die Fax-Kennung, klein und unbedeutend auf den Rand gedruckt, lautete: »Hennemann, Hinterschupfenbach«.
Dieses Biest. War sie tatsächlich zu diesem schwäbischen Landgockel gefahren, um sich dort als Pressetante zu verdingen! Ließ mich mitten in der ganzen Schokoladenpampe sitzen und desertierte auf die andere Seite! Vermutlich hatte

sie ihrem neuen Chef brühwarm sämtliche Interna von C.S.-Promotion gesteckt, zum Beispiel die Nummer mit der Pressekonferenz und mein Entsorgungsprogramm für Herrn Macke. Jetzt war ich den Etat wohl endgültig los, dank der Loyalität meiner reizenden Mitarbeiterin.
Um meine Nerven zu beruhigen, goß ich mir einen doppelten Cognac ein und kroch zu Uli unter die Decke.
Ich erzählte ihr von Hellas schmählichem Verrat und wollte dringend getröstet werden. Aber Ulis Interesse an Dingen, die außerhalb ihrer Schwangerschaft lagen, ließ merklich nach. So griff sie, nachdem sie mir ein paar liebe Worte gesagt hatte, wieder nach dem Buch, in dem sie gerade gelesen hatte. »Ein Kind entsteht« lautete der Titel.
Sie thronte wie ein zufriedener Buddha in ihrem Bett, hatte sich den Rücken mit mehreren Kissen ausgestopft und knabberte Taco-Chips aus einer riesigen Tüte.
»Schau dir diese unglaublichen Bilder an!« forderte sie mich auf und hielt mir das Buch hin.
Tatsächlich konnte man auf vielen farbigen Fotos sehen, wie ein Spermium in ein Ei eindringt, wie es nach erfolgreicher Enterung seinen Schwanz abwirft, der ihm zur Fortbewegung gedient hat, und wie das Ei anfängt, sich zu teilen und das Aussehen einer Himbeere anzunehmen.
Offengestanden interessierte mich ausschließlich der Akt selbst. Daß sich dabei Millionen rasender Sparkeys ein Wettrennen zum Ei lieferten und daß daraus im besten Fall ein neuer Mensch entstehen konnte, ließ mich ziemlich kalt. Genaugenommen hatte ich den Zusammenhang zwischen Sex und Fortpflanzung völlig verdrängt und jahrelang alles daran gesetzt, diese Verbindung außer Kraft zu setzen. Sex war Vergnügen, Lust, Lebensfreude. Kinder waren Geschrei, Last und Arbeit. Ich wollte nicht schwanger werden, und ich würde nicht schwanger werden.
Auf den nächsten Seiten konnte ich betrachten, wie aus der

Himbeere eine Art Hamster wurde, später ein astronautenähnliches Wesen und am Schluß tatsächlich etwas, das Ähnlichkeiten mit einem Baby aufwies. Die kleinen Kerle lutschten am Daumen, ballten ihre Fäuste und verknoteten gegen Ende ihres Aufenthalts im Mutterleib ihre Gliedmaßen geradezu akrobatisch.
Dann blätterte Uli um, und man sah Bilder von einer Geburt. Entsetzt starrte ich zwischen die Beine der Frau, wo der Kopf des Kindes feststeckte. Er hatte eine merkwürdige Färbung zwischen Hellbraun und Violett, und die gesamte Haut war wie bei einem Basset faltig und verknautscht nach oben gerutscht, so daß die Augen nur noch kleine Schlitze waren.
»Aah!« schrie ich auf. »Das ist ja schrecklich!«
»Was ist denn daran schrecklich?« fragte Uli verständnislos. »Das ist völlig normal. Noch eine Preßwehe, und das Kind ist da.«
»Und zwischendurch steckt es da unten fest?« erkundigte ich mich entsetzt.
»Na klar, erst wird der Kopf geboren, und danach rutschen die Schultern und der restliche Körper heraus.«
»Und dabei reißt man auseinander, oder?«
»Genau, und dann wird man geteert und gefedert«, lachte Uli mich aus. »Du Schisserin. Dafür gibt's doch den Dammschnitt. Da schneidet der Arzt während einer Wehe ein Stück auf, und dann geht das problemlos.«
»Ist ja graaaaauenhaft!!!« schrie ich und sprang mit beiden Beinen gleichzeitig aus dem Bett. Uli lachte schallend.
Ich rannte zurück in mein Bett, zog die Decke bis zum Kinn und versuchte die Bilder wieder aus dem Kopf zu bekommen. Es gelang mir nicht. Schließlich stand ich auf, kippte einen zweiten Cognac und versuchte krampfhaft, an was anderes zu denken. Zum Beispiel daran, wie ich Hella am nächsten Morgen telefonisch rundmachen würde. Die würde sich wundern.

Neun

*A*m nächsten Tag kam ich erst mal gar nicht dazu, irgend jemanden rundzumachen, weil es zuging wie im Irrenhaus. Zuerst mußte ich den aufgebrachten Jens Macke besänftigen. Unangemeldet brauste er herein.

»Wie konnten Sie mir diese beiden Zimtziegen auf den Hals hetzen! Die mischen mir den ganzen Laden auf mit ihren frechen Sprüchen! Und erst ihr Outfit! Kommen ins Altersheim mit Miniröckchen, Springerstiefeln und engen Neonpullis! Ich dachte, Sie stellen denen Klamotten?«

Hilfesuchend sah ich mich nach Arne, dem Kunden-Valium, um. Wo war er denn bloß?

»Das ist die Aktionskleidung, lieber Herr Macke«, versuchte ich ihn zu beruhigen. »Es handelt sich, wie Sie ja wissen, um eine Kinderpraline. Ursprünglich wollten wir mal junge Leute ansprechen. Da konnte ich die Mädels ja schlecht im Konfirmationshängerchen losschicken! Sie wollten jemand für den gleichen Tag – wo soll ich so schnell neue Klamotten herkriegen?«

Macke tobte weiter. »Außerdem sind sie aufmüpfig!«

»Aufmüpfig? Was soll das heißen? Machen sie ihren Job nicht?«

»Doch, schon. Aber mit was für einem Gesicht!«

»Darauf kann ich nun wirklich keinen Einfluß nehmen. Wenn Ihnen die zwei nicht passen, dann müssen Sie sich schon selbst behelfen.«

Damit gab er sich nicht zufrieden, sagte, ich solle ihm Arne zur Seite stellen, der sei schließlich ein Mann zwischen dreißig und vierzig, der glaubwürdig auf die Zielgruppe wirke. Das sei ohnehin besser als mit den Mädchen. Da

hatte er doch glatt was von mir gelernt! Doch leider mußte ich ihn enttäuschen.
»Arne ist nicht abkömmlich. Meine Firma hat schließlich noch andere wichtige Kunden zu betreuen. Und leider bin ich meiner zweiten Mitarbeiterin verlustig gegangen.« Ich zuckte bedauernd die Schultern.
»Das wird Ihnen noch leid tun!« drohte Macke. »Ich glaube nicht, daß unser Kunde ihr unkooperatives Verhalten gutheißen wird. Darüber wird noch zu reden sein!«
»Ist gut, Herr Macke«, sagte ich und schob ihn zur Tür raus. Macke! Der Kerl hieß nicht nur so, der hatte auch eine! Er ahnte ja nicht, daß er mir mit Hennemann nicht mehr drohen konnte. Bei dem hatte ich ja ohnehin schon verschissen. Als nächstes stürmten Sandra und Tina rein. Sandra sprudelte los: »Ey, sag mal, Cora, der hat wohl den Arsch offen, dieser Macke! Geht uns an die Wäsche, und als wir ihm sagen, daß er die Pfoten wegnehmen soll, macht er uns noch blöde an!«
Ich traute meinen Ohren nicht. »Waaas hat der gemacht? Der hat euch angefaßt?«
»Angefaßt ist gut!« wütete Tina. »Mir ist er aufs Klo nach, und wie ich rauskomme, grapscht er nach mir und drängt mich so in die Ecke zwischen Waschbecken und Handtuchspender, daß ich mich nicht mehr rühren kann.«
»Und du, was hast du gemacht?« fragte ich leise.
»Ihn angebrüllt. Da hat er Schiß gekriegt und ist raus.«
»Und bei dir, Sandra?« forschte ich entsetzt weiter.
»Mir hat er an die Titten gefaßt, als ich mich gebückt habe, um 'nen Stapel Pralinenschachteln ins Auto zu heben. Weißt du, so scheinbar aus Versehen.«
»Und du?«
»Hab' den ganzen Stapel fallen lassen vor Schreck. Dann wollte er, daß ich alle Pralinen einzeln aufhebe und wieder einsortiere. Ich hab' ihm gesagt, er kann mich mal.«

Ich war sprachlos. Das würde er mir büßen, dieser schleimige Grapscher!
»Mädels, tut mir total leid, was da passiert ist. Was kann ich tun, um es wieder gutzumachen?«
Die beiden grinsten. »Ach Cora, ist schon o.k. Uns kann so einer nicht schocken. Wir wollten dir nur Bescheid sagen, damit du weißt, was Sache ist.«
Ich zog einen Hunderter aus der Tasche und drückte ihn Tina in die Hand. »Geht schön essen, ihr beiden. Der nächste Job ist o.k., das verspreche ich!«
Die beiden bedankten sich artig und sausten ab.
Gerade wollte ich endlich zum Hörer greifen, da flog die Tür auf, und Uli legte zwei kleine Zettelchen mit einer verschwommenen grauen Abbildung vor meine Nase.
»Na, was sagst du jetzt?« fragte sie mit einem Gesichtsausdruck, als habe sie gerade das Sechs-Tage-Rennen gewonnen.
»Äh . . . was ist das?« Ich schaute sie ratlos an.
»Das sind intrauterine Sonographien!«
»Was, bitte?« Ich kapierte immer noch nichts.
»Ultraschall-Aufnahmen. Das ist mein Baby!«
Ich nahm die Zettelchen in die Hand und betrachtete sie von allen Seiten. Nichts. Ich konnte absolut nichts erkennen, außer einer Menge grauer Linien und Schatten.
»Hier, das ist der Kopf! Da sieht man die Nase! Und das hier ist ein Ärmchen!« Uli deutete aufgeregt auf verschiedene graue Flecken.
Ich wollte sie nicht kränken, deshalb stieß ich kleine Ausrufe der Überraschung und Bewunderung aus. Wahrscheinlich war es mit Ultraschall-Aufnahmen so wie mit diesen 3D-Bildern. Man konnte sie nur sehen, wenn man schielte oder die Augen irgendwie auf »unendlich« stellte. Das schaffte ich auch nie.
Uli jedenfalls war glücklich. Sie hatte Michael nicht ein ein-

ziges Mal erwähnt, seit sie bei mir eingezogen war. Es war, als hätte sie endgültig begriffen, daß sie auf ihn nicht zählen konnte. Mit bewundernswerter Konsequenz hatte sie ihn aus ihren Gedanken verbannt.
Die meisten anderen Frauen wären hin- und hergerissen gewesen zwischen Wut und Verzweiflung, hätten sich täglich zwanzigmal überlegt, ob sie's nicht doch noch mal probieren sollten. Nicht so Uli. Wenn sie sich mal für etwas entschieden hatte, dann gab es keinen Weg zurück. So war es auch diesmal, und ich war heilfroh.
Deshalb hatte ich ihr auch wohlweislich verschwiegen, daß vor ein paar Tagen plötzlich Michael vor der Tür gestanden und nach ihr gefragt hatte.
Ich hatte gerade in der Küche gestanden und ein BRIGITTE-Menü gekocht, als es klingelte. Arglos öffnete ich die Tür und sah mich plötzlich meinem zweitschlimmsten Widersacher nach Jens Macke gegenüber.
»Uli ist nicht hier.«
Ich versuchte die Tür zuzuschlagen, aber Michael hatte schon den Fuß drin.
»Ich weiß, daß sie hier wohnt.«
»Kann schon sein, aber jetzt ist sie nicht hier.«
Ich verstärkte den Druck auf die Tür, in der Hoffnung, daß er seinen handgenähten englischen Modellschuh zurückziehen würde, bevor er Schaden nähme.
Statt dessen quetschte er den ganzen Körper durch den Spalt und erklärte: »Dann warte ich hier.«
Er schloß die Tür und machte tatsächlich Anstalten, den Mantel abzulegen.
Ich war alleine in der Wohnung, Arne besorgte gerade neues Kopierpapier, und Uli war bei einer Beratungsstelle für alleinerziehende Mütter.
Fieberhaft überlegte ich, wie ich den Eindringling loswerden könnte. Körperlich war er mir eindeutig überlegen. Ir-

gendwelche Drohungen würden ihn vermutlich nicht besonders einschüchtern. Aber ich wollte auf keinen Fall, daß Uli ihm begegnete, wenn sie nach Hause käme. Es wäre Gift für ihre verwundete Seele, ihn ausgerechnet hier, innerhalb unseres Anti-Männer-Schutzwalls, vorzufinden.
Es gab nur eine Möglichkeit, den ungebetenen Gast wieder loszuwerden. Ich machte schnell die Wohnungstür auf und fing an zu schreien.
»Hilfe, Hilfe, lassen Sie mich in Ruhe! Hilfe!«
In Sekundenschnelle öffneten sich zwei andere Türen im Treppenhaus, und die Bewohner steckten neugierig ihre Köpfe heraus.
Ich packte Michael an den Ärmeln seines Kaschmirsakkos und warf mich hin und her, als wollte ich mich seiner erwehren. Dazu schrie ich weiter aus Leibeskräften.
»Hilfe, der will mich vergewaltigen! Tun Sie doch was, der bringt mich sonst um!«
Michael war so verblüfft, daß er nichts tat.
Die zwei Nachbarn, beides ältere Herren, die sich bestimmt nicht auf ein Kräftemessen mit einem geistesgestörten oder kriminellen Gegner einlassen wollten, blieben dennoch nicht untätig.
»Lassen Sie die Dame sofort los, Sie Lustmolch!« brüllte der eine.
»Ich rufe die Polizei! Ich rufe die Polizei!« kreischte der andere.
Durch den Lärm wurden noch andere Leute angelockt, die statt des Lifts die Treppe benutzten, um der Ursache für das Spektakel auf den Grund zu gehen.
Endlich ließ ich von Michael ab, was so aussah, als gäbe er sein böses Tun auf, und er rannte, wie von Furien gehetzt, die Treppe runter.
Aus sicherer Entfernung rief er nach oben: »Du hörst von mir!«

Die beiden Nachbarn tuschelten aufgeregt miteinander. Freundlich winkte ich rüber. »Vielen Dank für die Unterstützung! Sie haben mir sehr geholfen!«
Ich schloß meine Tür und lachte in mich hinein. Dieser Punkt ging eindeutig an mich!

Endlich kam ich dazu, in Hinterschupfenbach anzurufen. Zunächst wollte ich mir Hennemann vorknöpfen. Jetzt, wo der Etat sowieso beim Teufel war, konnte ich ihm endlich ungeschminkt die Meinung sagen.
Es meldete sich eine Sekretärin, die fast noch schlimmer schwäbelte als ihr Chef.
»Hennemann & Co., Finschterwald, grüß Gott!«
»Schiller, grüß Gott, Frau Finsterwald. Ist Herr Hennemann zu sprechen?«
»Herr Hennemann isch einige Tage mit der gnädigen Frau verreist«, teilte sie mir mit.
Die gnädige Frau? War der gute Hennemann also doch verheiratet! Warum hatte er seine Gattin denn nie mitgebracht zu uns in die »Großstadt«, der Schlingel? Wollte wohl zwischendurch mal ihrer Fuchtel entkommen! Sicher war sie eine gräßliche schwäbische Matrone, die mittwochs andere Matronen zum Damentee einlud und ihren gesamten Ehrgeiz auf originelle Tischdekorationen verwendete.
Wenn Hennemann gar nicht da war, was in aller Welt tat Frollein Hella dann dort? War sie vielleicht schon wieder abgereist und schmollte jetzt zu Hause in ihrem Tausend-Mark-Appartement?
»Sagen Sie, war in den letzten Tagen meine Mitarbeiterin bei Ihnen in der Firma? Hella Mehnert?«
»Aber i han doch gsagt, daß dr Chef verreist isch und . . .«
»Ja, ja«, unterbrach ich sie genervt. »Das habe ich schon verstanden. Ich wollte ja auch nur wissen . . . ach, ist ja auch egal. Grüßen Sie Ihren Chef, wenn er zurück ist.«

Mit so einer Sekretärin war dem Unternehmen sicher eine glanzvolle Zukunft beschieden! Ganz zu schweigen von der zukünftigen Pressechefin, der falschen Schlange!
Ich rief bei Hella zu Hause an. Der Anrufbeantworter lief. »Hier spricht Cora. Deine Chefin. Oder wohl besser: deine ehemalige Chefin. Ich möchte, daß du dir deine Papiere persönlich abholst. Ich will nämlich gern dein Gesicht sehen, wenn du mir das alles erklärst.«

Am nächsten Abend hockten Uli und ich in der Küche, aßen Gorgonzola-Nudeln und tranken Wein. Das heißt, ich trank Wein, und Uli trank Wasser. Das allein wäre für mich schon ein Grund, nicht schwanger zu werden! Dieses sterbenslangweilige gesunde Leben ohne Drogen, Alkohol, Junkfood oder sonstige Exzesse – nicht auszudenken! Auch wenn ich nicht gerade jeden Abend einen Exzeß erlebte, allein die Vorstellung, daß ich es nicht mehr dürfte, würde mich verrückt machen.
Abwesend und in sich gekehrt saß Uli da, drehte ihre Nudeln um die Gabel und starrte in weite Ferne. Auf alles, was ich erzählte, murmelte sie ein undeutliches »Mmh«. Es war offensichtlich, daß sie überhaupt nicht zuhörte. Dabei gab ich mir solche Mühe, sie zu unterhalten! Es half nichts.
Ich erzählte ihr die Geschichte, wie ich mal mit hundert geblitzt wurde, wo nur sechzig erlaubt waren. Ich kriegte damals eine Rechnung über hundertzwanzig Mark, mit dem Hinweis, daß ich dagegen Einspruch erheben könnte. Davon machte ich selbstverständlich umgehend Gebrauch. Ich spazierte ins Polizeipräsidium und sprach bei dem zuständigen Beamten vor. Ich erklärte ihm, daß es unmöglich sei, daß ich zu schnell gefahren wäre, ich sei am fraglichen Tag nämlich überhaupt nicht gefahren. Als Beweis legte ich ein Attest von meinem Freund Udo, dem Internisten, vor. Kreislaufkollaps!

Der Beamte zog ein Foto hervor. Das legte er wortlos vor mich hin. Die Aufnahme zeigte ein messerscharfes Porträt von mir nebst elektronisch eingeblendetem Datum und Uhrzeit.
»Aber das ist ja ein grauenhaftes Foto!« stöhnte ich. »Sagen Sie selbst, Herr . . .«
»Grasmüller«, half er mir.
»Herr Grasmüller, so sehe ich doch nicht aus! Das müssen Sie doch zugeben!« Ich zauberte mein engelhaftestes Lächeln ins Gesicht.
Herr Grasmüller betrachtete mich und nickte langsam. »Ja, jetzt, wo Sie's sagen, jetzt, wo Sie's sagen, gebe ich zu, viel Ähnlichkeit ist da nicht.«
Er betrachtete das Foto, dann wieder mich, drehte und wendete das Foto, neigte den Kopf nach rechts und nach links. Plötzlich riß er mit einer energischen Bewegung das Bild in vier Teile.
»Hier liegt wohl ein Irrtum vor, junge Frau«, teilte er mir mit sachlicher Beamtenstimme mit, »Sie können die Angelegenheit als abgeschlossen betrachten.«
Er klappte seinen Aktenordner zu und lächelte mich verschwörerisch an.
Ich war von den Socken. So ein netter Bulle! Ich beschloß, meine Vorurteile gegen Polizisten noch mal zu überdenken, bedankte mich mit rotem Kopf und sauste schnurstracks in meine Lieblingsboutique, um die gesparte Kohle auf den Kopf zu hauen.
»Hey, Uli, wie findest du das?«
Uli gab keine Antwort.
»Uli? Hörst du mich?«
Erschrocken fuhr sie zusammen und schaute mich an.
»Äh . . . entschuldige . . . was hast du gesagt?«
»Mensch, Uli, ich erzähle dir hier Schwänke aus meinem Leben und du hörst nicht mal zu!«

»Tut mir leid, ich muß . . . nachdenken.«
»Geheime Kommandosache, oder darf ich erfahren, worüber?«
»Ich glaube nicht, daß es dich interessiert, ehrlich gesagt.« Gedankenverloren drehte Uli wieder ihre Gabel mit den inzwischen kalt gewordenen Nudeln.
»Das glaube ich doch, ehrlich gesagt«, gab ich zurück. Manchmal fand ich schwangere Frauen ganz schön anstrengend. Sie waren in höherer Mission unterwegs und dabei übermäßig sensibel. Man durfte sie nicht kritisieren, keinen Streit mit ihnen anfangen, keine schmutzigen Witze erzählen und nicht rauchen. Was die schmutzigen Witze betraf: Ich fand es zwar ekelhaft, wenn Männer es taten, ich selbst erzählte aber gelegentlich gern welche.
»Uli, jetzt sag schon, was ist los? Denkst du an Michael?«
Sie schaute mich an, als hätte ich gerade ein Gedicht auf usbekisch aufgesagt. »Michael? Wer ist Michael?« fragte sie mit schneidender Stimme.
»O.k., o.k.«, winkte ich schnell ab, »war ja nur so ein Gedanke.«
»Also gut, ich sag's dir«, entschloß sie sich endlich. »Ich muß mich entscheiden, ob ich eine Amniozentese durchführen lasse oder nicht.«
»Eine Amnio . . . was, bitte? « fragte ich.
»Eine Amniozentese, eine Fruchtwasseruntersuchung.«
»Ich weiß nicht, was das ist. Könntest du mir's bitte kurz erklären?« bat ich sie vorsichtig.
»Sie stechen mit einer Nadel durch die Bauchdecke in die Gebärmutter, entnehmen ein bißchen Fruchtwasser, legen eine Zellkultur an, und drei Wochen später weißt du, ob dein Kind behindert ist oder nicht«, führte Uli nüchtern aus. Beim Gedanken an Nadeln in Bauchdecken wurde mir etwas schwummerig, aber ich nahm mich zusammen. »Na, ist doch prima! Dann weißt du doch, woran du bist!«

»Und was mache ich, wenn's behindert ist? Dann schicke ich's zurück und reklamiere beim Absender, oder was?« fragte Uli trocken.
An diese Möglichkeit hatte ich überhaupt nicht gedacht. Alle Kinder, die ich kannte, waren gesund.
»Was machen denn die Frauen, bei denen ... also, wo das so ist?« erkundigte ich mich zögernd.
Uli schaute auf den Boden. »Die meisten treiben ab.«
»Aber man darf doch nur bis zur zwölften Woche abtreiben, dachte ich? Da bist du doch zum Beispiel schon längst drüber!«
»In diesem Fall ist das eine medizinische Indikation. Dann darf man es auch danach. Bis ich das Ergebnis hätte, wäre ich in der zwanzigsten Woche.«
Ein paar Sachen hatte ich inzwischen gelernt. Zum Beispiel, daß eine Schwangerschaft vierzig Wochen dauert. Also waren zwanzig Wochen die Hälfte. Dann war das Kind halb fertig.
»Wie groß ist denn ein Kind ... ich meine, das ist doch ganz schön spät, oder?« fragte ich verwirrt.
Uli sah mich an. Ihre Augen waren mit Tränen gefüllt.
»Es ist fünfundzwanzig Zentimeter lang. Es kann hören, es empfindet Schmerz. Es kann Daumen lutschen. Die Mutter spürt seine Bewegungen.«
Ich schluckte.
Uli fuhr sich mit dem Handrücken über die Augen.
»Es ist übrigens keine richtige Abtreibung«, sprach sie weiter, »sie versetzen dich nicht etwa in Narkose, und wenn du aufwachst, ist alles vorbei. Nein, sie lösen künstlich Wehen aus. Du bringst das Kind zur Welt. Wenn du Glück hast, ist es dabei schon gestorben. Wenn du Pech hast, bewegt es sich noch. Vielleicht macht es Geräusche.«
Mit großen Augen starrte ich Uli an.
»Und ... und dann?« fragte ich mit zitternder Stimme.

»Nichts«, sagte Uli. »Die meisten sterben kurz danach.«
Ich war schockiert. Gleichzeitig stellte ich mir vor, wie es wäre, ein behindertes Kind zu bekommen. Auch diesen Gedanken fand ich entsetzlich. Es schien ein Dilemma ohne Ausweg.
Dann fiel mir ein, daß die Wahrscheinlichkeit einer Behinderung sicher sehr gering war. Das müßte Uli doch halbwegs beruhigen!
»Da ist leider noch ein Problem«, erklärte sie weiter. »Eine von hundert Frauen verliert durch diese Untersuchung ihr Kind.«
»Das heißt also, du kannst dir aussuchen, ob du riskierst, ein gesundes Kind umzubringen, ein behindertes zu bekommen oder ein behindertes zu bekommen und es dann sterben zu lassen«, zog ich Bilanz.
»Messerscharf erkannt«, nickte Uli.
»Schöne Scheiße.«
»Du sagst es. Kannst du jetzt verstehen, daß ich von der Rolle bin?«
Das konnte ich allerdings. Aber je länger ich darüber nachdachte, desto sicherer wurde ich. Man konnte solche Entscheidungen nur pragmatisch treffen. Man mußte sich von jeder Gefühlsduselei befreien und analysieren, welches das kleinste Übel wäre. Ein behindertes Kind war es mit Sicherheit nicht.
Als ich Uli das sagte, reagierte sie heftig.
»Und welche Garantie hab' ich, daß bei der Geburt nichts passiert? Oder daß das Kind gesund auf die Welt kommt, aber später krank wird oder einen Unfall hat?«
»Natürlich keine«, antwortete ich. »Aber es hat doch bessere Chancen, wenn es gesund auf die Welt kommt. Wenn es schon krank ist, hat es keine.«
»Warum denn nicht?« rief Uli wütend. »Hast du überhaupt in deinem Leben schon mal mit einem behinderten Kind zu

tun gehabt? Zum Beispiel mit einem, das ein Down-Syndrom hat?«

»Ein was?«

»Na, mit einem mongoloiden Kind.«

»Nein«, mußte ich einräumen.

»Na, also. Woher willst du dann wissen, daß solche Kinder keine Chance haben? Die können sogar sehr glücklich sein!«

»Und du«, gab ich zu bedenken, »was ist mit dir? So ein Kind wird doch niemals selbständig. Es bleibt sein Leben lang von dir abhängig!«

»Und das ist ein Grund, es umzubringen?« schrie Uli mich jetzt an. »Es wäre doch trotz allem mein Kind!« Sie brach in Tränen aus und rannte aus dem Zimmer.

Ich lief ihr nach und nahm sie in die Arme. Ich hielt sie fest und streichelte sie. Ihr Körper bebte. In ihrem Schluchzen lag Verzweiflung über die Entscheidung, die sie jetzt zu treffen hatte, und über die ganze beschissene Lage, in der sie war. Kein Mann, keine Wohnung, kein Geld, keine Ahnung, wie's weitergehen sollte. Das Mitleid krampfte mir den Magen zusammen. »Beruhige dich, Uli. Du wirst das Richtige tun, da bin ich überzeugt. Außerdem ist es so gut wie sicher, daß dein Kind gesund ist.«

Uli schluchzte ein letztes Mal auf. »Ich spreche morgen noch mal mit meinem Arzt, und dann entscheide ich mich«, sagte sie und sah mich fragend an. »Würdest du mitkommen? Ich meine, falls ich mich für die Untersuchung entscheide?«

Ich schluckte wieder. Dann nickte ich tapfer. »Ich glaube, schon.«

Sie drückte ganz fest meine Hand.

Zehn

Als Hella sich nach weiteren zwei Tagen nicht gemeldet hatte, begann ich mir Sorgen zu machen. Arne und ich beratschlagten gemeinsam, was zu tun wäre.

Eine Vermißtenmeldung aufgeben? Das war ziemlich riskant. Schließlich bestand eine gewisse Wahrscheinlichkeit, daß Hella in irgendeinem netten Gasthof logierte und sich mehrmals am Tag Schokoladentorte servieren ließ.

Ihre Wohnung observieren lassen? Auch nicht ganz unproblematisch. Vielleicht hatte sie eine leidenschaftliche Affäre mit einem verheirateten Prominenten und wollte auf keinen Fall aufgestöbert werden?

Sie durchs Fernsehen suchen lassen? Ich sah mich schon schluchzend auf dem Sofa sitzen und vor den Augen der gerührten Nation die vermißte Hella anflehen: »Bitte melde dich!«

Diese Idee gefiel mir am besten, und Arne hatte ziemliche Schwierigkeiten, sie mir auszureden. Statt dessen schlug er vor, den naheliegendsten, wenn auch langweiligsten Weg einzuschlagen und bei ihrer Familie nachzufragen.

Hella stammte aus einem kleinen Kaff in Niederbayern. Spontan entschlossen wir uns, einen Sonntagsausflug dorthin zu machen. Sicher wäre es den Eltern gegenüber rücksichtsvoller, persönlich dort aufzutauchen und nach Hellas Verbleib zu fragen, als sie mit einem Anruf in Angst und Sorge zu stürzen.

Es war ein strahlender Herbsttag, als wir uns, bewaffnet mit einem Campingkorb, einer Landkarte und einem Karton voller Schokoriegel, auf den Weg machten.

»Hella ist doch kein Äffchen, das wir mit einem Köder vom

Baum locken können«, kommentierte Arne den Schokovorrat.
Das hatte ich auch nicht angenommen, aber mir sagte ein sicheres Gefühl, daß es nichts schaden könnte, ein paar Reservekalorien mitzuführen. Eine meiner Horrorvisionen war, bei Nacht und Nebel auf einer abgelegenen Landstraße mit einer Reifenpanne festzusitzen – und nichts zum Essen eingepackt zu haben.
Die Landschaft sauste an uns vorüber, aus dem Radio dröhnten die Stones. »I cant't get no . . .«, grölten wir lauthals mit und fühlten uns in alte Zeiten versetzt.
Arne erinnerte sich, genau wie ich, an die Beatles- und Stones-Gemeinden in unserer frühen Jugend. Man konnte absolut nur Fan der einen oder der anderen Gruppe sein. Wer behauptete, beide zu mögen, war ein rückgratloser Opportunist und wurde von niemandem ernst genommen.
Wir waren natürlich Stones-Fans. Die Beatles mit ihrem süßlichen Gesülze konnten uns gestohlen bleiben. Richtiger Rock 'n' Roll oder gar nichts!
Wie die Kinder freuten wir uns über diese gemeinsame Jugenderinnerung und beschlossen, daß man die Leute auch heute noch beim Kennenlernen in Beatles- und Stones-Fans einteilen sollte.
»Ist doch viel besser als der Quatsch mit den Sternzeichen«, fand ich.
Arne machte weitergehende Vorschläge. »Man sollte auch nachfragen, ob jemand auf Hunde oder auf Katzen steht, ob er lieber in Berlin oder in München ist, ob er Kaffee- oder Teetrinker ist und . . .
». . . ob er im Stehen oder im Sitzen pinkelt!« ergänzte ich.
»Wie machst du es?« erkundigte er sich, ohne eine Miene zu verziehen.
»Ich rede von Männern, du Trottel!« erklärte ich lachend.
Ich fand es einfach lächerlich, wenn Männer aus lauter

Rücksicht auf ihre putzenden Frauen im Sitzen pinkelten. Sollten sie doch lernen, wie man pinkelt, ohne auf die Brille zu spritzen. Und wenn sie dafür zu blöd waren, sollten sie das Klo gefälligst selbst putzen!

Arne war meiner Meinung. »Wichtig ist auch der Unterschied zwischen Naß- und Trockenrasierern«, ergänzte er unsere Typologie.

»Und zwischen Männern, die Boxershorts tragen, und denen mit Calvin-Klein-Slips«, fiel mir aus meinem reichen Erfahrungsschatz noch etwas ein. Ein Schiesser-Feinripp-Kandidat war mir zum Glück noch nicht untergekommen.

Seit Arne sich »geoutet« hatte, war er mir richtig ans Herz gewachsen. Vorher war er einfach ein Typ, der für mich gearbeitet hatte. Jetzt war er jemand, mit dem ich mich persönlich verbunden fühlte. Ich realisierte erst jetzt, daß er ein Mensch mit viel Einfühlungsvermögen und einem subtilen Witz war. Neben Uli war er zur Zeit derjenige, mit dem ich mich am besten verstand.

Nach einer zweistündigen Fahrt erreichten wir Piesling. Ich konnte mich gar nicht beruhigen über den Namen, der so gut zu unserem Klobrillen-Thema paßte. »Kein Wunder, daß Hella da weg wollte. Die Umgebung ist ja ganz nett, aber wenn du immer erklären mußt, daß du aus Piesling kommst . . .«

Arne las die Straßenschilder, und ich steuerte das Auto über staubige Dorfstraßen und rumpelige Feldwege, bis wir vor einem wunderschönen alten Bauernhof hielten.

»Hier muß es sein«, sagte Arne.

An den Fenstern hingen Blumenkästen voller Geranien, die ihre Köpfe den letzten Herbstsonnenstrahlen entgegenreckten. Auf dem Hof pickten ein paar Hühner, und auf dem Traktor rekelten sich zwei Katzen. Die Kühe muhten im Stall, und auf einer angrenzenden Koppel weideten zwei Pferde. Hinten beim Stall scharrte ein Hund in der Erde.

»Wie aus dem Bilderbuch«, staunte ich.
»Oder einem Prospekt für Ferien auf dem Bauernhof«, fand Arne.
In diesem Moment hatte der Hund uns bemerkt und stürzte laut bellend auf uns zu. Für mich war die Hunde-oder-Katzen-Frage schon geklärt: Meine Vorliebe gehörte eindeutig den Katzen. Vor Hunden hatte ich schlicht und einfach Angst.
Ich versteckte mich hinter Arne, dessen bewährte Valiumwirkung glücklicherweise auch bei Tieren funktionierte. Der Köter ließ sich ein paarmal über den Kopf streicheln, knurrte noch mal warnend und trollte sich. Mir stand der Schweiß auf der Stirn.
»Keine Sorge«, beruhigte mich Arne. »Der bellt nur. Beißen tut der nicht.«
Die Haustür öffnete sich, und eine kleine, dralle Frau mit einem zum Haarkranz gelegten Zopf und geröteten Wangen trat heraus. Sie sah genau so aus, wie ich als Kind Bauersfrauen gemalt hatte. Nur trug sie kein fesches Dirndl, sondern eine braungemusterte Kittelschürze.
»Ja, bitte?« Sie schaute uns fragend an.
»Guten Tag«, grüßte ich freundlich, »sind wir hier richtig bei Mehnert?«
»Ja, do sans richtig«, bestätigte die Bäuerin. »Um wos geht's?«
»Wir suchen die Hella. Sie ist Mitarbeiterin in meiner Firma und seit ein paar Tagen verschwunden. Ehrlich gesagt, machen wir uns Sorgen.«
»Ja, dann san Sie die Frau Schiller«, kombinierte Hellas Mutter und breitete die Arme aus. »Kommen's doch rein. Die Hella, die is do.«
Wir drückten beide ihre Hand, die sich ganz hart und schwielig anfühlte. »Hella ist bei Ihnen? Dann bin ich aber froh.«

Ich stellte Arne vor, und wir folgten ihr in die Küche. An einem gebohnerten Holztisch saßen mehrere Leute bei Kaffee und Kuchen. Sie unterhielten sich angeregt. Wahrscheinlich war das die gesamte Großfamilie Mehnert, von der Hella erzählt hatte.
Ich sagte freundlich »Grüß Gott« und ließ meinen Blick auf der Suche nach Hella über die Gesichter schweifen. Im nächsten Moment hatte ich sie entdeckt und gleichzeitig etwas Mühe, meinen Augen zu trauen. Ich glaube, ich kniff sie kurz zu, um herauszufinden, ob es sich um eine Halluzination handelte. Es war aber eindeutig kein Trugbild. Neben Hella saß – Hennemann!
Im selben Augenblick hatte Hella auch uns gesehen. Sie sprang auf. »Cora, Arne, was macht ihr denn hier?«
Die Anwesenden drehten neugierig die Köpfe, um zu sehen, wer da gekommen war. Auch Hennemann hatte sein Gespräch unterbrochen und schaute zu uns.
»Ach, die Frau Schiller und ihr netter Kollege, ja des isch ja eine Überraschung!« Er drehte sich zu Hella. »Hasch du unser kleines Geheimnis etwa vorzeitig ausgeplaudert?«
Hella schluckte nervös und schüttelte den Kopf. Ich schaute staunend von Hella zu Hennemann und wieder zurück. Man duzte sich also bereits. Aber seit wann, um alles in der Welt, stellte man seinen zukünftigen Chef der eigenen Familie vor? Ich konnte mich des Eindrucks nicht erwehren, daß die Ereignisse eine Wendung genommen hatten, auf die ich nicht vorbereitet war.
Hellas Mutter rückte uns zwei Stühle an den Tisch. »Nehmen's doch Platz! Wolln's an Kaffee?«
Arne, der offenbar etwas schneller von Begriff war als ich, war drauf und dran, an einem Lachanfall zu ersticken. Sein Gesicht verfärbte sich rot, er beherrschte sich nur mühsam. Ich schaute ihn strafend an. Wer würde mir jetzt bitte mal erklären, was eigentlich gespielt wurde?

Hennemann stand auf. Die Runde verstummte.
»Liebe Frau Schiller, lieber Herr Arne, darf ich Ihnen meine Frau vorstellen? Das isch Frau Hella Hennemann, geborene Mehnert!« Er nahm Hellas Hand. Hella stand auf und lehnte ihren blonden Haarschopf an Hennemanns Schulter. Die Tischrunde brach in Jubel aus, die Frauen applaudierten, die Männer klatschten sich auf die Schenkel.
Das war sie also, die gnädige Frau.
Die Finsterwald war nicht so bescheuert, wie ich angenommen hatte. Im Gegenteil, wenn jemand bescheuert war, dann zweifellos ich.
Hella war um den Tisch herum gekommen und umarmte mich. »Verzeihst du mir?«
Ich zog eine Grimasse. »Was bleibt mir anderes übrig?« Dann küßte ich sie auf beide Wangen. »Herzlichen Glückwunsch!«
Tausend Fragen schossen mir durch den Kopf. »Wann ist denn das alles passiert? Ich meine . . . wann hat es zwischen euch gefunkt?«
Verlegen zwirbelte Hella eine Haarsträhne zwischen den Fingern. »Na ja, also eigentlich schon bei deinem Geburtstagsfest, also . . . ich meine, in dieser Nacht.«
»Als ich so besoffen war?«
»Mmh.«
Deshalb war mir das also entgangen. Ich sollte doch nicht so viel trinken.
»Und danach?«
»Dann haben wir ja immer telefoniert, und Herbert kam dann öfters . . . na ja, und dann ist es halt passiert.«
Und ich ignoranter Volltrottel war so mit meinen eigenen Angelegenheiten beschäftigt gewesen, daß ich diese Entwicklung völlig verpaßt hatte. Plötzlich fiel mir ein, wie besorgt ich um Hella gewesen war. »Weißt du eigentlich, daß ich schlaflose Nächte wegen dir hatte?«

»Du hattest ein schlechtes Gewissen, stimmt's?« freute sich Hella. »Du warst auch ganz schön fies zu mir!«
Ich schüttelte den Kopf. »Ich, ein schlechtes Gewissen? Keine Spur! Ich hatte nur die Befürchtung, du könntest Betriebsgeheimnisse ausplaudern.«
»Das ist wieder typisch«, echauffierte sie sich, »immer die Coole mimen! Du hast dir Sorgen um mich gemacht, gib's zu!«
Bevor ich antworten konnte, war auch Hennemann bei mir angekommen. Er nahm meine Hand und schüttelte sie in der ihm eigenen väterlichen Art. »Des isch aber wirklich ein netter Zufall. Mir hättet Sie natürlich sofort morgen informiert. Es ging halt alles a bissle schnell!«
Das fand ich allerdings auch.
»I hoff, Sie sind mir net bös, daß ich Ihre geschätzte Mitarbeiterin entführt hab! A bissle peinlich isch mir des fei scho!«
Das war wohl das mindeste. Eigentlich sollte ich eine Ablösesumme fordern, wie bei den Fußballspielern. Wenn die den Club wechselten, ging doch immer 'ne Menge Kohle über den Tisch.
»Schon gut, Herr Hennemann. Gegen die Liebe ist nun mal kein Kraut gewachsen!«
Ich mußte es ja wissen. Ich war ja eine anerkannte Expertin auf dem Gebiet der geglückten Liebesbeziehungen.
»Wann hat die Hochzeit denn eigentlich stattgefunden?« wollte ich wissen.
»Vorgestern«, hauchte Hella errötend. »Erst mal nur standesamtlich. Die kirchliche Trauung kommt noch.«
Die ließ es ja echt krachen. Gestern noch Partymieze in der Großstadt – und morgen keusche Braut in Weiß. Wunder gab es immer wieder. Wenigstens konnte sie jetzt, wo sie unter der Haube war, ihr überteuertes Appartement für einen anderen swinging Single räumen.

Dann fiel mir was ein. »Ich hab' dir übrigens was mitgebracht!«
Während Hella und Hennemann sich auch von Arne beglückwünschen ließen, ging ich schnell zum Auto. Ich hatte doch so eine Ahnung gehabt, daß ich die Schokoriegel noch brauchen würde!
Wieder in der Küche, drückte ich Hella den Karton in die Hand. Neugierig schaute sie rein. Dann brach sie in fröhliches Gelächter aus. »Also, ehrlich, Cora, du bist unmöglich! Aber wie du siehst: Ich hab' den Vater für meine fünf Kinder doch gefunden – trotz Übergewicht!«
Hennemann packte Hella und hob sie übermütig in die Luft. »Was, glei fümfe? Jetzt fangat mir erscht mol mit oinem an, isch recht?«
»Ja, isch recht!« jubelte Hella und sah mit ihren roten Bäckchen unglaublich glücklich aus.
Es wurde noch ein sehr fröhlicher Nachmittag, und dann ein feuchtfröhlicher Abend. Besonders der hausgebrannte Wacholderschnaps hatte es mir angetan, und so dauerte es nicht lange, bis ich mich mit den Anwesenden heftig verbrüderte.
Wir sangen, schunkelten und erzählten uns unanständige Anekdoten, bis wir vor Lachen fast von den Bänken kippten. Bald fand ich, daß das Landleben eine großartige Sache sei, und fragte Arne, ob wir die Firma C.S.-Promotion nicht in einen umgebauten Bauernhof verlagern sollten.
Arne schüttelte nur den Kopf und grinste. Ich war ihm ungemein dankbar, daß er sich beim Wacholderschnaps so vornehm zurückhielt. Einer mußte ja noch fahren.

Elf

*H*ella war nur noch mal gekommen, um ihre Sachen abzuholen und sich von uns zu verabschieden. Wir hatten ihr ein traumhaftes Teeservice geschenkt und alle eine Träne zerdrückt. Bei dieser Gelegenheit hatte ich ihr noch das hochheilige Versprechen abgenommen, Stillschweigen über betriebsinterne Einzelheiten der Schoko-Kampagne zu bewahren.
»Großes Indianerehrenwort!« hatte sie geschworen. »Ab jetzt will ich mit dem ganzen PR-Kram nichts mehr zu tun haben.«
Das konnte ich ihr gut nachfühlen, denn mich beschlich immer deutlicher das Gefühl, daß ich diesen Job nicht mehr lange machen wollte. Jetzt bestand zwar nicht mehr die akute Gefahr, daß Hennemann mich verabschieden würde – im Gegenteil, er würde Hellas Entführung sicher durch besondere Zuwendung mir gegenüber wettmachen. Aber mir selbst hing das alles zum Hals raus.
Gegen meinen Willen mußte ich immer wieder an Jim Knopf, das nette Braunauge denken. Vielleicht hatte er doch recht gehabt. PR war einfach Scheiße. Oder war es nur die ewige Schokolade, die mir Übelkeit verursachte? Egal. Klar war nur eines: Es mußte sich etwas ändern.
Zunächst beschloß ich, zum ultimativen Schlag gegen Jens Macke auszuholen. Einen Plan hatte ich auch schon. Sandra und Tina würden mir assistieren.
Macke wollte unbedingt noch mal mit mir reden. Ich hatte zugesagt und ein marokkanisches Restaurant vorgeschlagen. Ich war wahrhaftig keine Freundin der orientalischen Küche, aber ich wollte mit gutem Grund ins »Marrakesch«.

Er hatte mich abgeholt und half mir nun zuvorkommend aus dem Mantel. Die Garderobe war mit einem schweren roten Samtvorhang vom Restaurant abgeschirmt. Man betrat sie durch eine Tür von der Seite.
Jens geleitete mich an unseren Tisch. Ich setzte mich so, daß ich einen Blick zum Fenster hatte.
Das Essen machte keinen üblen Eindruck, wie ich beim Blick auf die Teller unserer Tischnachbarn feststellte, und die arabisch aussehenden Kellner mit ihren dunklen Augen und den sinnlichen Lippen gefielen mir richtig gut.
Jens Macke wirkte irgendwie ausgelaugt. Hennemann hatte ihn offenbar ständig angetrieben und zu weiteren Aktionen aufgefordert. Feige wie er war, hatte Macke nicht den Mut gehabt, sich zu wehren. So mußte er während der letzten Wochen sechsundzwanzig Alteneinrichtungen in der Region abklappern und über eintausendvierhundert Erhebungsbögen sammeln. Jetzt sah er selbst so alt aus, daß er sich ohne weiteres in einem Seniorenstift hätte einmieten können.
»Wie geht's denn so, Herr Kollege?« flötete ich und hob mein Glas.
»Bißchen erschöpft«, antwortete er mit matter Stimme und prostete mir ebenfalls zu.
»Kein Wunder, Sie haben ja auch tierisch geackert!« bemitleidete ich ihn. »Zu schade, daß Arne Ihnen nicht helfen konnte!«
»Schon gut«, winkte Macke ab, »ich habe es ja geschafft.«
Ein glutäugiger Kellner brachte die Suppe und warf mir einen anzüglichen Blick zu. Ich zögerte nicht, ihn zu erwidern.
Jens tauchte den Löffel in die Suppe. Ich war schon gespannt, ob seine Tischsitten diesen Gerichten gewachsen waren. Immerhin legte er den linken Arm beim Suppelöffeln neben seinen Teller und nicht, wie viele Männer, quer davor.

Ich haßte Männer mit schlechten Tischmanieren. Manch vielversprechende Bekanntschaft hatte ein schnelles Ende gefunden, wenn ich zusehen mußte, wie der Auserwählte sein Essen reinschaufelte wie ein Bauer. Macke hielt sich heute recht wacker.
Zwischen zwei Löffeln Suppe betrachtete ich ihn. Als ich mir vorstellte, wie er meine Mädels begrapscht und sich hinterher über die beiden beschwert hatte, ging mir das Messer in der Tasche auf. Diesem Kerl würde ich es zeigen!
Am Fenster hinter Macke tauchten die Gesichter von Tina und Sandra auf. Unauffällig zwinkerte ich ihnen zu. Die beiden verschwanden.
Ich schenkte Wein nach. Macke bedankte sich mit einem Nicken. Er schien äußerst milde gestimmt. Normalerweise ließ er ja keine Gelegenheit aus, mir seine Überlegenheit zu beweisen. Heute gab er sich handzahm. Vermutlich plagte ihn das schlechte Gewissen.
Wir plauderten zwanglos über dies und das, streiften dabei auch die Kampagne, aber ich hatte den Eindruck, daß ihn das Thema nicht sonderlich interessierte.
Nachdem wir die zweite Flasche Rotwein geleert hatten, begann er wieder, mich anzumachen. Genau das hatte ich erwartet.
»Sie sind reizend heute abend, Cora.« Er nahm meine Hand.
»Danke gleichfalls, Jens.«
»Ich wußte gar nicht, daß Sie so sanft sein können, so . . . fraulich!« Er nahm meine andere Hand. Ich überließ sie ihm.
»Sie wissen, daß ich starke Frauen schätze. Sie machen es einem nicht leicht, aber sie stellen auch eine Herausforderung dar. Sie, Cora, sind so eine Frau!«
»Ach, ja¿« Ich riß die Augen auf.
»Spielen Sie nicht die Überraschte, Sie wissen es doch selbst!«
Ich schlug die Augen nieder.

»Die meisten Männer haben übrigens Angst vor solchen Frauen. Ich nicht. Ich finde sie erotisch!«
Ich klappte die Augen wieder auf.
»Es ist in der Liebe wie im Leben: Nur starke Partner sind interessant. Hab' ich recht?«
Er schickte mir einen Blick, der wohl feurig sein sollte.
Ich wußte genau, daß er sich meist auf harmlose Mäuschen beschränkte, die er leicht zur Strecke bringen konnte. Um so erstaunlicher fand ich das Bild, das er hier von sich zeichnete. Das hatte wohl mit seinem Alkoholpegel zu tun.
»Ich verstehe nicht ganz, was Sie meinen«, log ich, »ich habe Sie bisher in erster Linie als Kollegen gesehen, weniger als Mann. Vielleicht war das ein Fehler?«
Ich sandte ihm einen tiefen Blick.
»Das ist schade«, fand auch Macke und erwiderte meinen Blick. »Gerade in gemeinsamer Arbeit steckt doch ein großes erotisches Potential.«
»Ach, deshalb haben Sie Sandra und Tina neulich angemacht?« fragte ich beiläufig.
Macke verzog keine Miene. Nur meine Hände ließ er los.
»Angemacht? Was haben die Mädels Ihnen denn da erzählt? Ein kleiner Flirt, weiter nichts. Die haben es doch darauf angelegt, die beiden! Tanzen den ganzen Tag im kurzen Rock auf und ab und wollen einen provozieren. Ist doch klar, daß man als Mann da reagiert . . .«
». . . und sie begrapscht«, schloß ich.
»Das ist aber ein häßliches Wort, Cora. Ein freundschaftlicher Klaps, eine kollegiale Umarmung – die Mädchen heutzutage sind nicht mehr so prüde!«
»Da haben Sie ja Glück gehabt«, lächelte ich.
»Aber mich interessieren keine kleinen Mädchen. Mich interessieren richtige Frauen. Frauen wie du!« legte Macke nach.
Er nahm meine Hände wieder. Sein Blick wurde schmach-

tend. »Wir sind doch vom gleichen Schlag! Du bist eine Jägerin, genau wie ich.«
Ich grinste innerlich. Konnte es denn wahr sein, daß Männer so bescheuert waren? Macke knetete meine Hände. »Die Liebe ist ein ewiger Kampf«, schwadronierte er. »Ein Kampf der Vernunft gegen die Sinne, des Intellekts gegen die Geilheit. Du weißt doch, was ich meine, Cora!«
Ich senkte die Stimme. »Ich weiß es, Jens. Man wagt nur nicht immer, es zuzulassen. Wer weiß, was passieren würde . . .?«
Er wurde hellhörig. Das klang so, als hätte er eine Chance! »Zwischen uns funkt es doch schon länger, wir haben es uns nur nicht eingestanden«, sagte er beschwörend und preßte meine Hände.
Ich beugte mich nach vorn und saugte mich mit dem Blick an ihm fest. »Wollen wir zahlen? Wir könnten bei mir noch einen Schluck trinken!« schlug ich vor und bemühte mich, meiner Stimme ein anzügliches Vibrato zu verleihen.
»Gute Idee! Zahlen, bitte!« Hektisch winkte er nach unserem Kellner, der arrogant an ihm vorbeischaute. Schließlich bequemte er sich doch und segelte in einem weiten Bogen an unseren Tisch. Wieder trafen mich die Glutaugen.
Macke zahlte und gab in der Aufregung viel zuviel Trinkgeld, was der Kellner mit einer hochgezogenen Augenbraue quittierte.
Als er mich Richtung Ausgang zerrte, warf ich einen schnellen Blick zum Fenster und hob den Daumen. Die Mädels nickten mir zu.
In der Garderobe schloß ich die Tür und warf mich in Jens' Arme. »Ich kann nicht mehr warten!« flüsterte ich heiser und küßte ihn heftig.
Er wollte abwehren, ließ die Arme aber dann sinken. Mit einer schnellen Bewegung zog ich ihm das Sakko halb über die Schultern, so daß er sich kaum noch rühren konnte. Ich

riß sein Hemd auf, löste blitzschnell die Gürtelschnalle und öffnete den Reißverschluß seiner Hose.
»Nein, Cora, nicht hier«, keuchte er, aber ein Griff zwischen die Beine brach seinen Widerstand. Er hatte einen Ständer, der seine Boxershorts fast zum Platzen brachte.
Ich kniete mich vor ihn. In Erwartung kommender Wohltaten schloß Macke die Augen und stöhnte. Er bog seinen Körper nach hinten. Mit den Händen stützte er sich an einem Tisch ab.
»Jetzt!« sagte ich laut und zog ihm die Boxershorts runter.
Im selben Moment wurde der Samtvorhang nach beiden Seiten weggerissen. Ich war blitzschnell aufgetaucht und durch die Tür ins Restaurant gewischt.
Die Gespräche verstummten schlagartig. Macke brauchte einen Moment, bis er zu sich kam. Er stand da mit heruntergelassener Hose, zerrissenem Hemd und verrutschter Krawatte, fünfundzwanzig Augenpaare auf sich gerichtet.
Zwei Frauen kicherten, ein Typ pfiff durch die Zähne. Ein anderer rief »Zugabe«, und der Geschäftsführer stürzte mit schreckgeweiteten Augen herbei.
Macke zerrte seine Hosen hoch, verhedderte sich in den Sakkoärmeln, fluchte. Inzwischen lachte das ganze Lokal, und die Leute machten anzügliche Sprüche. Sandra und Tina standen wie Nummerngirls an jeder Seite der Garderobe, die mit den geöffneten Vorhängen wie eine Bühne aussah.
Während Macke sich mit hochrotem Kopf mühte, seine Klamotten an den richtigen Platz zu zerren, winkte ich meinen Mädels.
»Schönen Abend noch, Herr Macke!« rief ich ihm zu. Haßerfüllt schaute er zu mir her. Erst jetzt sah er auch Tina und Sandra, die ihm Kußmündchen zuwarfen.
Ich zog mein Diktiergerät aus der Tasche, das die ganze Zeit mitgelaufen war, und schwenkte es in der Luft. »Und danke für die Lektion in Sachen sexueller Belästigung!«

Macke fiel die Farbe aus dem Gesicht. Entsetzt starrte er auf das Tonband. In diesem Moment hatte der Geschäftsführer ihn erreicht, packte ihn am Arm und drückte ihm seinen Mantel in die Hand.
»Vielen Dank für Ihren Besuch! Auf Wiedersehen«, sagte er mit gefletschten Zähnen und schob Macke zum Ausgang.
Plötzlich stand der glutäugige Kellner ganz dicht hinter mir. »Darf ich die Damen zu einem Drink einladen?« hörte ich seine Stimme an meinem Ohr.
»Mit Vergnügen!« Ich zog meine Mädels an die Bar.
Es wurde ein ziemlich lustiger Abend. Nur mit Mühe konnte ich mich zurückhalten, Achmehd mit nach Hause zu nehmen. Aber ich hatte das Gefühl, daß dies ein Frauenabend bleiben sollte.

Meine Wohnung auf Dauer als männerfreie Zone zu erhalten war nicht leicht. Thomas zum Beispiel war absolut nicht gewillt, sang- und klanglos aus meinem Leben zu verschwinden. Nur wenige Tage nach unserer Begegnung der katastrophalen Art hatte ich ihn an der Strippe.
»Hallo, Cora, wollte mal hören, wie's geht.«
Einerseits war es mir peinlich, mit ihm zu sprechen, andererseits freute ich mich, seine Stimme zu hören. Ich versuchte, ganz normal zu sagen: »Danke, ganz gut. Ich meine, den Umständen entsprechend.«
»Was für Umstände?« Er klang irritiert.
Ich lachte leicht hysterisch. »Na ja, andere Umstände gewissermaßen.«
Ich hörte ihn am anderen Ende nachdenken. »Bist du . . . ich meine . . .«
»Ach, Quatsch, ich doch nicht. Uli ist bei mir eingezogen. Du hast sie doch gesehen, kürzlich, morgens . . . als du . . . als ich . . .«
Scheiße, ich war einfach nicht so cool, wie ich dachte. Und

wie vor allem die anderen dachten. Jetzt war's mir plötzlich peinlich, daß Thomas so eine lächerliche Figur gemacht hatte. Sollte doch eigentlich sein Problem sein!
»Cora, wir waren beide Idioten.«
»Danke.«
»Bitte.«
»Und weiter?«
»Weiter? Keine Ahnung. Ich will dich nicht verlieren. Wenn ich schon nicht dein Liebhaber werden kann, dann will ich wenigstens dein Freund bleiben.«
»Und du meinst, das geht?« fragte ich zweifelnd.
»Warum nicht? Ging doch vorher auch.«
»Ja, aber vorher war alles . . . anders.«
»Gib mir eine Chance.«
»Ich überleg's mir.«

Viel Zeit zum Überlegen gab er mir nicht.
Am nächsten Tag stand er einfach in der Bude. Im Zuge der Umgestaltungs- und Verschönerungsarbeiten, die hier im Gange waren, machte er sich unauffällig nützlich.
Wie lautete mein Motto: Lieber ein guter Freund als ein schlechter Liebhaber. Ich war froh über seine Hilfe, denn ich haßte es, wochenlang im Chaos zu hausen. Nur weil Uli so aufblühte, hatte ich das Ablenkungsprogramm ständig erweitert, und aus dem bißchen Ausmisten war inzwischen eine handfeste Totalrenovierung geworden.
Bei Uli war der Nestbautrieb voll ausgebrochen. Sie plante und pinselte wie eine Wilde. Auf dem Flur mußte man über Farbeimer steigen, zwei der vier Zimmer waren zeitweise unbewohnbar. In der Küche waren alle Fliesen rausgerissen, und der Boden war nur noch ein Zement-Estrich, im Bad baumelten die Leitungen kreuz und quer unter der Decke. Wie aus dieser Baustelle jemals wieder behagliche vier Wände werden könnten, war mir schleierhaft.

Mit Thomas' Hilfe lichtete sich das Durcheinander, und Schritt für Schritt erstrahlte die Wohnung in neuem Glanz. Die Wände des Wohnzimmers wurden in einem raffinierten Terrakottaton gespachtelt, wie in toskanischen Landhäusern. Mir fielen sofort die schwarz-weißen Bilder von diesem Ivan Remky ein. So eines hätte wunderbar hier reingepaßt. Aber eher hätte ich mir die Zunge abgebissen, als den eingebildeten Mistkerl anzurufen.

Ein Schlafzimmer war apricot, eines rosé gestrichen, das Bad zartviolett und die Küche maisgelb.

Uli hatte ihre Beziehungen spielen lassen und einem befreundeten Antiquitätenhändler einen superkitschigen Kronleuchter zu einem Spottpreis abgequatscht. Abends konnte man sich in der Küche fast wie im Puff fühlen. Ich fand das großartig. Nur das Büro blieb, wie es war, nämlich weiß. Darauf hatte ich bestanden.

Während der wochenlangen Aufräumerei fielen mir immer wieder Sachen in die Hände, die mich an mein früheres Leben erinnerten. An mein Leben mit Florian.

Wir hatten zwar nie richtig zusammen gewohnt, weil Florian behauptete, er bekomme Beklemmungen ohne Rückzugsmöglichkeit, in Wirklichkeit war er aber fast immer bei mir, und im Laufe der Jahre hatte er wie ein Hamster alle möglichen Gegenstände in meinen Bau geschleppt.

Nach unserer letzten Begegnung hatte ich ihm zwar per Taxiboten drei Kisten mit seinem Kram kommentarlos zukommen lassen, aber wie es so ist: In der Eile hatte ich längst nicht alles gefunden.

Und so hielt ich plötzlich einen abgeschabten Norwegerpulli in den Händen, den ich immer furchtbar ekelig gefunden und mindestens fünfmal weggeschmissen hatte. Immer wieder hatte Flori ihn aus der Altkleidertüte oder dem Müllsack gerettet. »Den hat meine Oma gestrickt«, hatte er behauptet, »den kann ich nicht wegschmeißen!«

Als ich seine Oma kennenlernte, erzählte ich ihr von dem Pullover. Es stellte sich raus, daß sie gar nicht stricken konnte. In Wahrheit hatte ihn, glaube ich, Ursula gestrickt, Floris Jugendliebe. Das wollte er nur nicht zugeben. Und nun war der Pulli immer noch da.
Oder die Ohrringe aus gedrehtem Bast! Das war während unseres ersten gemeinsamen Urlaubs gewesen, auf Elba. Bei einem Bummel durch den Ort hatte ich sie entdeckt. Sie sahen so schön nach 60er-Jahre-Tinnef aus und erinnerten mich an meine Lieblingsfilme mit Sophia Loren und Marcello Mastroianni. Gerade, als ich sie Florian zeigen wollte, packte der Verkäufer sie ein und drückte das Päckchen einer beleibten Engländerin in die Hand. Natürlich war es das einzige Paar, und ich war enttäuscht.
Ein paar Tage später saßen wir im Strandcafé. Am Nebentisch entdeckte ich meine Ohrringe. Sie baumelten an den Ohren der dicken Engländerin. Flori und ich waren uns einig, daß der helle Bast zu ihrem britischen Teint überaus unvorteilhaft wirkte.
Ohne Vorankündigung stand Florian plötzlich auf und ging zum Nebentisch. Er redete fünf Minuten mit Händen und Füßen auf die Lady ein. Ich verstand nicht, was er sagte. Das Resultat aber war, daß sie irgendwann die Ohrringe abnahm. Erst den linken, dann den rechten. Sie betrachtete sie noch einmal kurz und drückte sie Florian in die Hand. Der beugte sich herunter, küßte die Dame auf beide Wangen und kam zurück an unseren Tisch.
Ich glaube, ich muß ziemlich dämlich aus der Wäsche geschaut haben. Von da an gab es nichts, was ich Florian nicht zugetraut hätte.
Weniger schöne Erinnerungen verband ich mit zwei Büchern, die nebeneinander in der hintersten Ecke meines Regals schlummerten. Das eine hieß »Wenn Frauen zu sehr lieben«. Florian hatte es mir eines Tages wortlos beim Früh-

stück auf meinen Teller gelegt, und ich war ziemlich beleidigt, denn ich fand nicht, daß ich ihn zu sehr liebte. Ich fand nur, daß er mich nicht so oft mit anderen Frauen bescheißen sollte, und das hatte ich ihm deutlich gesagt.
Als Revanche kaufte ich ihm »Wenn Männer sich nicht binden wollen«. Er nahm es kurz in die Hand, drehte es um, betrachtete das Foto des Autors und meinte: »Der hat ja eine unmögliche Frisur.« Danach legte er es zur Seite, vermutlich hat er es nie wieder berührt. Ungelesen verschwanden beide Bücher im Regal.
Was Flori wohl so machte?
»Alte, das geht dich einen feuchten Dreck an.«
»Ach ja?«
»Ach ja.«
»Und warum?«
»Weil du ihn neulich mit großem Tamtam verabschiedet hast, und das noch unter reger Anteilnahme der Öffentlichkeit. Wenn du jetzt wieder schwach wirst, dann . . .«
»Ja, was dann?«
»Dann machst du dich für immer und ewig lächerlich. Vor deinen Freunden, vor Florian und nicht zuletzt vor dir selbst.«
Sie hatte ja recht.
Im übrigen hatte er wahrscheinlich längst eine andere. Und ich liebte ihn ja gar nicht mehr, diesen unreifen, egoistischen, beziehungsgestörten Neurotiker. Ich fühlte mich nur heute abend ein bißchen einsam.
»Gut, daß *du* so reif, selbstlos und beziehungsfähig bist, was, Alte?«
»Was soll das denn heißen?«
»Mensch, schau dich doch mal an! Deine letzte Heldentat war, den armen Thomas in die Krise zu stürzen. Mit stärkeren Gegnern nimmst du es gar nicht erst auf.«
»Wieso Gegner?«

»Für dich ist die Liebe doch Kampf, und das einzig wichtige ist, daß du gewinnst.«

»Du bist unverschämt.«

»Du kannst die Wahrheit nicht vertragen.«

»Und du kannst mich mal.«

Beleidigt zog sich meine bessere Hälfte zurück. Was mußte sie mich auch immer im falschen Moment belabern!

Ich wollte Florian sowieso nicht anrufen. In diesem Moment klingelte das Telefon. Ich riß den Hörer ans Ohr.

»Flori?«

»Oh, ich dachte, der wäre endgültig abgemeldet?« meldete sich eine männliche Stimme, die mir vage bekannt vorkam.

»Wer ist denn da?«

»Das arrogante Arschloch.«

In meinem Hirn war Finsternis. Dann dämmerte es. Remky. Ivan Remky.

»Sie trauen sich tatsächlich, bei mir anzurufen?«

»Wie Sie hören.«

»Und was wollen Sie mir diesmal für Unverschämtheiten an den Kopf werfen?«

»Keine. Ich rufe nicht aus persönlichen Gründen an. Es geht mehr um . . . sagen wir, um ein berufliches Angebot.«

Ich hatte zwar nicht die blasseste Ahnung, was er meinen könnte, aber angesichts meines beruflichen Tiefs wurde ich neugierig.

»Was wollen Sie damit sagen?« forschte ich vorsichtig nach.

»Ich möchte Ihnen gern was zeigen.«

»Und was, wenn ich fragen darf?«

»Das möchte ich Ihnen nicht sagen.«

Wieder ärgerte ich mich über seine selbstsichere Art. Warum nur fühlte ich mich von diesem Kerl so provoziert?

»Verstehe ich Sie richtig? Sie wollen mir einen Job anbieten, verraten mir aber nicht, welchen. Sie wollen mich irgendwohin mitnehmen, sagen mir aber nicht, wohin.«

»Genau«, bestätigte Remky.
»Und jetzt sagen Sie mir einen vernünftigen Grund, warum ich mich darauf einlassen sollte.«
Einen Moment lang herrschte Stille. Dann sagte er mit ruhiger Stimme: »Weil ich Sie darum bitte.«
Was sollte ich darauf antworten? Offenbar war es ihm ernst. Wenn ich jetzt die Zickige mimte, ging der Punkt an ihn. Was sollte schon passieren? Er würde mich wohl kaum an einen arabischen Mädchenhändler verkaufen oder mich im nächsten Hauseingang vergewaltigen. Das Schlimmste, was passieren konnte, war, daß ich mir von irgendwo ein Taxi nach Hause nehmen mußte, weil ich seine selbstgefällige Art nicht mehr aushielt.
»Also gut, Sie haben gewonnen.«
»Schön«, sagte Remky, als habe er nichts anderes erwartet, »morgen um neun?«
»Ach, es handelt sich um eine Nachtwanderung?« fragte ich spitz.
»Dann um zehn, o.k.?«
»Wenn's sein muß.«
»Gute Nacht.«
»Danke, gleichfalls.«
Was würde der mir schon anbieten? Die meisten Maler, die ich kannte, konnten kaum von dem leben, was ihre Bilder einbrachten. Ich glaubte nicht, daß das bei ihm anders war. Oder war er in Wirklichkeit doch wahnsinnig erfolgreich und suchte eine fähige Managerin, die seine Termine koordinierte und Verhandlungen führte? Aber warum sollte er sich dafür ausgerechnet mich aussuchen? Schließlich war ich doch eine, die Männer so schlecht behandelte. Und das noch vor Publikum . . .
Als ich mich an den Abend in der Crèperie erinnerte, wurde ich gleich wieder wütend. Ein zweites Mal würde der Kerl mich nicht aus der Fassung bringen!

Zwölf

*A*m nächsten Morgen schmiß ich mich in mein todschickes Dolce & Gabbana-Kostüm und stieg in ein Paar hohe Pumps. Ich sah ziemlich gut aus. Das konnte nicht schaden, ganz gleich, wo ich landen würde. Vielleicht würde er mich ja irgendwelchen Galeristen vorstellen oder einem reichen Sammler? Sicher war sicher, ich wollte in jedem Fall eine gute Figur machen.

Punkt zehn klingelte es an meiner Tür. Immerhin, pünktlich war er.

Remky lehnte an einem schwarzen Saab-Cabrio, das seine besten Tage hinter sich hatte, und schaute einem riesigen rotblonden Hund beim Kacken zu. Als ich das Auto erreichte, riß er mir die Beifahrertür auf und grinste.

»Morgen, Cora! Schön, daß Sie mitkommen!«

»Man soll alle Angebote prüfen, bevor man ablehnt«, erklärte ich.

So graziös, wie es mein enger Rock erlaubte, stieg ich in den Wagen. Amüsiert beobachtete Remky das Manöver. Kaum saß ich, stieß er einen gellenden Pfiff aus. Ich zuckte zusammen. Der rotblonde Riesenköter schoß hinter dem Baum hervor, galoppierte aufs Auto zu und sprang mit einem Satz auf die Rückbank.

»Gehört der etwa Ihnen?« fragte ich erschrocken.

»Das ist Blue«, stellte Remky vor. »Blue, das ist Cora.«

»Sehr angenehm«, log ich, »ich liebe Hunde.«

»Stimmt doch gar nicht«, sagte Remky, »Sie haben Angst vor Hunden, das sieht man sofort. Außerdem fürchten Sie, es könnten Hundehaare auf Ihr Kostüm kommen.«

»Woher wissen Sie das?« staunte ich.

»Sie sind nicht halb so mysteriös, wie Sie glauben, liebe Cora.«
»Und Sie werden schon wieder anmaßend, lieber Ivan!« Ich fühlte die Angriffslust in mir hochsteigen.
Er lachte und fuhr los. »Ich verspreche Ihnen, Sie haben von Blue nichts zu befürchten. Von mir übrigens auch nicht.«
Remky sah nicht aus wie ein wahnsinnig erfolgreicher Maler, der nicht wußte, wohin mit der Kohle. Er sah eher aus wie ein übernächtigter Dichter, der in trauter Zweisamkeit mit einer Flasche Scotch die Nacht durchgedichtet hatte. Sein Drei-Tage-Bart war eher ein Fünf-Tage-Bart und seine Lederjacke die gleiche wie beim letztenmal.
Er schaute zu mir herüber. »Irgendwas komisch an mir?«
Seine Augen waren von einem eigenartigen Grau, leicht umschattet, und von erstaunlich dunklen Wimpern gesäumt.
»Nein, nein. Ich habe mir nur überlegt, wann Sie sich zuletzt rasiert haben.«
»Rasiert? Keine Ahnung. Ist das wichtig?«
»Was ist schon wichtig.«
»Zum Beispiel, daß Sie nicht mehr sauer auf mich sind«, sagte er mit einem entwaffnenden Lächeln.
»Seien Sie da nicht zu sicher«, warnte ich ihn.
Er fuhr Richtung Stadtrand, und ich fragte mich, welche Nobelgalerie es wohl außerhalb der Stadt neuerdings geben mochte. Ich kannte jedenfalls keine.
»Wollen Sie nicht endlich rauslassen, wohin die Reise geht?« fragte ich ungeduldig.
»Curiosity killed the cat«, gab er cool zurück.
Resigniert lehnte ich mich in meinen Sitz zurück und strafte Remky mit Nichtachtung. Es schien ihm nicht das geringste auszumachen. Gutgelaunt pfiff er die Werbejingles im Radio mit und sprach zwischendurch mit Blue, der seinen Kopf zum geöffneten Fenster raushielt und die Ohren im Wind flattern ließ.

Irgendwann hielt ich es nicht mehr aus. »Was ist Blue für ein Hund?« brach ich das Schweigen.
»Golden Retriever«, antwortete Remky. »Gutmütig, kinderlieb, treu – der ideale Familienhund.«
»Und warum muß der arme Kerl dann mit einem Single-Herrchen durch die Gegend ziehen?« fragte ich spitz.
»Das ist eine lange Geschichte«, sagte Remky.
Was für eine Geschichte, sagte er nicht, und ich hatte auch keine Lust zu fragen.
Wir fuhren inzwischen durch die letzten Vororte, bald würden wir auf dem Land sein. Ich schaute aus dem Fenster, lauschte der Musik aus dem Radio und fühlte mich gegen meinen Willen plötzlich ziemlich wohl.
Neben mir saß dieser unrasierte Lederjackentyp mit den grauen Augen, der nicht im Traum daran dachte, mir die Anbetung entgegenzubringen, die ich von Männern gewöhnt war. Hinter mir saß dieser große, freundliche Hund, der noch kein einziges Mal gebellt oder geknurrt hatte, was ihn mir fast sympathisch machte. Und ich hatte zum erstenmal seit langer Zeit das Gefühl, daß keiner was von mir erwartete. Daß ich nichts mußte oder sollte. Ich konnte einfach sein, wie ich war.
Remky bog von der Hauptstraße ab und fuhr in einen kleinen Feldweg. Nach ungefähr fünfzig Metern hielt er vor einem großen, alten Haus mit grünen Fensterläden und Spalierobst an den mattgelb gestrichenen Außenwänden.
»Ist das hübsch!« entfuhr es mir. »Wer wohnt hier?«
Remky öffnete die hintere Tür, Blue sprang heraus und rannte über die Wiese.
»Haben Sie an Weihnachten auch immer durchs Schlüsselloch geschaut, weil Sie es nicht erwarten konnten?« erkundigte er sich.
»Ja, hab' ich! Ich bin nun mal neugierig!« gab ich zu.
Wir gingen auf das Haus zu, während Blue uns übermütig

umrundete. Offenbar dachte er, ein Spaziergang stünde auf dem Programm.
Remky öffnete die Eingangstür und ließ mir den Vortritt. Brav ließ Blue sich vor der Tür nieder.
»Wir sind gleich zurück, alter Junge«, sagte Remky. Blue schaute ihn an, als habe er verstanden.
Das Innere des Hauses war völlig anders, als ich es mir vorgestellt hatte. Statt in einer luxuriösen Empfangshalle standen wir in einer nüchternen Diele. Der alte Parkettboden war ausgetreten, die Wände abgeschabt, Fenster und Türen hatten dringend einen Anstrich nötig.
Es nahm uns auch kein adrettes Hausmädchen in Empfang und geleitete uns in den Salon, sondern eine ältliche Dame im Studienrätinnen-Look mit Gesundheitsschuhen an den Füßen kam auf uns zu.
»Hallo, Maria!« begrüßte Remky sie. »Das ist Cora Schiller. Ich hab' dir ja schon von ihr erzählt.«
Maria streckte mir die Hand entgegen. »Mein Name ist Bucher. Herzlich willkommen im Haus Sonnenschein, Frau Schiller!«
»Danke«, sagte ich verwirrt. Wo, zum Teufel, waren wir?
»Du kennst dich ja aus«, sagte Maria zu Ivan. »Ihr entschuldigt mich, ich habe gleich eine Besprechung.«
Damit entschwand sie, und ich schaute Remky fragend an.
»Kommen Sie«, forderte er mich auf.
Ich folgte ihm durch einen langen Flur. Der Boden knarzte unter unseren Schritten. Es roch nach Essigreiniger und verbrannter Milch. In der Ferne hörte ich Töpfe klappern. An den Türen klebten Blumen und Tiere aus Buntpapier. Krakelige Zeichnungen schmückten die Wände.
Remky öffnete eine der Türen, und wir betraten einen großen, hellen Raum. An kleinen Tischen und auf dem Boden saßen Kinder verschiedenen Alters. Ein Mädchen malte, ein anderes hockte auf einem Kissen und bewegte

seinen Oberkörper summend auf und ab. Ein Junge lag am Boden, ein anderer streichelte ihn. Ein paar Kinder waren um einen Tisch versammelt und spielten ein Brettspiel. In einer Ecke lag ein Paar Krücken. Neben der Tür stand ein Rollstuhl. Fröhliches Stimmengewirr erfüllte den Raum.
Ich stand still da und schaute.
Das Zimmer war wie das in einem Kinderhort oder einer Tagesstätte. Aber diese Kinder waren anders. Sie waren geistig und körperlich behindert.
Ich kam mir unendlich deplaziert vor in meinem schicken Kostüm und den teuren Schuhen. Ich wagte nicht, Remky anzusehen.
Der Junge, der den anderen gestreichelt hatte, stand auf und kam lachend auf uns zugelaufen. Er war vielleicht acht, ein bißchen dicklich, mit einer stupsigen Nase und schrägstehenden dunklen Augen. Seine unartikulierten Laute sollten wohl seine Freude ausdrücken.
Bei uns angekommen, blieb er stehen und sah mich neugierig an. Dann sagte er mit heiserer Stimme »Hallo« und strich mit seiner rundlichen Hand zaghaft über meinen Ärmel.
»Das ist Jakob«, sagte Remky.
»Hallo, Jakob, wie geht's dir?« fragte er den Jungen und strich ihm durch die widerborstigen braunen Haare. »Das ist Cora.« Er zeigte auf mich.
»Hora, Hora«, versuchte Jakob meinen Namen auszusprechen. Dann nahm er meine Hand und zog mich zu einem Tisch, auf dem unförmige Tonklumpen zum Trocknen aufgereiht standen. Stolz zeigte Jakob auf einen der Klumpen.
»Ich gemacht«, sagte er und klopfte sich an die Brust.
»Ist ja toll«, sagte ich mit belegter Stimme.
Hilfesuchend schaute ich mich nach Remky um. Der stand ruhig da und sah zu.
Ein offenbar spastisch gelähmter Junge bewegte sich müh-

sam und heftig zuckend auf mich zu. Panisch flüchtete ich zur Tür.
»Wo willst du hin, Cora?« Remky hielt mich fest.
»Raus. Was soll das, warum sind wir hier?«
»Beruhige dich, Cora.«
»Seit wann duzen wir uns?« fragte ich aggressiv.
Ich fühlte mich in eine Falle gelockt. Was wollte der Kerl?
»Paß auf. Wir machen einen Spaziergang, und ich erkläre dir alles«, sagte Remky und schob mich Richtung Ausgang.
Ich atmete auf, als wir endlich draußen waren.
Blue sprang auf, als er uns sah, und wedelte heftig mit dem Schwanz. Nun kam er doch noch zu seinem Spaziergang.
Remky und ich gingen eine Weile schweigend nebeneinander her. Ich starrte auf den Weg vor mir und versuchte angestrengt, meine Pumps auf dem lehmigen Boden nicht völlig zu ruinieren. Was ich gerade gesehen hatte, konnte ich nicht so schnell verarbeiten.
Die Leere im Gesicht des schaukelnden Mädchens. Der verkrüppelte Armstumpf, mit dem einer der Jungen die Figuren auf dem Brett bewegte. Die verzweifelte Anstrengung des spastischen Kindes. Jakobs kleine, vertrauensvolle Hand, die sich in meine schob.
»Alles o. k.?« fragte Remky.
»Warum haben Sie mich hierher gebracht?« gab ich zurück.
»Könntest du mich nicht Ivan nennen und du zu mir sagen?« bat er mich.
»Von mir aus«, sagte ich ungehalten. »Aber jetzt erklär mir bitte, was das alles soll.« Dann setzte ich noch hinzu: »Ivan.«
Er machte eine Pause, als suche er nach den richtigen Worten. »Also gut. Du wolltest wissen, warum ein Familienhund wie Blue ein alleinstehendes Herrchen wie mich hat.«
Überrascht schaute ich ihn an. Was hatte das denn damit zu tun?

Ivan fuhr fort. »Blue und ich hatten mal eine Familie. Ich war verheiratet, wir hatten einen Sohn. Er hieß Matti. Blue war sein ein und alles.«
»Wo ist Matti?« wollte ich wissen.
»Er war seit seiner Geburt schwerstbehindert. Sauerstoffmangel. Als er fünf war, gab es Komplikationen. Er ist gestorben.«
Ich sagte nichts. Was soll man schon sagen, wenn einem ein Vater erzählt, daß er sein Kind verloren hat?
»Und seine Mutter?« wagte ich endlich zu fragen.
Remky sprach ganz ruhig, als ginge es um eine Sache, die nichts mit ihm persönlich zu tun hat. »Sie hat den Schmerz nicht ertragen. Sie mußte weg von mir, neu anfangen. Ich hätte sie jeden Tag an Matti erinnert.«
»Und dieses Heim hier? Haus Sonnenschein?«
»Matti war einige Monate hier, als wir ihn nicht mehr allein pflegen konnten. Wir waren jeden Tag bei ihm. Jakob war sein bester Freund. Matti ist . . . er ist hier gestorben.«
Wir gingen weiter, beide in Gedanken versunken. Ivan hob einen Holzstock auf und schleuderte ihn weg. Begeistert stürmte Blue hinterher.
Dann sprach Ivan weiter. »Hier leben zwanzig Kinder, deren Eltern sich nicht um sie kümmern wollen oder können. Jetzt will der Besitzer das Haus verkaufen. Er klagt auf Räumung und hat gute Chancen. Die Kinder würden wieder ihr Zuhause verlieren. Die einzige Lösung für uns, also den Trägerverein, ist, das Haus selbst zu kaufen.«
»Das kostet mindestens zwei Millionen«, warf ich ein.
»Das ist genau die Summe, die der Verkäufer will. Anderthalb Millionen haben Stadt und Land bewilligt. Jetzt müssen wir noch eine halbe Million auftreiben.«
»Nichts leichter als das«, spottete ich.
»Es gibt einen Haufen Unternehmen und stinkreiche Privatleute, die ihre Steuerlast gern durch eine Spende mindern.

Man muß ihnen nur plausibel machen, wie wichtig das Projekt ist.«
»Und dafür wollt ihr mich«, begriff ich.
»Richtig. Wir brauchen jemanden, der gute Kontakte hat, überzeugend auftritt und Ideen hat. Soviel ich weiß, trifft das alles auf dich zu.«
»Danke für die Blumen«, sagte ich. »Und was habe ich davon?«
»Wir gehen nicht davon aus, daß du deine Arbeitskraft umsonst einbringst. Wir gründen einen Förderverein und stellen dich an. Die Höhe deines Gehalts bestimmst du selbst.«
Der Mann war wirklich gerissen. Nicht nur brachte er mich in eine Lage, in der ich eigentlich nicht »nein« sagen konnte, er suggerierte mir auch noch, daß die Sache lukrativ wäre. Aber der Haken war, daß man sich bei einem karitativen Projekt nicht selbst bereichern konnte. Außerdem müßte ich jede Mark, die ich verdienen wollte, erst mal jemandem aus dem Kreuz leiern. Andererseits: War das nicht immer so? Mußte ich nicht auch bei Hennemann ständig darum buhlen, ihn als Auftraggeber zu behalten? In meinem Job war der Verdienst erfolgsabhängig, insofern war Ivans Vorschlag nicht ungewöhnlich.
Immerhin würde ich meine Energien hier für etwas Sinnvolles einsetzen. Vielleicht würde mir das mehr Spaß machen, als Schokolade unters Volk zu bringen. Auf jeden Fall könnte ich mich gut dabei fühlen.
»Ich überlege es mir«, sagte ich.
»Danke«, sagte Ivan, und seine grauen Augen sahen mich auf eine Weise an, daß mir ganz warm wurde.
Als wir wieder im Auto saßen, spürte ich plötzlich eine warme Hundeschnauze an meinem Haar. Blue hatte den Kopf auf die Lehne meines Sitzes gelegt und schnupperte freundlich an mir herum. Ich fand es nicht unangenehm.

Dreizehn

Als ich nach Hause kam, saß Uli mit zwei anderen mehr oder weniger schwangeren Frauen im Wohnzimmer. Die Damen tranken Tee und knabberten Vollkornplätzchen. Angeregt unterhielten sie sich über Entspannungstechniken, Geburtspositionen und Nachwehen.

Ein ungefähr dreijähriger Junge raste, mit einem Plastik-Pumpgun bewaffnet, durch die Wohnung und brüllte: »Paff, paff, du bist tot!«

Die Frauen versuchten milde dreinzublicken, und eine, offenbar die Mutter des kleinen Ungeheuers, ermahnte ihn zwischendurch mit sanfter Stimme: »Nicht, Tobias! Nicht so laut!«

Tobias aber ließ sich davon nicht beeindrucken. Als ich den Raum betrat, nahm er Anlauf, rannte auf mich zu und stieß mir mit Indianergeheul den Lauf seines Plastikgewehrs in den Bauch. Jetzt kam endlich Leben in die Mutter. Sie sprang hoch und fragte aufgeregt: »Hat er Ihnen weh getan? Oh, es tut mir so leid!«

Tobias hatte inzwischen das Weite gesucht. Ich hörte ihn aus dem Nebenzimmer brüllen. Plötzlich ertönte ein ohrenbetäubendes Klirren. Die Damen schauten betreten.

»Das war mein Spiegel«, bemerkte ich trocken.

Nun sprangen alle auf, rannten ins Schlafzimmer und begutachteten den Schaden. Tobias' Mutter stand aufgelöst und mit rotem Kopf vor den Scherben. »Oh, wie schrecklich! Es tut mir so furchtbar leid!« jammerte sie.

»Macht nichts«, log ich, »war nur ein Erbstück von meiner Großtante. Ich konnte ihn sowieso nie leiden.«

Uli brachte aus der Küche Schaufel und Besen und kehrte

die Überreste des guten Stücks zusammen. Derweil erzählten sich die drei von den Schandtaten, die sie als Kinder begangen hatten. Von Tobias war nichts zu sehen und nichts zu hören. Ich fand das außerordentlich verdächtig, aber ich wollte mich ja nicht in seine Erziehung einmischen. Irgendwann schreckte seine Mutter hoch und rief: »Tobias, wo bist du?«

Keine Antwort.

Wie in einer Prozession liefen wir zu viert hintereinander durch die Wohnung und fahndeten nach dem Missetäter. Der hockte stillvergnügt in meinem Büro und bemalte die Wände mit wasserfestem Filzstift.

Jetzt verlor seine Mutter die Nerven. Sie packte das brüllende Kind am Arm, schleifte es durch den Flur bis zu seinem Anorak, stopfte es hinein und verließ fluchtartig die Wohnung. »Ich schicke Ihnen einen Scheck!« rief sie mir noch zu.

Die beiden anderen Damen hatten es plötzlich auch ziemlich eilig. »Also, dann wollen wir mal, tschüs Uli, bis bald!« Und weg waren sie.

Uli und ich sanken gemeinsam aufs Sofa. Wir rangen nach Atem.

»Und so was kriegst du auch«, stöhnte ich.

»Womit habe ich das verdient«, ächzte sie.

Als wir uns etwas beruhigt hatten, setzte Uli sich gerade hin und verkündete: »Ich habe mich übrigens entschieden.«

Ich verstand nicht, was sie meinte.

»Ich war heute noch mal bei meinem Arzt, wegen der Untersuchung, und er sagte . . .«

Aufgeregt fiel ich ihr ins Wort. »Du darfst diese Amnio . . . diese Amniodingsda nicht machen!«

Uli sah mich überrascht an. »Und warum nicht?«

»Ich habe darüber nachgedacht. Ich glaube, es ist falsch, zu sagen: Ich will ein Kind, aber ich will es nur, wenn es

hübsch, gesund und funktionsfähig ist. Du hattest recht: Auch wenn es behindert ist, hat es ein Recht, zu leben.«
Ich war selbst erstaunt, als ich mich da so reden hörte. Was war bloß in mich gefahren? Gestern wollte ich sie noch überzeugen, daß eine Abtreibung im Zweifelsfall besser sei als ein geschädigtes Kind. Und heute hielt ich ein Plädoyer für das Gegenteil.
Uli saß ganz still und sah mich an. Dann lächelte sie und legte den Arm um mich. »Ich bin so froh«, sagte sie, »genau das gleiche wollte ich dir nämlich auch gerade sagen. Ich werde die Untersuchung nicht machen.«
»Was macht dich plötzlich so sicher?« wollte ich wissen.
»Der Arzt hat gesagt, dem Ultraschall nach handelt es sich um ein total gesundes Kind. Natürlich bleibt ein Restrisiko. Aber wenn ich das bißchen Gottvertrauen nicht habe – dann brauche ich mit dem Kinderkriegen gar nicht erst anzufangen.«
»Der liebe Gott hat sich meines Wissens bei der Lösung solcher Probleme bisher nicht sehr hervorgetan«, gab ich zu bedenken.
»Der ist eben ein Mann«, stellte Uli fest.
»Und wie alle Männer selten anwesend, wenn man sie braucht!« ergänzte ich.
»Eben. Deshalb muß ich mich auf mein Gefühl verlassen. Aber wieso hast du deine Meinung so plötzlich geändert?«
»Ich hatte heute ein eigenartiges Erlebnis. Ich erzähl's dir später«, sagte ich.
Uli wirkte, wie von einem großen Druck befreit. Plötzlich sprang sie auf. »Mensch, da ist ein Telegramm für dich gekommen!«
Ein Telegramm? Das konnte nur von Tante Elsie sein. Tante Elsie bestand darauf, im Zeitalter von Telefon und Telefax gelegentlich Telegramme zu schicken. Sie fand, das bringe Spannung ins Leben.

Uli reichte mir den hellbraunen Umschlag. Ich riß ihn auf und las.
KOMME SAMSTAG FÜR DREI TAGE STOP ALLES LIEBE TANTE ELSIE
Wie schön! Ich freute mich riesig, Tante Elsie wiederzusehen. Sie lebte achthundert Kilometer weit weg, und wir sahen uns höchstens einmal im Jahr. Auch Uli freute sich. Sie kannte Tante Elsie und mochte sie sehr.
»Wir gehen mit ihr ins Konzert oder ins Theater! Und ganz toll zum Essen«, schlug sie vor.
»Und ich backe einen Kuchen«, warf ich mich in die Brust.
Uli sah mich zweifelnd an. »Bist du sicher, daß das eine gute Idee ist?«
»Was meinst du?« fragte ich entrüstet.
»Ich denke gerade an die Sachertorte, die du an Floris Geburtstag gebacken hast. Sie war außen schwarz und innen roh.«
»Das lag am Rezept!« protestierte ich. »Die konnte gar nichts werden. Waren viel zu viele Eier drin.«
Wir einigten uns darauf, einen Tiefkühlkuchen zu kaufen. Für alle Fälle.

Der Vorschlag von Ivan ging mir nicht aus den Kopf. Ich hatte sogar schon eine Idee für eine Veranstaltung, mit der man Geld zusammenbringen könnte. Reiche Leute kannte ich auch. Eigentlich hätte ich gleich loslegen können. Das Problem bestand nur darin, daß ich bei dieser Sache nicht in die eigene Tasche wirtschaften wollte. Die Spenden sollten allein dem Kinderheim zugute kommen. Wenn ich mich aber richtig reinhängen würde, wäre das für einige Zeit ein Full-time-Job. Wovon sollte ich in der Zwischenzeit leben, wovon Arne, die Wohnung, das Büro und mein nicht ganz billiges Leben finanzieren?
Ich überlegte hin und her. Dann kam mir der Zufall zu Hilfe.

»Hier schpricht Hennemann«, hörte ich eines Morgens eine altbekannte Stimme, »ich wollte mal hören, was meine ehemalige Chefin so treibt?«
»Hella!« freute ich mich. »Wie geht's dir denn da oben in der Pampa?«
»Prächtig! Endlich wieder gute Luft und Kirchenglocken zum Aufwachen. Jetzt weiß ich erst, wie mir das gefehlt hat!«
»Was treibst du den ganzen Tag?«
»Ich lerne Schwäbisch. Hasch du's nicht gehört? Außerdem gestalte ich das Hennemannsche Anwesen ein bißchen um. Herberts Junggeselleneinrichtung trifft nicht ganz meinen Geschmack.«
»Ist er lieb zu dir, der alte Hennemann?«
»Superlieb. Ich sage dir, Cora: Märchenprinzen erkennt man nicht immer auf den ersten Blick!«
»Auf den zweiten leider auch nicht«, blickte ich auf meine Erfahrungen zurück.
»Aller guten Dinge sind drei«, gab Hella die Binse der Woche zum besten. Dann kam sie zur Sache. »Sag mal, möchtest du vielleicht weniger arbeiten und mehr verdienen?«
Selten dämliche Frage.
»Nee, Hella, am liebsten möchte ich ganz viel arbeiten und gar nichts verdienen.«
»Schade. Andernfalls hätte Herbert dir nämlich auf mein Anraten hin einen netten kleinen Beratervertrag gegeben. Du produzierst ein paar Ideen, läßt andere Leute für dich arbeiten und begutachtest das Ergebnis.«
Das klang so, als hätte ich demnächst ein Problem weniger.
»Erzähl schon, Hella. Was ist passiert?« drängte ich sie.
»Macke ist völlig überraschend ausgestiegen. Ich habe keine Ahnung, warum. Herbert will die ganze Sache neu aufziehen. Weißt du, was mit Macke los ist?«

»Allerdings weiß ich das!«
Ich erzählte ihr von Sandra und Tina, dem Abend im »Marrakesch« und dem Tonband.
Hella lachte sich schlapp. »Dieser Dreckskerl, jetzt wird mir alles klar! Ein Segen, daß ihr den fertiggemacht habt!«
»Allerdings«, stimmte ich ihr zu, »du glaubst nicht, wie zufrieden ich bin!«
»Paß auf!« erläuterte Hella mir die neue Planung. »Herbert hat eingesehen, daß du allein mit Arne nicht die ganze Kampagne schmeißen kannst. Außerdem habe ich ihm klargemacht, daß deine Stärke die Konzeption ist. Der ganze Kleinscheiß, der da dranhängt, ist nicht dein Ding.«
Sie sprach mir aus der Seele, die gute Hella.
»Und wer soll den Kleinscheiß machen?« erkundigte ich mich.
»Da hat sich eine neue Agentur bei uns beworben, Powerteam nennen die sich. Lauter ehrgeizige Youngsters, höchstens Anfang Zwanzig. Die brennen darauf, sich auf Schulhöfen, in Altersheimen, auf Sportplätzen und sonstwo die Beine in den Bauch zu stehen. Du dagegen, gesegnet mit der Weisheit des Alters, darfst den Jungs anschaffen.«
»Das mit der Weisheit des Alters habe ich nicht gehört. Ansonsten bist du die allerbeste, schnuckeligste, süßeste Super-Hella der Welt. Ich küsse dich!«
»Wir Weiber müssen doch zusammenhalten. Ich schicke dir die Unterlagen.«
»Hey, wolltest du dich nicht aus dem ganzen PR-Kram der Firma Hennemann raushalten?«
»Ja, schon. Demnächst. In ungefähr sieben Monaten.«
Ich stand mal wieder auf der Leitung. »Wieso das?«
»Weil ich mich dann um zwei kleine Hennemänner kümmern werde.«
Es verschlug mir die Sprache. »Du meinst . . . du bekommst . . .«, stammelte ich.

»Erraten. Ich bekomme Zwillinge!«
Ich hatte es immer schon vermutet: Hella erreichte meistens, was sie wollte.
Kaum hatten wir unser Gespräch beendet, wählte ich Ivans Nummer. Ich brannte darauf, ihm die gute Nachricht mitzuteilen.
»Hallo, hier spricht Ivan Remky. Ich bin gerade nicht da, bitte hinterlassen Sie Ihren Namen und Ihre Nummer, ich rufe zurück.«
Ich sprach ihm auf Band und wartete ungeduldig auf seinen Rückruf. Nach einer Stunde klingelte tatsächlich das Telefon. Hastig hob ich ab. »Ivan?«
»Ivan? Ist das nicht dieser unheimlich angesagte Maler, an dessen Ausstellung ich nicht die besten Erinnerungen habe?«
Florian. Mein Herz machte einen Sprung.
»Flori! Wo bist du, was machst du?«
So was Blödes. Das klang, als sei er vor zehn Jahren zu einer Weltreise aufgebrochen. Dabei hatten wir uns gerade vier Monate nicht gesehen.
»Ich bin zu Hause, und ich telefoniere gerade mit meiner Ex-Freundin. Wie geht's dir, Süße?«
Alles, was recht war. Seine Süße war ich nun wirklich nicht mehr. »Mir geht es sehr gut. Ich habe gerade einen hochdotierten Beratervertrag abgeschlossen, und daneben organisiere ich die Rettung eines Kinderheimes. Wie wäre es, wenn sich das gutgehende Design-Magazin ›Stil‹ mit einer Spende beteiligen würde? Wie hast du doch immer so richtig gesagt: Stil zeigt sich in den kleinen Dingen!«
»Ja klar, gern. Besonders, wo ich gerade Chefredakteur geworden bin!«
»Herzlichen Glückwunsch!« gratulierte ich ihm.
»Danke. Wollen wir nicht persönlich über alles reden, bei einem Essen oder einem Glas Wein?«

Ich horchte in mich hinein. Was löste dieser Vorschlag bei mir aus? Herzflimmern, feuchte Handinnenflächen, wackelige Beine? Dann würde ich ablehnen. Oder nur ein freundliches Kribbeln im Bauch? Dann könnte ich vielleicht zusagen.
Mein Herzschlag war normal. Meine Hände waren trocken. Meine Beine zitterten nur ein ganz kleines bißchen.
»O.k., Florian. Wie wär's mit morgen?«

Wir trafen uns in unserer ehemaligen Lieblingsbar, dem »Chelsea«. Florian sah noch eleganter aus als früher, sein Anzug war ein teures Designermodell. Er trug die Haare wieder etwas länger und hatte eine neue Brille. Ich seufzte innerlich einmal kurz auf. Er sah einfach verteufelt gut aus, der Mistkerl.
»Ich freue mich so, dich zu sehen!« sagte er und umarmte mich. Er klang ausnahmsweise ehrlich.
Ich küßte ihn flüchtig auf die Wangen. »Ich mich auch.«
Er bestellte einen Brandy Alexander, ich einen Caipirinha. Wir unterhielten uns über einen gemeinsamen Freund, dessen Firma pleite gegangen war, über seinen ehemaligen Chef, dessen Nachfolge er jetzt angetreten hatte, und über Steuersparmodelle beim Erwerb von Eigenheimen. Unsere letzte Begegnung sparten wir beide aus.
»Jetzt erzähl mir von dem Kinderheim. Seit wann hast du dein Herz für die lieben Kleinen entdeckt?«
»Überhaupt nicht«, wehrte ich ab, »es ist das Projekt eines Freundes. Ich helfe ihm.«
»Klingt nicht gerade nach viel Kohle.«
»Muß denn immer bei allem viel Kohle rausspringen?« regte ich mich auf. »Man kann doch auch mal was machen, weil man davon überzeugt ist, und nicht, weil man 'ne Menge damit verdient!«
»Na klar. Mir ist dieser karitative Zug bei dir nur neu«, ant-

wortete er. »Wieso hast du mich eigentlich am Telefon für den Maler gehalten?« wollte er wissen. »Hast du was mit dem?«

Er war wirklich noch der alte.

»Sag mal, Flori, findest du nicht, daß dich das überhaupt nichts angeht?«

»Wieso denn nicht? Ich interessiere mich halt für dich und dein Leben.«

»Kommt leider ein bißchen spät! Zu Zeiten, als mir daran noch was gelegen hätte, war es mit deinem Interesse nicht so weit her!«

Er räusperte sich verlegen und wechselte das Thema. »Willst du denn nicht wissen, was sich bei mir so getan hat?«

»Doch ja, natürlich«, sagte ich munter.

»Kannst du dich noch an Tabea erinnern?«

Klar konnte ich. Das war diese furchtbar affektierte Freundin von Markus, meinem Ex-Ex, die immer einen auf Femme fatale machte und sich als Dramaturgin ausgab. Wo hatte ich die zuletzt gesehen? Ach ja, auf meiner Geburtstagsparty.

»Tabea? Wieso?« fragte ich ahnungsvoll.

»Wir leben jetzt zusammen. Ich wollte, daß du es von mir erfährst und nicht durch irgendwelches Getratsche.«

Wie sensibel mein kleiner Flori plötzlich war! Halb soviel Feingefühl in der Zeit unserer Beziehung hätte mich völlig glücklich gemacht. Besonders aufregend fand ich die Neuigkeit nicht. Meinetwegen hätte er sie mir nicht so schonend beibringen müssen. Aber er war noch nicht fertig.

»Und noch was, Cora. Ich werde Vater.«

Jetzt war ich allerdings platt. Mit allem hätte ich gerechnet, aber damit definitiv nicht. Ich schluckte kurz. Kinderkriegen muß ansteckend sein. Ich hatte den Eindruck, daß sich die Fälle in meinem Bekanntenkreis häuften.

»Na, das ist ja eine Überraschung«, sagte ich wahrheitsgemäß, »wann ist es denn soweit?« Das war, glaube ich, eine der obligatorischen Fragen, die man in so einem Moment stellt.
Florian beantwortete sie arglos. »Warte mal, ich glaube, sie ist im sechsten Monat.«
Ich schaltete nicht gleich, heuchelte ein bißchen Interesse, fragte, ob es ein Junge oder ein Mädchen werden würde und ob er sich darüber freue. Plötzlich aber fiel es mir wie Schuppen von den Augen. »Sag noch mal, wann kommt das Baby?«
Er überlegte wieder. »Im März, am 15. oder so, ist der Termin.«
Ich rechnete schnell. Ulis Termin war der 28. März. Uli hatte mir von ihrer Schwangerschaft am Morgen meines Geburtstags erzählt. Das hieß, auch Tabea war damals schon schwanger gewesen.
In meinem Kopf summte es, meine Hände waren eiskalt. Ich konnte unmöglich schon wieder eine Szene machen, obwohl mir der Brustkorb fast zersprang. Ich hätte laut rausschreien mögen vor Wut und Verletzung und Ärger über mich selbst. Was war ich nur für eine Idiotin gewesen! Statt dessen blieb ich ganz ruhig.
»Sag mal, Flori, kann es sein, daß du bereits mit Tabea gevögelt hast, als wir noch ein glückliches Paar waren?« fragte ich scheinbar beiläufig.
In diesem Moment realisierte Florian, daß er sich verraten hatte. Er verschluckte sich an seinem Schoko-Cognac-Gesöff und bekam einen Hustenanfall. Der verschaffte ihm immerhin genug Zeit, sich eine Ausrede einfallen zu lassen. Sie fiel ziemlich lahm aus. »Ähm, na also, glücklich waren wir doch damals schon nicht mehr. War doch eigentlich klar, daß wir uns trennen wollten.«
»Ich erinnere mich da an ein riesiges Herz aus hundert Mon-

Chérie-Pralinen, das auf dem Fußboden meiner Wohnung lag, als ich aus Hamburg zurückkam. Das war ungefähr drei Wochen vor unserer Trennung.«
»Bist du sicher?«
»Allerdings. Und ich erinnere mich auch sehr gut an die darauffolgende Nacht, in der du mich mit Liebesschwüren überschüttet hast und mir gar nicht oft genug sagen konntest, daß ich die tollste Frau der Welt bin.«
»Stimmte ja auch.«
Jetzt wurde meine Stimme eisig. »Und zur gleichen Zeit hattest du bereits Tabea geschwängert!«
»Das wollte ich ja nicht!« machte er einen schwachen Versuch, sich zu verteidigen.
»Aber du hast es. Schlimm genug, daß du mich überhaupt mit ihr betrogen hast.«
»Das hatte doch mit dir gar nichts zu tun!«
Wie ich diesen Spruch haßte! Ich wußte nicht, wie oft ich ihn gehört hatte. Ich wußte, ehrlich gesagt, auch nicht, wie oft ich ihn selbst gesagt hatte. Aber eines war klar: Es war der denkbar beschissenste Spruch, den es zu diesem Thema gab.
Ich stand auf, sah ihn voller Verachtung an und sagte: »Stil zeigt sich in den kleinen Dingen, was, Flori?«
Ich nahm mein Glas, schüttete den Caipirinha über seinen Designeranzug und ließ ihn sitzen.

Zu Hause schmiß ich mich aufs Bett und heulte hemmungslos.
War es nicht der Abend vor meinem Geburtstag gewesen, als er mich sogar noch nach Rom eingeladen hatte? Rotwein, ein romantisches Dinner, Versöhnung, Liebesschwüre fürs Leben – was hatte ich mir damals in meinem naiven Köpfchen alles eingebildet!
Nur wegen des Zufalls mit der zweiten Frau Schiller war ich

nicht geflogen. Und damals hatte er schon längst was mit Tabea, die wiederum die Frechheit besessen hatte, mit Markus auf meiner Party aufzutauchen!
Ich war regelrecht erschüttert über die Schlechtigkeit der Menschen, aber fast noch mehr über meine eigene Gutgläubigkeit. Ich hatte mir immer eingebildet, ich würde es Leuten sofort ansehen, wenn sie mich beschwindelten. Das lag wohl daran, daß ich selbst so schlecht lügen konnte.
Was machte ich bloß falsch bei den Männern? Warum griff ich immer zielstrebig nach denen, die mich belogen, betrogen und demütigten – nachdem sie mir erst zu Füßen gelegen hatten?
»Tja, Alte, vermutlich sendest du die falschen Signale aus?«
Immer, wenn's um Männer ging, mischte sich meine besserwisserische Hälfte ein.
»Was soll der schlaue Spruch?«
»Na, du gibst offenbar ein Bild von dir, das falsche Erwartungen weckt.«
»Was denn für ein Bild?«
»Das der coolen, abgebrühten, männermordenden Diva.«
»Ach nein, sonst noch was?«
Ich wußte, daß sie recht hatte. Nicht nur einmal hatten meine Eroberungen nach der ersten Nacht gestöhnt: »Du benimmst dich wie ein Mann! Du nimmst dir einfach, was dir gefällt.«
»Und weißt du, was dann passiert?« nervte sie weiter.
»Was denn?« fragte ich.
»Solange die Männer dir die Diva abnehmen, robben sie im Dreck, um dir zu imponieren. Dann kapieren sie, daß du eine ganz normale Frau bist, die sich auch mal anlehnen und ihre Gefühle zeigen will.«
»Und dann?«
»Dann rächen sie sich für ihr blödes Benehmen vom Anfang.«

Das war wohl das Problem, und ich hatte keine Ahnung, was ich dagegen tun sollte. Mich packte die volle Krise. Ich war dreißig, und weit und breit kein Mann in Sicht, mit dem ich hätte alt werden wollen. Gut, Kinder wollte ich keine. Da war ich gegenüber den Frauen, die, getrieben von ihren Hormonen, verzweifelt nach potentiellen Vätern Ausschau hielten, im Vorteil.

Aber ich wurde nicht jünger, mein Marktwert nicht besser, und ich hatte allmählich Angst, zu enden wie diese alleinstehenden Frauen zwischen vierzig und fünfzig, die mit einem Schoßhündchen an der Leine durch die Stadt liefen und ständig ungefragt verbreiteten, wie rasend gern sie allein lebten.

Trotzdem waren sie fast hysterisch auf ihr Äußeres bedacht. Wenn ich keinen Mann mehr wollte, würde ich mir doch nicht die Mühe machen, ständig Diät zu halten, mich schon frühmorgens zum Zeitungholen zu schminken und ständig ins Solarium zu rennen, obwohl die Haut davon noch ledriger wird. Was sollte ich nur tun?

Ich war so beschäftigt mit meinem Kummer, daß ich nicht hörte, wie sich leise die Tür öffnete und Thomas hereinkam.

Als sich plötzlich jemand auf dem Bettrand niederließ, erschrak ich zu Tode.

»Huch! Ach, du bist's!«

»Tut mir leid, ich habe gehört, daß du weinst. Was hast du, kann ich dir helfen?« fragte Thomas mit sanfter Stimme.

»Ich glaube nicht«, schniefte ich.

»Ich könnte dir eine Fußreflexzonenmassage machen«, schlug er vor, »habe ich gerade gelernt. Das hilft immer!«

»Auch gegen eine Midlife-crisis?« fragte ich zweifelnd.

»Eine Midlife-crisis mit dreißig?« Thomas lachte.

»Na und, gibt's irgendwo eine Vorschrift, ab wann man die kriegen darf?« schnaubte ich.

»Nein, glaube ich nicht«, sagte er, »ich finde es nur etwas verfrüht. Du siehst toll aus, du bist gesund, verdienst viel Geld, und überhaupt . . .«
». . . sollte ich froh und dankbar sein, jauchzen und jubilieren, ich weiß schon. Aber ich kann zum Beispiel nicht mehr Eiskunstlaufweltmeisterin werden. Dazu bin ich einfach zu alt.«
»Das ist natürlich tragisch«, mußte Thomas zugeben. »Aber überleg bitte mal, wie gut es dir geht, im Vergleich zum Beispiel zu . . . Uli.«
Ich richtete mich erschrocken auf. »Uli? Wieso, was ist mit ihr?«
»Nichts, außer daß sie ein Kind kriegt, der dazugehörige Vater sie betrogen hat und sie zur Untermiete bei einer Freundin wohnt, die keine Kinder mag und sich im Selbstmitleid suhlt, weil sie dreißig ist.«
»Du hast ja recht«, nölte ich schuldbewußt, »trotzdem kann ich doch mal schlecht drauf sein. Außerdem hat mich der potentielle Vater meiner Kinder auch betrogen – und dabei sogar eine andere geschwängert!«
Ich erzählte ihm haarklein die Geschichte von Florian. Komischerweise bedauerte er mich nicht, wie ich es eigentlich erwartet hatte.
Statt dessen sagte er nur: »Gut, daß du's endlich kapiert hast. Der Typ ist und bleibt ein Arschloch, das habe ich dir immer gesagt.«
Wie recht er hatte. Warum bloß mußte ich es als letzte merken?

Vierzehn

Endlich rief Ivan zurück.
»Hallo Cora, was gibt's?«
»Ich wollte dir nur sagen, ich mach's.«
Ich hörte, wie Ivan tief einatmete. »Du weiß nicht, wie sehr ich mich freue!« stieß er hervor.
»Ich mach's aber nicht, weil ich so ein guter Mensch bin oder weil du mich mit deiner Mitleidsnummer im Haus Sonnenschein beeindruckt hast!«
»Ach so?«
»Nein, sondern weil ich zufällig gerade einen Superdeal abgeschlossen habe und weil mich Schokoriegel zur Zeit einfach langweilen.«
»Ehrlich gesagt, ist es mir egal, warum du uns hilfst. Hauptsache, du machst es.«
»Noch was, Ivan, ich will kein Geld dafür. Entweder Charity oder Business.«
»Wenn du dir das leisten kannst?«
»Ich sagte doch, ich habe gerade einen Superdeal abgeschlossen. Ich kann.«
»Ich danke dir«, sagte er mit seiner ruhigen, warmen Stimme, »ich kenne nicht viele Leute, die das tun würden.«
Ich war verlegen und sagte schnell: »Ich hab' übrigens schon eine Idee für die erste Veranstaltung. Könntest du irgendwann vorbeikommen?«
»Klar, Cora, jederzeit. Wann paßt es dir?«
»Wie wär's morgen?«
»Mit Vergnügen.«
Allmählich fand ich den Kerl ganz erträglich. Endlich mal einer, der mich nicht vollsülzte, um mich ins Bett zu krie-

gen! Er war sachlich, ein bißchen ironisch, und das, was ich bisher als anmaßend empfunden hatte, war eher eine Form von Direktheit, die ich inzwischen besser verstand.
Die Erfahrung, ein Kind zu verlieren, mußte einen Menschen prägen. Ivan hatte einfach keine Lust auf konventionelles Blabla, dafür war ihm seine Zeit zu schade. Er sagte, was er meinte.

Seit Uli nicht mehr im Renovierungsrausch war, war sie im Kaufrausch. Leider gab sie mein Geld aus, denn sie hatte keines. Ihr Laden warf nach wie vor kaum was ab, und auch die gelegentlichen Geldspritzen von zu Hause reichten nicht aus. Seit der Trennung von Michael, der den gemeinsamen Haushalt finanziert hatte, war sie chronisch klamm.
Sie kaufte Strampler, Windeln, Schnuller, Babyjäckchen, Flaschen, Spielzeug und lauter Kram, von dem gar nicht abzusehen war, ob sie ihn jemals würde brauchen können. Wer wußte schon, ob das Baby überhaupt Schnuller mochte oder ob ihm die Jäckchen paßten? Egal, es mußte gekauft werden, denn Kaufen half gegen den Kummer und die Angst – jedenfalls kurzfristig.
Damit sie mich in ihrem Überschwang nicht völlig ruinierte und meine Wohnung weiter mit sinnlosem Zeug vollstopfte, hatte ich ihr angeboten, sie beim nächsten Einkauf zu begleiten.
Sie wollte etwas zum Anziehen für sich und vor allen Dingen ein Bettchen und einen Kinderwagen. Daß der ganze Plunder vier Monate in der Bude rumstehen und einstauben würde, war ihr einfach nicht klarzumachen. »Was ich weg hab', hab' ich weg«, sagte sie. Ich hatte es aufgegeben, mit ihr zu debattieren.
Die erste Station unseres Beutezugs war »Mutter und Kind«, einer dieser grauenvollen Schwangerenbedarfsläden, in die mich früher kein Mensch reingebracht hätte. Eine putzige

Verkäuferin kam mit ausgebreiteten Armen auf uns zugeeilt, als wären wir alte Bekannte. Kurz vor uns bremste sie ab und quäkte mit einem hohen Stimmchen: »Guten Tag, was kann ich für die werdende Mutter tun?«
Daß sie für mich nichts tun konnte, hatte sie offenbar schnell erkannt, blieb also Uli, die sie betulich plappernd umflatterte.
»Ich brauche ein paar Sachen zum Anziehen«, sagte Uli.
»Aber gern, aber gern, bin gleich wieder da.«
Sie verschwand hinter einer Kleiderstange und tauchte mit einem Arm voller Bügel wieder auf, an denen die absonderlichsten Kreationen hingen. Rüschen, Schleifchen, Tupfen und Raffungen zierten die Modelle, die obendrein in der Farbskala zwischen Pink und Türkis variierten, was bei mir fast einen Brechreiz auslöste.
Auch Uli betrachtete die Klamotten mit befremdetem Gesicht. Ich hatte zwar bei Schwangeren gelegentlich erstaunliche Geschmackseinbrüche erlebt, die wohl hormonell bedingt sein mußten, aber so vernebelt war selbst Uli noch nicht, daß sie diese Scheußlichkeiten in Betracht gezogen hätte.
Angesichts all der niedlichen Verzierungen konnte ich mir nicht verkneifen, der Verkäuferin mitzuteilen: »Meine Freundin *kriegt* ein Kind, sie ist keines!«
»Die Sachen können ruhig ein bißchen schlichter sein«, half Uli nach, »und nicht so schreiende Farben, bitte.«
Jetzt hatten wir die Quiekmaus aus dem Konzept gebracht.
»Äh, welche Farben bevorzugen Sie denn?« erkundigte sie sich schüchtern.
»Blau, Beige, Weiß, auch ein gedecktes Grün«, nahm ich die Sache in die Hand.
»Tja, ich fürchte . . .«, die Frau guckte betrübt, während sie die Kleiderstange durchwühlte, »ich fürchte, da kann ich Ihnen wenig anbieten. Halt, das hier vielleicht?« Sie zerrte

ein unbeschreibliches Teil im Matrosenlook heraus, in dem Uli ausgesehen hätte wie eines dieser kleinen unförmigen Mädchen auf alten Ölbildern, die mit dem Rohrstock gezüchtigt werden.

»Nein, vielen Dank«, winkte Uli ab, »das ist mir dann doch etwas zu . . .«

». . . unzeitgemäß«, ergänzte ich.

Wir traten den Rückzug an, verfolgt von der unablässig plappernden Verkäuferin, die uns bis zum Ausgang folgte und auf uns einredete, als ginge es um ihr Leben.

»Gräßlich!« ächzte Uli, als wir endlich draußen waren.

»Das war erst der Anfang«, unkte ich, und ich sollte recht behalten.

Kleidung für eine Schwangere zu kaufen setzt ein erhebliches Maß an Leidensfähigkeit voraus. Die Angebote der einschlägigen Geschäfte überbieten sich gegenseitig an Geschmacklosigkeit, und wenn Schwangere nicht auf so einem Happyness-Trip wären, müßten sie in tiefe Depression verfallen. Nachdem wir uns mit wachsendem Entsetzen all die Großraumzelte und kartoffelsackähnlichen Gebilde hatten vorführen lassen, faßte ich einen Entschluß.

Ich zog Uli zu »H&M«, Abteilung »Big is beautiful«, und in weniger als einer halben Stunde war sie neu eingekleidet, mit modischen und bequemen Sachen, die obendrein nur einen Bruchteil von dem gekostet hatten, was wir in so einer Mutter-und-Kind-Apotheke hingeblättert hätten.

»Und jetzt den Kinderwagen«, strahlte Uli voller Vorfreude, »und das Bettchen und vielleicht einen Autositz?«

Wir betraten die gediegenen Räumlichkeiten der Firma »Protzing«. Der Name war Programm. Beim kurzen Blick auf die Preisschilder überschlug ich, daß man ohne weiteres zehntausend Mark und mehr für eine Babyzimmereinrichtung hinblättern könnte.

Kein Wunder, daß die Deutschen aussterben. Wer sollte das

denn noch bezahlen? Ich hätte zwar kein Problem damit gehabt, wenn die Deutschen aussterben würden, so wahnsinnig sympathisch fand ich sie nicht. Aber die Preise hier fand ich trotzdem unverschämt.

»Willst du das Zeug nicht Secondhand kaufen?« schlug ich vor.

Uli sah mich empört an. »Ich soll mein Kind in ein Bett legen, in das andere Kinder reingepinkelt und gesabbert haben?«

»Eine neue Matratze kannst du ja kaufen«, sagte ich. »Aber einen Kinderwagen? Darin liegen die doch höchstens ein paar Monate, da kriegt man doch sicher tolle gebrauchte.«

Ulis Augen füllten sich mit Tränen. »Jetzt krieg' ich einmal ein Kind, wahrscheinlich bleibt es mein einziges, und da soll ich irgendwelchen gebrauchten Schrott kaufen? Du bist wirklich furchtbar, Cora!«

Hormone hin, Hormone her, jetzt war ich beleidigt. Ich latschte stundenlang mit ihr durch die Stadt, machte konstruktive Vorschläge – und jetzt das. »Ist schließlich mein Geld, das du ausgibst!« erinnerte ich sie.

»Aber du kriegst es doch wieder!« schluchzte Uli. »Das habe ich dir versprochen.«

Klar hatte sie das. Nur war die Wahrscheinlichkeit, daß sie es mir jemals zurückzahlen könnte, denkbar gering. Da mußte sie schon irgendwann einen reichen Macker heiraten, und daran glaubte ich nicht so recht.

»Warum willst du denn nichts Gebrauchtes?« fragte ich.

»Mein Kind soll es gut haben bei mir!« weinte Uli.

»Als hätte dieser materielle Scheiß was damit zu tun«, zeterte ich jetzt. »Die Kinder heute sind ja gerade deswegen so versaut, weil sie von Anfang an dem Konsumterror ausgesetzt sind!«

Jetzt verlor Uli vollends die Fassung. »Und das muß ich mir gerade von dir anhören? Du gibst tausend Mark für ein blödes Kostüm aus und hältst mir Vorträge?« kreischte sie.

Da hatte sie nun leider recht. Ich war selbst das schlechteste Beispiel für sparsame Haushaltsführung. Trotzdem fand ich, daß sie so was nicht öffentlich rumposaunen mußte. Außerdem durfte ich mein Geld verschwenden, solange ich Lust hatte.
Wir standen mitten im Laden und stritten, als hätten wir eine Ehekrise. Hätte nur gefehlt, daß Uli mich anschnauzte: Es ist ja auch dein Kind! Die anderen Kunden warfen uns verstohlene Blicke zu. Was waren das denn für Weiber? Zwei Lesben, von denen eine sich hatte schwängern lassen? Hysterische Großbürgersgattinen, die sich über die Farbe des Kinderwagens nicht einigen konnten?
Plötzlich tat Uli mir furchtbar leid, wie sie da stand, mit ihrer kleinen Kugel unter dem Mantel und dem tränenüberströmten Gesicht. Sie hatte es wahrhaftig nicht leicht, warum gönnte ich ihr nicht das Vergnügen?
»Komm«, sagte ich und legte den Arm um sie, »wir suchen die allerschönsten Sachen für dein Baby aus! Und du kannst ihm ja trotzdem eine gute Mutter sein.«
Uli nickte unter Tränen und steuerte zielsicher auf ein dunkelblaues Luxusgefährt zu, das offenbar über alle Schikanen verfügte, die derzeit in waren.
»Regenverdeck, Sommer- und Winterfußsack, verstellbare Schiebevorrichtung, extragroßer Einkaufskorb, Sicherheitsbremsen, Blickrichtung veränderbar, hydraulische Federung, abwaschbare Bezüge, fünf Liege- und Sitzpositionen«, rasselte die wenig später konsultierte Verkäuferin runter.
»Den nehmen wir«, verkündete Uli.
Dann kamen die Bettchen. »Aus Holz, aus Kunststoff, aus Korbgeflecht, in Weiß, natur, farbig lackiert, mit Himmel, Vorhängen, Innenraumpolsterung, zum Umbauen oder zusammenlegbar?« wollte die kundige Beraterin wissen.
»Das teuerste!« bestimmte Uli.
Zum Glück handelte es sich dabei um ein eher schlichtes

Modell aus naturbehandelter Buche mit einer Matratze und Zubehör aus durchweg umweltfreundlichem Material.
Insgeheim atmete ich auf, denn ich hatte kurzzeitig befürchtet, daß sie auf ein monströses Himmelbett aus Korbflechtimitat mit knatschrosa Vorhängen und Rüschen an allen Ecken und Enden fliegen könnte.
»Benötigen Sie noch einen Autositz, eine Wickeltasche oder eine Wippe?« erkundigte sich die Veräuferin, die angesichts von Ulis forschem Auftreten Morgenluft witterte.
Ich sagte nichts mehr und ließ Uli entscheiden. Sie wählte noch einen Sicherheits-Autositz mit Klimabezug und Wertsachenfach, eine Kombiwickeltasche mit integrierter Auflage und komplettem Pflegeset sowie eine Liegevorrichtung fürs Baby, Wippe genannt, welche von diesem mittels Strampelbewegungen zum Schwingen gebracht und an Tragegriffen von einem Zimmer ins andere getragen werden konnte. Ich hoffte, das Baby würde nicht seekrank werden.
Zu guter Letzt erstanden wir noch eine Sammlung Rasseln, Klappern und bunter Ringe, die für die frühkindliche Entwicklung von unschätzbarem Wert waren, wie uns die Verkäuferin glaubhaft versicherte.
Mit roten Wangen und bester Stimmung sah Uli zu, wie ich an der Kasse einen Scheck ausschrieb, dessen Höhe in etwa meinem Monatseinkommen entsprach. Sie gab meine Adresse an, und man sicherte uns zu, daß die Lieferung morgen eintreffen würde.
Erschöpft ließen wir uns gegenüber in einem italienischen Restaurant auf die mit blau-goldenem Gobelin bezogenen Bänke fallen und bestellten – selbstverständlich ebenfalls auf meine Kosten – eine gemischte Vorspeisenplatte, zwei Pizzen und einmal Ossobuco. Zum Nachtisch verdrückten wir ein Tiramisu und eine Zabaione. Nach dem Essen hätte ich mich sofort auf eine Gobelinbank legen und einschlafen können, so fertig war ich.

»Huch, ich muß ja in die Schwangerschaftsgymnastik!« stellte Uli mit einem erschrockenen Blick auf die Uhr fest. Mir kam fast die Pizza wieder hoch. »Jetzt willst du turnen, in dem vollgefressenen Zustand?« fragte ich entsetzt.

»Na ja, turnen ist ein bißchen übertrieben. Man liegt auf Matten rum, entspannt sich und atmet in die Gebärmutter. Meistens schlafe ich dabei ein.«

Konnte ich mir vorstellen.

»Komm doch mit«, schlug Uli vor.

»In die Schwangerschaftsgymnastik? Was soll ich denn da?«

»Es gibt immer wieder Partnerübungen, da massiert man sich gegenseitig das Kreuzbein oder so was. Viele Frauen bringen ihre Männer mit. Ich könnte dich mitbringen.«

Oh, Scheiße! Manchmal war ich fast versucht, mir Michael zurückzuwünschen. Sollte der sich doch das Kreuzbein massieren lassen und in die Gebärmutter atmen!

»Ulilein, sei mir bitte nicht böse, aber für heute ist mein Bedarf an Schwangerschaft einfach gedeckt. Ich gehe ein andermal mit, o.k.?«

»Versprochen?«

»Versprochen.«

Zu Hause angekommen, war mir immer noch heftig nach einem Mittagsschläfchen zumute. Gähnend öffnete ich die Tür zu meinem Schlafzimmer – und schloß sie sofort wieder. Was war denn das? Ich mußte mich geirrt haben. Ganz bestimmt hatte ich mich geirrt.

Langsam öffnete ich die Tür wieder. Die Fensterläden waren angelehnt, gedämpftes Licht erhellte den Raum. Auf dem Boden verstreut lagen einige Kleidungsstücke. Auf dem Bett lagen zwei Gestalten, ineinander verwickelt, und schliefen.

Es waren Thomas und Arne.

Leise schloß ich die Tür wieder und schlich in die Küche. Gedankenverloren setzte ich Kaffeewasser auf. Arne, o.k., das war klar. Aber Thomas? Thomas war überhaupt nicht schwul, jedenfalls hatte ich das bis jetzt gedacht. Oder war er es vielleicht doch und hatte es selbst nicht gewußt? War das hier sein Coming-out, mit Arne, meinem Mitarbeiter, in meiner Wohnung, in meinem Bett?

Plötzlich fand ich es ganz schön dreist von den beiden, sich ausgerechnet mein Bett für ihre Spielchen auszusuchen. Sollten sie vögeln, wo sie wollten, mit wem sie wollten und so lange sie wollten – aber nicht hier!

Wie ein Generalfeldmarschall marschierte ich zurück zu meinem Schlafzimmer und riß die Tür auf.

»Aufstehen!« brüllte ich.

Die beiden schreckten hoch und blinzelten mich verpennt an.

Arne war völlig nackt, Thomas trug ein T-Shirt und Socken, was ziemlich albern aussah. Als erster kam Arne wieder zu sich. Schnell zog er sich die Decke über. »Oh, Scheiße«, war sein erster Kommentar.

»Das finde ich auch«, pflichtete ich ihm bei.

»Ich dachte, du kommst erst heute abend wieder?«

»Das wäre auch kein Grund, es sich in meinem Bett bequem zu machen.«

»Hast recht, 'tschuldigung«, murmelte er zerknirscht. »Es kam so über uns.«

»War's wenigstens nett?« wollte ich wissen. »Gute Matratze, was, Thomas?«

Ich wollte ihn durchaus daran erinnern, daß er schon mal auf dieser Matratze gelegen hatte. Thomas hatte einen knallroten Kopf und schaute mich unglücklich an. »Wenn du mich gewollt hättest, wäre das nie passiert.«

»Soll das heißen, ich treibe dich in die Arme von Männern? Du könntest ja auch mit Frauen bumsen!«

Jetzt war Arne betroffen. »Was ist denn schlimm daran, wenn er mit Männern ins Bett geht?« fragte er gekränkt. Und zu Thomas gewandt: »Soll das heißen, es hat dir keinen Spaß gemacht?«
»Darauf kommt's doch gar nicht an«, erklärte der, «ob man verliebt ist oder nicht, darum geht es.«
Also, ich könnte mich in dich verlieben«, sagte Arne treuherzig und küßte Thomas auf den Arm.
Der zuckte zurück. »Ich bin aber nicht schwul! Und ich werde es auch nicht mehr!«
»Schade«, meinte Arne.
»Man kann doch auch mal mit jemandem ins Bett gehen, weil man ihn als Mensch mag«, fügte Thomas trotzig hinzu, »unabhängig vom Geschlecht.«
»Wenn ich mit allen ins Bett gehen würde, die ich nett finde, würde ich aus der Kiste überhaupt nicht mehr rauskommen«, bemerkte ich spitz.
»Du hast es gerade nötig«, sagte Thomas, »so wählerisch bist du ja nun nicht! Und daß du's weißt, ich bin schon lange nicht mehr in dich verliebt!«
»Um so besser«, sagte ich. »Ich mache gerade Kaffee. Wenn ihr wieder angezogen seid, könnt ihr mir Gesellschaft leisten.«

Wir hatten uns gerade hingesetzt und rührten alle drei betreten in unseren Tassen, da klingelte es an der Wohnungstür.
»Wer ist das denn schon wieder?« fragte ich genervt. Diese Bude war wie der Hauptbahnhof, immer was los. Ich drückte auf den Öffner und setzte mich wieder hin.
Eine Minute später stand Ivan in der Tür. Arne fiel die Kinnlade runter. Mit großen Augen schmachtete er ihn an. Thomas schaute ziemlich unfreundlich. Er hatte wohl keinen Bedarf an zusätzlichen Männerbekanntschaften.

»Hallo«, grüßte Ivan freundlich, »komme ich ungelegen?«

»Nein, nein«, beeilte ich mich zu versichern, »das ist Arne, mein Mitarbeiter in der Agentur. Und das ist Thomas, mein . . .«

». . . Hausfreund«, beendete Thomas den Satz.

»Wenn du drauf bestehst«, sagte ich kühl, »also, mein Hausfreund. Das ist Ivan.«

Was ich noch über Ivan sagen sollte, wußte ich nicht. Ivan, der berühmte Künstler? Ivan, der Retter von Kinderheimen? Ivan, das einsame Hundeherrchen?

»Wo ist Blue?« Ich schaute mich suchend um.

»Ist im Wagen geblieben. Ich wußte nicht, ob du Hundehaare in der Wohnung schätzt.«

»An sich nicht, aber bei Blue würde ich eine Ausnahme machen«, sagte ich großmütig.

»Gut, dann hole ich ihn schnell.«

Als Ivan außer Hörweite war, seufzte Arne tief. Ich schaute ihn warnend an. »Das hier ist eine PR-Agentur und keine Partnerschaftsvermittlung. Wenn du auf der Suche bist, dann geh gefälligst in die einschlägigen Etablissements!«

»Er steht halt auf Heteros«, stichelte Thomas, »das ist das Problem von vielen Schwulen.«

»Schluß jetzt«, befahl ich. »Arne, bitte ruf bei Hennemann an und laß dir das neue Beraterkonzept erläutern. Wir haben morgen einen Termin beim Powerteam. Ich habe jetzt eine Besprechung mit Ivan.«

Arne, dem ich noch nichts vom Kinderheim erzählt hatte, schaute fragend, verdrückte sich aber dann ins Büro. Als er draußen war, flüsterte Thomas: »Ist Ivan dein neuer Lover?«

»Mein lieber Thomas«, zischte ich, »wenn wir Freunde bleiben wollen, dann halt dich bitte zukünftig aus meinen Privatangelegenheiten raus, o.k.?«

Thomas hob beschwichtigend beide Hände. »Schon gut, Cora. Sag mal, wo ist eigentlich Uli?«

»Beim Schwangerschaftsturnen.«
»Was, jetzt schon? Die ist doch erst im fünften Monat!«
»Auch das gehört meines Erachtens zu den Dingen, die dich einen feuchten Kehricht angehen.«
Ich hatte genug von Schwangerschaften und insbesondere von denen, die sie verursachten. Thomas merkte, daß ich kurz vorm Explodieren war, und wechselte schnell das Thema.
»Na, dann repariere ich inzwischen mal den Wasserhahn im Bad«, sagte er munter, »der tropft ja wie irre.«
»Tu das«, knurrte ich.

Blue trottete in die Wohnung und kam schwanzwedelnd auf mich zu. Was für ein Segen, daß der wenigstens keinen Schwachsinn verzapfen konnte!
Ich winkte Ivan und Blue ins Wohnzimmer und schloß demonstrativ die Tür.
»Hör zu«, kam ich zur Sache, »sag mir bitte ehrlich: Wie erfolgreich bist du als Maler?«
Ivan sah mich amüsiert an. Dann stellte er die Gegenfrage: »Für wie erfolgreich hältst du mich?«
»Ich kann das nicht einschätzen. Solltest du wirklich gut im Geschäft sein, dann versteckst du es auf jeden Fall geschickt.«
»Wie stellst du dir denn einen erfolgreichen Künstler vor? Im Boss-Anzug, mit Filofax und Handy?«
»Warum nicht? Kunst ist schließlich auch nur ein Geschäft!«
»Für Spekulanten vielleicht«, sagte er verächtlich.
»Wen meinst du damit?« wollte ich wissen. »Sammler?«
»Spekulanten gibt es unter Künstlern genauso wie unter Galeristen, Händlern oder Sammlern. Es ist eine Frage der Mentalität.«
»Und du bist natürlich keiner, nehme ich an.«
»Ich glaube, nicht. Für mich ist Kunst mehr als ein Geschäft.

Sie ist der einzige Grund, zu existieren.«

»Ganz schön pathetisch, findest du nicht?« fragte ich.

»Kann schon sein. Für mich stimmt es.«

»Ist alles andere nichts wert? Die Natur, andere Menschen, die Liebe?«

»Ganz schön kitschig, findest du nicht?« fragte er zurück.

»Kann schon sein«, räumte ich ein, »aber für mich gibt es Wichtigeres als bemalte Leinwand.«

»Ich nehme an, du hast mir die Frage nicht gestellt, um eine kunstphilosophische Diskussion anzufangen?«

»Nein, ich wollte eigentlich nur wissen, wieviel Geld deine Bilder einbringen.«

Das klang, als wollte ich taxieren, ob er eine gute Partie abgäbe. Kaum hatte ich die Frage gestellt, war sie mir auch schon peinlich.

Aber Ivan zögerte keinen Moment. »Kleine Formate zwischen achthundert und zweitausend, große zwischen sechstausend und zehntausend«, antwortete er so trocken, als hätte ich nach der Adresse seines Steuerberaters gefragt.

Ich war baff. Das war bedeutend mehr, als ich erwartet hatte.

»Da mußt du ja steinreich sein!« platzte ich heraus.

»Leider nicht«, erwiderte er, »ich gebe nur fünf oder sechs Arbeiten pro Jahr weg.«

»Aber wieso denn? Du könntest doch leicht zwanzig oder dreißig Bilder verkaufen und richtig Kohle verdienen!«

»Wie du bereits erraten hast: Ich bin kein Spekulant. Ich will den Markt nicht mit meinen Sachen überschwemmen. Mir ist meine Glaubwürdigkeit wichtiger.«

Das verstand ich nun nicht so ganz. Aber bitte schön, war ja seine Sache. Hauptsache, er unterstützte meinen Plan.

»Kennst du andere Künstler, deren Arbeiten einen ähnlichen Marktwert haben wie deine?« war meine nächste Frage.

Ivan überlegte kurz. »Ja, ich könnte dir ungefähr zehn

Namen von Kollegen nennen, deren Marktwert vergleichbar ist.«
»Großartig. Dann könnte meine Idee funktionieren!« freute ich mich.
Er sah mich erwartungsvoll an.
»Paß auf, wir machen eine Versteigerung. Du und deine Kollegen, ihr stellt jeder ein paar Bilder zur Verfügung. Wir mieten eine ausgefallene Location, schnorren uns ein exquisites Catering, spannen eine Freundin von mir ein, die eine Sammlung der feinsten Adressen ihr eigen nennt, und laden die gesamte Geld- und Kunst-Schickeria ein. Bei Versteigerungen bringen Bilder erfahrungsgemäß ein Drittel mehr als den Schätzpreis. Wenn's für einen guten Zweck ist, können die Leute obendrein die Kohle als Spende absetzen.«
»Das klingt genial«, sagte Ivan anerkennend.
»In aller Bescheidenheit«, stellte ich fest, »das ist genial. Wenn vierzig Arbeiten unter den Hammer kommen und einen Durchschnittspreis von je sechstausend Mark erzielen, könnte der Abend fast eine Viertelmillion einbringen.«
Ivan, der sonst so Reservierte, nahm plötzlich mein Gesicht in seine Hände und drückte mir einen Kuß auf die linke Wange.
»Keine Vertraulichkeiten unter Geschäftspartnern!« erbat ich mir streng.

———

Fünfzehn

Der nächste Tag brachte eine außerordentlich erfreuliche Überraschung. Arne und ich hatten ein erstes Treffen mit unseren neuen Sklaven, den Powerteam-Leuten. Sie hausten in einem halbrenovierten Loft im Hinterhaus einer einschlägigen Zuhälterkneipe. Es war eine ziemlich pittoreske Gegend. Angehörige des Rotlichtmilieus, türkische Großfamilien, Studenten und alleinerziehende Mütter in selbstgestricken Schafwollpullis lebten dort einträchtig nebeneinander, eine wahre Multikulti-Ecke.

Arne und ich kletterten auf einer wackeligen Metalltreppe zum Eingang hoch und betätigten einen Klingelknopf. Es summte, und die Tür sprang auf.

Wir standen mitten in dem einzigen, großen Raum, in dem das Büro der Agentur war. Ein paar Schreibtische mit PCs darauf standen scheinbar zufällig herum. Auf niedrigen Regalen und am Boden türmten sich Aktenordner, Bücher und Papier. Zwei, drei Topfpflanzen mühten sich redlich, eine wohnliche Atmosphäre herzustellen. Die beiden dominierenden Einrichtungsstücke waren eine Bar mit skaibezogenen Hockern und ein Flippergerät.

Während ich mich noch umsah, kam ein junger Mann in Jeans und Jeanshemd auf uns zu.

Den kannte ich doch! Es war Jim Knopf, das Braunauge vom Abendblatt!

»Man trifft sich immer zweimal im Leben!« lachte er mich freundlich an.

Ich wurde knallrot, und es dauerte einen Moment, bis ich mich wieder gefaßt hatte. »Was machst du denn hier?« fragte ich einigermaßen dämlich.

»Gestatten, mir gehört der Laden!«
»Ach, nee«, rutschte es mir raus, »hast du mir nicht neulich einen Vortrag darüber gehalten, wie Scheiße du PR findest und daß nur der Journalist die wahren Werte vertritt?«
Er war kein bißchen verlegen. »Na und? Was geht mich mein Geschwätz von gestern an? Man verändert sich eben.«
Wir setzten uns an die Bar. Eine oberscharfe Mieze im schwarzen Trägermini mit hohen Stiefeln und einem Wonderbra-Ausschnitt zum Reinfallen servierte Kaffee und Kekse. »Das ist Kathy«, stellte Jim Knopf sie vor, »unsere Praktikantin.«
Klar, ich konnte mir vorstellen, was die praktizierte.
»Wer gehört denn sonst noch zum Team?« fragte ich im Geschäftston.
Er zeigte auf einen Typen, der wie höchstens achtzehn wirkte und aussah, als käme er gerade aus dem Bett. Die Haare standen in alle Himmelsrichtungen ab, und er bearbeitete wie ein Wilder seinen Computer.
»Das ist Nick, und da drüben sitzt Amanda.«
Ich drehte mich auf meinem Barhocker, um Amanda besser in Augenschein nehmen zu können. Das einzige, was ich sehen konnte, waren lange blonde Haare und noch längere Beine. Sie telefonierte. Als sie sah, daß wir sie anstarrten, winkte sie kurz rüber.
»Komme gleich«, rief sie.
Auch sie sah aus, als wäre sie gerade mal zwanzig. Der Boß mit seinen vielleicht fünfundzwanzig wirkte als einziger annähernd erwachsen.
Hier waren wir wohl in der oberhippen mega-dynamischen Teenie-Agentur gelandet. Aber bitte schön, das war ja Hennemanns Wunsch. Offenbar hatte es ihn nach noch mehr Zeitgeischt gelüstet, als ich ihm bieten konnte. Mir sollte es recht sein, solange die Kids ordentlich ackerten.

Nick und Amanda stießen zu uns und grüßten mit einem lässigen »Hi!«.
Assistiert von Arne, erläuterte ich die Strategie zur flächendeckenden Verbreitung von Kinderpralinen. Das Thema konnte ich inzwischen im Schlaf herbeten. Ich ließ keinen Zweifel daran, daß ich ausschließlich beratende Funktion haben würde. Die Organisation und die praktische Umsetzung, sprich, der bereits erwähnte Kleinscheiß, sollten Sache von Jim Knopf und seinen wilden Drei sein.
Die machten den Eindruck, als hätten sie totale Lust auf die geplanten Aktionen.
Skirennen für Kids und Teens am Brauneck? Super! Dürfen wir da unsere Snowboards mitnehmen? Tag der offenen Tür bei der Stadt? Klasse, da sagen wir dem Bürgermeister mal die Meinung! Indoor-Rollerskate-Wettbewerb im Olympiazentrum? Yeah, da machen wir doch selbst mit!
Ich begriff, daß es keine blöde Idee war, diese Minderjährigen zu engagieren. Die waren noch nahe genug dran an der Zielgruppe. War ja wohl kein Zufall, daß mir nur die Senioren-Schiene eingefallen war, ich war einfach schon zu alt.
»Schön, daß ihr so motiviert seid!« lobte ich das Powerteam.
»Wir finden es klasse, daß wir den Job machen können«, revanchierte sich Jim Knopf, »ist nämlich unser erster richtiger Auftrag!«
Seine braunen Augen blitzten herausfordernd, als er mich anschaute. In meinem Magen kribbelte es. Der Typ war ziemlich sexy, meine Phantasie ging schon wieder mit mir durch.
Ich erinnerte mich an seine muskulösen braunen Arme, die wegen des Jeanshemds im Moment nicht zu sehen waren, und mich befiel ein unwiderstehlicher Drang, in diese Muskeln zu beißen – ganz zärtlich natürlich. Auch die Haut an seinem Hals schimmerte so verführerisch.

»Alte, was hast du gestern zu Ivan gesagt?«
Schuldbewußt zuckte ich zusammen.
»Keine Vertraulichkeiten unter Geschäftspartnern«, zitierte ich meine eigenen Worte.
»Genau. Also laß deine nichtsnutzigen Finger von dem Kerl. Du bist so was wie seine Vorgesetzte. Das nennt man Unzucht mit Abhängigen!«
»Also, jetzt übertreib mal nicht«, wies ich die Moralpredigt zurück. »Der ist doch erwachsen! Na ja, jedenfalls fast.«
»Ich habe dich gewarnt!«
Es war immer das gleiche. Die blöde Ziege gönnte mir einfach keinen Spaß.
»Also, dann frohes Schaffen!« Ich stand auf. »Und viel Erfolg!«
Jim Knopf, ganz Firmenchef, geleitete Arne und mich zur Tür. Wir waren schon halb unten, da sagte er plötzlich: »Ach, Cora, da fällt mir ein, ich hätte noch ein paar grundsätzliche Fragen zum Aufbau einer Agentur und so, hättest du mal 'nen Abend Zeit? Ich mache 'ne ziemlich gute Lasagne.«
»Kann ich bestätigen«, krähte Kathy von hinten.
»Gelegentlich mal«, antwortete ich. »Ruf mich an.«

Genau eine Stunde später, wir waren gerade in meine Wohnung zurückgekommen, hatte ich ihn bereits an der Strippe.
»Hi, Cora! Ich könnte schon heute abend. Du auch?«
Der ließ echt nichts anbrennen. Hoffentlich traf das auch auf seine Lasagne zu!
»Also gut, wenn deine Fragen so dringend sind«, sagte ich herablassend, »dann richte ich es mir heute abend ein.«
In Wahrheit wußte ich schon gar nicht mehr, wie viele Abende ich solide zu Hause gesessen, mit Uli oder Thomas oder beiden geplaudert und mich gemütlich zugesoffen hatte. Es war höchste Zeit für einen kleinen Exzeß!

Mit geschlossenen Augen lag ich wenig später in der Badewanne und stellte mir genüßlich vor, wie ich den knackigen Körper von Jim Knopf aus der Jeans und dem T-Shirt schälen würde, wie meine Hände seine Hinterbacken umfassen würden, während ich gleichzeitig mit der Zunge seinen Hals kitzelte. Ich fühlte fast schon, wie seine Hände sich um meinen Busen schlossen und ich seinen harten Schwanz spürte.

Oh, Mann, war ich scharf! Vor lauter Job und Ärger mit den Kerlen hatte ich fast vergessen, daß Männer auch erfreuliche Seiten hatten.

Ich cremte mich sorgfältig ein, parfümierte mich dezent und zog meine allerschönste Unterwäsche an. Kritisch betrachtete ich mein Spiegelbild. Der Anblick war nicht unerfreulich. Ich hatte einen kleinen, aber hübsch geformten Busen, eine schmale Taille und relativ schlanke Beine. Ich war zwar schon dreißig, aber meine Figur war besser als die mancher Zwanzigjährigen. Ich hoffte, daß es noch lange so bleiben würde. Der sicherste Weg, seine Figur zu ruinieren, war ja zweifellos eine Schwangerschaft, und die würde mir erspart bleiben. Es bestand also Hoffnung, daß ich auch noch in zehn Jahren, im greisen Alter von vierzig, ein bißchen Spaß haben könnte.

Uli platzte ins Bad. »Wow! Was hast du denn vor?«

»Nur ein Geschäftsessen, nichts Besonderes«, schwindelte ich mit Unschuldsmiene.

Sie fiel nicht darauf rein. »Erzähl schon, wer ist es?« fragte sie neugierig und setzte sich auf den Badewannenrand.

»Ich weiß nicht«, zierte ich mich, »ich geniere mich ein bißchen.«

»Doch nicht vor mir!«

»Findest du es nicht ziemlich unanständig, zu einem Mann in die Wohnung zu gehen, der dich unter einem Vorwand einlädt, in Wirklichkeit aber mit dir schlafen will?«

»Unanständig, wieso denn? Ich wäre froh, ich hätte so eine Gelegenheit!«
»Du?« staunte ich. »Hat man denn überhaupt Lust, wenn man schwanger ist?«
»Allerdings«, antwortete Uli, »aber natürlich nicht auf irgendwen. Ich würde mich gern richtig geliebt fühlen. Für Sex ohne Liebe bin ich vielleicht wirklich nicht in der richtigen Form!« Lachend sah sie an sich hinunter.
»Entschuldige, wenn ich das Thema noch mal anspreche«, sagte ich, während ich mir die Lippen rot bemalte, »aber hat Michael nochmals irgendwas hören lassen?«
»Er hat ein paarmal angerufen. Ich habe sofort wieder aufgelegt.«
»Echt?« Ich ließ den Lippenstift sinken. »Warum hast du mir das nicht erzählt? In letzter Zeit hat nämlich öfter mal jemand angerufen und sofort eingehängt, wenn ich mich gemeldet habe. Das war er sicher auch!«
Uli zuckte die Schultern. »Mir egal. Mit dem Kerl bin ich ein für allemal durch. Selbst wenn er plötzlich vor mir stehen würde, würde das nichts mehr auslösen.«
Ich drehte mich um und drückte Uli einen prächtigen roten Kußmund auf die Backe.
»Du wirst sehen, meine Süße, irgendwo wartet ein toller Mann auf dich, der dich liebt, wie du bist, und dein Baby gleich mit. Und du wirst noch so viel Sex haben, daß du aufpassen mußt, daß aus deiner Kinderschar nicht 'ne ganze Fußballmannschaft wird!«

Aus der Lasagne wurde leider nichts. Ich hatte kaum die Wohnung betreten, da fielen wir schon übereinander her und rissen uns die Klamotten vom Leib. Wir küßten und bissen uns, verknoteten uns regelrecht ineinander.
Der Junge war von einer erstaunlichen Ausdauer. Dabei war er spontan und witzig, und es war keine Sekunde peinlich

mit ihm. Nicht mal, als er gleich zu Anfang einen Pariser rauszog und in der Luft schwenkte.
Wir lachten, kitzelten uns und balgten wie die Kinder. Lange hatte ich nicht mehr so viel Spaß im Bett gehabt, und das ganz ohne die gemischten Gefühle, die zum Beispiel Raoul auslöste.
Mittendrin hielt er plötzlich inne und schnupperte.
»Oh, Mist!« fluchte er und sprang senkrecht aus dem Bett. Ungeachtet seiner Erektion rannte er in die Küche und riß die heiße Form mit der Lasagne aus dem Ofen. Ich sah ihm hinterher und bekam einen mittelschweren Lachanfall. Mit unveränderter Erektion kam er wieder ins Bett zurück und warf sich erneut über mich.
Er hielt meine Arme über dem Kopf fest und fuhr mit der Zunge zart über mein Gesicht, meine geschlossenen Augen, meine Wangen, meinen Hals und meine Brüste. Ich hätte ihn fressen können vor Gier!
Ich weiß nicht, wie viele Runden unser Liebesspiel dauerte, jedenfalls überfiel mich mitten in der Nacht ein Bärenhunger. »Hast du nicht vorhin unser Abendessen aus dem Ofen geholt?« fragte ich hoffnungsvoll.
»Du kannst dir gern anschauen, was davon übriggeblieben ist«, forderte er mich auf, hüllte mich in seinen dunkelblauen Frotteebademantel, zog sich eine Unterhose an (nein, Arne, keine Boxershorts, eine Calvin Klein!), und ich tappte barfuß hinter ihm her in die Küche.
Dort sah es aus, als hätte eine Bombe eingeschlagen. Offenbar war er gerade mit dem Kochen fertig gewesen, als ich geklingelt hatte. Zum Aufräumen war er dann nicht mehr gekommen.
»Gemütlich!« grinste ich ihn an.
»Finde ich auch«, konterte er schlagfertig. »Ich hasse aufgeräumte Küchen, sie wirken so steril.«
Steril wirkte diese Küche wahrhaftig nicht. Vorsichtig

bahnte ich mir einen Weg zwischen heruntergefallenen Zwiebelschalen, einer Rotweinpfütze und Stapeln von Geschirr und Töpfen, die er auf der Suche nach den richtigen Utensilien einfach auf dem Boden abgestellt hatte.
Die Lasagne war tatsächlich ungenießbar. Sie sah aus wie ein riesiges kohlschwarzes Brikett. Mit dem Ausdruck des Bedauerns packte Jim Knopf die feuerfeste Form samt Inhalt und ließ sie in den Abfalleimer fallen.
»Noch mehr als saubere Küchen hasse ich das Abwaschen«, verkündete er und holte aus einem Küchenschrank zwei Dosen. »Escoffier Krabbensuppe« stand auf dem Etikett. Er öffnete sie und erwärmte den Inhalt in einem Topf.
Schade! Ich hatte immer von einem Liebhaber geträumt, der auch kochen konnte. Aber zeit meines Sexlebens fand ich immer nur Männer, die was vom Kochen verstanden, dafür aber lausige Liebhaber waren, oder umgekehrt. Ich war gespannt, ob ich mal einen treffen würde, der beides konnte!
»Sag mal, Jim Knopf«, begann ich gedankenverloren, aber er unterbrach mich und hielt mir eine Flasche vor die Nase.
»Schluck Wein?«
»Gern«, sagte ich.
Er fand es offenbar gar nicht merkwürdig, wie ich ihn nannte. »Ist schon o.k.«, nahm er meinen Gedanken auf, »ungefähr jeder zweite nennt mich Jim Knopf. Ich weiß auch nicht, was meine Eltern geritten hat, als sie mich Tim nannten. Bei dem Nachnamen! Was wolltest du wissen?«
Ich hatte es schon wieder vergessen. »Weiß nicht mehr. Zum Wohl!«
Ich nahm einen Schluck Weißwein und zog seinen Kopf zu mir, um ihn zu küssen. Ein leichtes Zischen zeigte an, daß die Krabbensuppe übergekocht war.
»Es ist wirklich nett bei dir, aber leider werde ich diese Nacht wegen akuten Nahrungsmangels wohl nicht überleben«, stellte ich fest.

Hektisch riß Jim Knopf den Topf von der Herdplatte. Dann durchwühlte er ein weiteres Mal seine Küchenschränke und förderte noch eine Dose zutage. Linsen mit Cocktailwürstchen.
»Wenn's sein muß«, seufzte ich.
Endlich hatte ich was im Magen, der Weißwein beschwingte mich trotz der Müdigkeit, und wenig später wälzten wir uns schon wieder im Bett. Wir konnten einfach nicht aufhören. Ein kurzer Blick, eine Berührung, schon flammte die Lust wieder auf. Alles war so leicht, so selbstverständlich. Es dämmerte bereits, als wir uns endlich satt und zufrieden aneinanderkuschelten. Ich nahm sein schlaffes Glied in die Hand und drückte es zärtlich.
»Held der Arbeit!« flüsterte ich schlaftrunken.
Er legte seine Hand zwischen meine Beine.
»Göttin der Lust!« murmelte er.
Sekunden später waren wir eingeschlafen.

Sechzehn

*I*ch stand fröstelnd am Bahnsteig und wartete auf Tante Elsie. Wir sahen uns nur selten, und ich war fast ein bißchen aufgeregt.
Es war schon so lange her, daß ich als ihr »Prinzeßchen« bei ihr gelebt hatte. Ich wohnte damals unter dem Dach, mit schrägen Wänden und kleinen Fenstern, an denen bunte Gardinen mit kleinen Bären darauf hingen. Am Boden lag ein fröhlicher Flickenteppich, und auf dem Holzregal, das Tante Elsies Sohn Martin gebaut hatte, saßen in Reih und Glied meine Puppen und Kuscheltiere.
Martin war Tante Elsies einziger Sohn, den sie nach dem frühen Tod ihres Mannes allein aufgezogen hatte. Er war fast schon erwachsen, als ich zu ihr kam, und ein scheuer, schweigsamer Junge, der panische Angst vor Frauen hatte. Gleichzeitig war er unsterblich in die Nachbarstochter Karin verliebt. Als Karin mit zwanzig einen Ingenieur heiratete, fuhr Martin mit seiner uralten Ente gegen einen Baum.
Natürlich hat man nie herausgefunden, ob es ein Unfall oder Selbstmord war. Tante Elsie war überzeugt, daß er sich das Leben genommen hatte. Um ein Haar wäre sie selbst an gebrochenem Herzen gestorben. Ich glaube, nur weil ich da war und sie brauchte, blieb sie am Leben.
Nachdem mein Vater erfahren hatte, daß ich nicht seine Tochter war, ist er abgehauen. Ich glaube, er ist ins Ausland gegangen. Jedenfalls ist er nie wieder aufgetaucht, und ich habe bis heute keine Ahnung, wie er aussieht. Tante Elsie ist seine Schwester, aber sie meint, er sähe ihr nicht ähnlich.
Meine Mutter und Oriòl, mein echter Vater, haben wohl noch eine Weile versucht, miteinander auszukommen. Aber

bald war auch er weg. Ich kann mich kaum noch an ihn erinnern. Nur, daß meine Mutter völlig fertig war, das weiß ich noch. Sie saß im Wohnzimmer, ganz vorn auf der Kante eines Sessels, und weinte lautlos. Ich zupfte an ihrem Ärmel, rief: »Mama, Mama was ist denn?«, aber sie reagierte überhaupt nicht.
Ich habe nichts mehr verstanden und furchtbare Angst davor gehabt, daß sie auch noch weggeht. Tatsächlich ist sie dann ziemlich krank geworden und lag lange im Krankenhaus. Da war ich ungefähr drei, und Tante Elsie hat mich zu sich genommen. Ich muß ziemlich verstört gewesen sein, wollte nicht mehr essen und habe gestottert.
Wir haben meine Mutter oft im Krankenhaus besucht. Sie war sehr hübsch, ganz zart und zerbrechlich, und obwohl ich selbst noch so klein war, hatte ich das Gefühl, ich müßte sie beschützen. Sie hat nie ein Wort gesprochen. Woran sie starb, weiß ich nicht genau. Ich glaube, sie wollte es einfach so. Aus dieser Zeit stammt meine Abneigung gegen Krankenhäuser.
»Achtung an Gleis vier, es fährt ein der Intercity aus Hamburg über Frankfurt, Würzburg, planmäßige Ankunft vierzehn Uhr achtunddreißig!«
Ich schreckte hoch. Der Zug fuhr langsam auf mich zu und kam mit einem lauten Zischen zum Stehen. Die Türen öffneten sich automatisch, und die Reisenden, bepackt mit Koffern und Taschen, quollen heraus.
Ich reckte mich und suchte den Bahnsteig mit den Augen ab. Da, da vorn kam sie! Ich riß den Arm hoch und winkte. »Tante Elsie!« rief ich und lief ihr entgegen.
Sie winkte ebenfalls. Endlich hatten wir uns erreicht. Wir umarmten uns und hielten uns lange schweigend fest. Dann sah Tante Elsie mich an und lächelte: »Mein Prinzeßchen!«
Ich küßte sie auf beide Wangen und sagte: »Du weißt gar nicht, wie ich mich freue!«

»Doch«, sagte sie trocken, »so wie ich!«
Ich nahm ihren Koffer und hakte mich bei ihr ein.
Sie war alt geworden. Ihre Haut war blaß, und sie hatte viel mehr Falten als bei unserem letzten Treffen. Sie erschien mir auch ein bißchen abgemagert. Nur ihre Augen sprühten vor Wärme und Lebenslust, wie immer.
»Gut siehst du aus«, sagte ich munter.
»Schwindel mich nicht an, meine Kleine. Ich sehe überhaupt nicht gut aus, und ich weiß es.«
Ich erschrak. »Was ist los, Tante Elsie? Bist du etwa krank?«
Sie drückte meine Hand. »Mach dir keine Sorgen, es ist nichts Schlimmes. Ich erzähle dir alles in Ruhe, wenn wir zu Hause sind.«

Ich schloß die Wohnungstür auf und ließ Tante Elsie den Vortritt. Im Flur standen die Einkäufe, die wir bei »Protzing« getätigt hatten und die natürlich nicht am nächsten Tag geliefert worden waren, sondern genau heute morgen, als ich gerade das Haus verlassen wollte.
Tante Elsie schaute zwischen Kinderwagen, Gitterbett, Autositz und Wippe hin und her. Dann schaute sie zu mir und klatschte begeistert in die Hände.
»Nein, das ist ja . . . ich kann's nicht glauben . . . du kriegst ein Kind?«
»Nein, Tante Elsie«, lachte ich, »Uli kriegt ein Kind! Du weißt doch, meine Freundin. Sie wohnt zur Zeit hier.«
»Schade«, sagte Tante Elsie enttäuscht, »ich hätte mich so über einen Enkel gefreut!« Sie klapste mir auf den Bauch. »Aber noch besteht ja Hoffnung, was?«
»Klar!« sagte ich, um ihr eine Freude zu machen. »Man weiß ja nie!«
»Apropos, wie steht es denn mit deinem Liebesleben?« erkundigte sie sich lächelnd.
Ich hatte ihr immer alles erzählt, und sie fand es o.k., daß

ich viele Männer hatte. »Tob dich vor der Ehe aus«, pflegte sie zu sagen, »dann fällt die Treue hinterher nicht so schwer!« Sie war eben eine vernünftige Frau.
»Mein Liebesleben? Na ja, um die Wahrheit zu sagen, es gestaltet sich zur Zeit eher unbeständig. Von Flori habe ich mich getrennt. Was Festes habe ich derzeit nicht. Nur einen süßen braunäugigen Lover, mit dem ich eine ziemlich gute Nacht erlebt habe. Keine Ahnung, was daraus wird.«
»Klingt doch spannend, halt mich auf dem laufenden!«
Wir setzten uns in die Küche und redeten von alten Zeiten. Ich servierte Tee und selbstgebackenen Käsekuchen, der mir diesmal großartig gelungen war! Leider aß Tante Elsie nur ein winziges Stückchen.
»Sag mal, Tante Elsie, glaubst du, daß ich einen Schaden habe, weil meine beiden Väter mich verlassen haben?«
Elsie lachte. »Glaube ich nicht. Du bist vielleicht ein bißchen vorsichtig. Aber das ist doch nicht schlecht!«
»Ich und vorsichtig?« Jetzt mußte ich lachen. »Schön wär's! Ich falle auf jeden Typen rein, der gut aussieht, unzuverlässig und bindungsunfähig ist.«
»Das meine ich ja. Du suchst dir immer solche aus, die dir nicht wirklich nahe kommen. So wird dir keiner gefährlich.«
»Also habe ich doch 'nen Schaden«, stellte ich fest.
»Würdest du Klaus gern wiedersehen?« fragte Elsie.
»Ich weiß nicht. Vielleicht lieber Oriòl. Von ihm habe ich die Gene. Vielleicht würde ich mich selbst besser kapieren, wenn ich ihn kennen würde.«
»Ich vermisse Klaus allmählich nicht mehr«, sagte Elsie leise. »Jahrelang dachte ich, ich könnte die Sehnsucht kaum aushalten. Aber jetzt ist es, als wäre er schon lange tot. Ich fange an, ihn zu vergessen.«
Ich hatte nie Sehnsucht gehabt. Weder nach Klaus noch nach dem Spanier. Sehnen kann man sich nur nach jemandem, an den man sich erinnert.

»Denkst du manchmal an deine Mutter?« wollte sie weiter wissen.
»Schon, aber wie an eine Fremde. Du bist mir viel näher.«
Tante Elsie drückte meine Hand. »Es war meine Rettung, daß es dich gab.«
»Weiß ich«, sagte ich.
Dann erkundigte ich mich nach Freunden und Nachbarn aus der Kleinstadt, in der ich aufgewachsen war. Tante Elsie erzählte drollige Anekdoten über jeden, und die Zeit verging, ohne daß wir es merkten.
Irgendwann fragte sie: »Sag mal, wieso wohnt eigentlich Uli hier? Hat die nicht mit ihrem Freund zusammengelebt?«
»Ja, schon«, antwortete ich grimmig, »bis der Scheißkerl sie betrogen hat. Und das, als sie schon schwanger war!«
»Unglaublich«, entfuhr es Elsie, »die Männer heutzutage scheinen auch nicht besser zu sein als zu meiner Zeit.«
Ich wußte, daß sie nach dem Tod ihres Mannes noch ein paar Männergeschichten hatte, die alle ziemlich übel endeten. Sie wollte aber nie darüber reden.
»Sag mal, was meintest du eigentlich vorhin auf dem Bahnhof? Du wolltest mir sagen, was mit dir los ist«, fragte ich.
Bevor sie antworten konnte, ging die Wohnungstür, und Uli kam nach Hause.
»Hallo, Tante Elsie«, sagte sie strahlend, und die beiden umarmten sich.
»Mensch, Mädchen, dich kann man ja keine paar Wochen allein lassen, schon kommste mit 'nem dicken Bauch nach Hause«, flachste Tante Elsie.
Uli lachte. Tante Elsie streichelte ihre Wange. »Du machst das schon, Uli!«
»Wir machen das schon!« korrigierte Uli und schaute zu mir, »ohne Cora wäre ich aus dem Fenster gesprungen.«
»Übertreib nicht!« wiegelte ich ab. »Du hättest das auch so geschafft.«

»Aber mit dir ist es schöner«, sagte Uli und küßte mich.
»Worauf hast du heute abend Lust, Tante Elsie?« wollte ich wissen. »Wir können ins Kino, ins Theater oder Essen gehen. Wir können auch hier etwas kochen und hinterher Trivial Pursuit spielen.«
Tante Elsie liebte Trivial Pursuit. Mich allerdings langweilte es tödlich, bunte Kästchen herumzuschieben, das Würfelglück herauszufordern oder idiotische Fragen zu beantworten. Aber aus Liebe zu Tante Elsie würde ich sogar das tun.
»Ehrlich gesagt, mir wäre ein ruhiger Abend zu Hause am liebsten. Die Reise hat mich doch ziemlich angestrengt«, entschied sie.
»Ist gut. Dann gibt's Nudeln mit Krabben und Broccoli.«
»Mach dir nicht zuviel Mühe«, bat sie, »ich habe zur Zeit nicht viel Hunger.«
Ich war berunruhigt. Tante Elsie hatte immer gern gegessen. Irgendwas stimmte nicht mit ihr.
Spät am Abend, als Uli schon schlafen gegangen war, erfuhr ich endlich, was los war. Sie hatte ernste Magenprobleme. Ihr Hausarzt vermutete ein Geschwür. Weil es gar nicht besser wurde, hatte er sie zu einem Spezialisten an unsere Uniklinik überwiesen.
»Aber ein Magengeschwür ist doch nichts Gefährliches?« fragte ich unsicher.
»Das hat ungefähr jeder dritte«, beruhigte sie mich, »und hier sitzt der absolute Magenspezialist. Der kriegt mich garantiert wieder hin.«
Das beruhigte mich halbwegs. »Ich begleite dich am Montag«, versprach ich ihr.

Beim Frühstück am Montagmorgen nahm Tante Elsie gar nichts zu sich.
»Ich soll nüchtern bleiben für die Untersuchung.«
Uli, die bereits ihr drittes Brötchen mampfte, hielt mit

Kauen inne. »Maffen die etwa eine Gaftrofkopie?« brachte sie mit vollem Mund heraus. Wir schauten sie fragend an. Sie schluckte schnell runter. »Entschuldigung«, lächelte sie, »ich meine natürlich eine Gastroskopie.«
»Ich weiß nicht«, sagte Elsie unsicher, »ich glaube, sie wollen eine Magenspiegelung machen, ist es das?«
Uli nickte und verzog das Gesicht. »O je«, meinte sie, »soviel ich weiß, ist das ziemlich unangenehm. Da muß man einen Schlauch schlucken.«
»Ach, weißt du«, gab Tante Elsie ungerührt zurück, »ich mußte in meinem Leben schon ganz andere Sachen schlucken!«
Wir lachten.

Wenig später wanderte ich auf einem Krankenhausflur auf und ab. Die Schwester war sicher, daß es zwei Stunden dauern würde, bis Tante Elsie wieder fit wäre. Ich hatte kurz überlegt, ob ich solange in ein Café gehen oder ein paar Einkäufe machen sollte, aber dann beschlossen, in ihrer Nähe zu bleiben.
Ich glaube, ich hasse nichts auf der Welt mehr als den Geruch von Krankenhäusern. Sobald ich eines betrete, klumpt sich mein Magen zusammen, und mir wird übel. Der Geruch macht mich fertig. Diese Mischung aus Desinfektionsmitteln, Essensgeruch und menschlichen Ausdünstungen, pfui Teufel! Ich wollte mich nicht mit Krankheit und Siechtum befassen. Wer krank war, war selber schuld. Wer krank war, war ein Verlierer.
»Alte, du bist echt bescheuert.«
»Ich weiß«, gab ich zerknirscht zu. »Aber weißt du, ich ertrage das Elend anderer einfach nicht.«
»Wie zartfühlend du bist«, höhnte meine bessere Hälfte. »Du mußt kranke Leute ja nicht bemitleiden, aber zu verachten brauchst du sie auch nicht.«

»Ich verachte sie nicht. Ich halte ihren Anblick nicht aus.«
»Du schiebst also einfach weg, was dir unangenehm ist.«
»Stimmt. Was ist falsch daran?«
»Daß es dich jederzeit auch treffen kann. Denk an deine Mutter!«
»Kann schon sein. Glaub' ich aber nicht.«
Sie schwieg einen Moment. Dann sagte sie im Tonfall größter Verachtung: »Manchmal bist du wirklich so dämlich, daß ich es kaum mit dir aushalte.«
»Na, dann verpiß dich doch einfach«, riet ich ihr kühl.
Vor mir ging eine Frau im hellblauen Polyestermorgenmantel. Sie ging ganz langsam, Schritt für Schritt, und schob ein Gestell mit einer Infusionsflasche neben sich her. Ihre Haare waren wirr und ungepflegt. Ich roch die säuerliche Ausdünstung, die sie umgab.
In einer Sitzecke, die achtlos mit ein paar unbequemen Stühlen und einem Resopaltisch möbliert war, hockte ein magerer alter Mann. Er hatte ein gelbes Gesicht mit unglaublich vielen Falten; gierig sog er an einer Zigarette, die er mit zitternden Fingern festhielt. Zwischendurch hustete er und spuckte den Auswurf in ein Taschentuch. Zum erstenmal war ich richtig froh, daß ich nicht mehr rauchte.
Die Schwester, die uns in Empfang genommen hatte, kam mit energischen Schritten den Flur entlang. Sie trug eine Nierenschale vor sich her. Ihre Gummisohlen machten ein schmatzendes Geräusch auf dem PVC-Boden. Als sie an mir vorbeiging, nickte sie mir kurz zu.
»Dauert noch.«
Na, prima. Das war ja ein reizender Vormittag.
Ich wanderte weiter den Flur entlang, auf und ab und wieder zurück.
Ich beneidete Menschen, die unbeeindruckt von ihrer Umgebung blieben. Die so stark waren, daß sie sozusagen die Oberhand behielten, egal, wie das Umfeld geschaffen war.

Bei mir gewann immer die Umgebung, ihr Eindruck war stärker als ich. Ich wurde zum Beispiel sofort depressiv, wenn ich auf einer Geschäftsreise ein scheußliches Hotelzimmer betrat und wußte: Hier mußt du drei Tage bleiben. Und die meisten Hotelzimmer waren scheußlich.

Endlich öffnete sich eine Tür, und Tante Elsie kam heraus. Sie sah ganz schön fertig aus und wurde von der Schwester gestützt, weil sie nach der Narkose noch wackelig auf den Beinen war.

»Der Befund geht dann direkt an Ihren Hausarzt«, rief ein Mann im weißen Kittel aus dem Untersuchungsraum hinter ihr her, »es wird aber ein paar Tage dauern.«

Tante Elsie drehte sich noch mal um. »Danke, vielen Dank.«

Das war also der superberühmte Magenspezialist, der meine geliebte Tante wieder in Ordnung bringen sollte. Ich fand, er wirkte reichlich jung und unerfahren. Aber da konnte man sich ja auch täuschen.

»Na, wie geht's dir?« fragte ich Tante Elsie anteilnehmend und stützte sie.

»Ich hatte schon angenehmere Vormittage«, krächzte sie.

»Das mit der Heiserkeit wird schnell besser«, erklärte die Schwester, »das kommt vom Schlauch.«

»Danke, vielen Dank«, sagte Elsie noch mal.

Die Schwester verabschiedete sich, und wir strebten zum Ausgang.

Als wir endlich draußen waren, hatte ich das Gefühl, einer Grabkammer entronnen zu sein. Dankbar atmete ich die frische Luft ein und blinzelte ins Licht.

»Alles wird gut, du wirst sehen«, sagte ich aufmunternd zu Tante Elsie. Aber eigentlich sagte ich es zu mir selbst.

Siebzehn

Uli wurde immer dicker. Ich konnte es nicht fassen, wie riesig so ein Bauch werden konnte, dabei war sie erst im sechsten Monat. Oder war es schon der siebte? Ich blickte nicht durch bei dieser Zählerei mit Wochen und Monaten. Mußte ich ja auch nicht.
Aber die Sache mit der Schwangerschaftsgymnastik konnte ich nicht mehr so leger behandeln. Immer wieder bat Uli: »Komm doch einfach mal mit! Du wirst sehen, es ist ganz lustig.«
Ich konnte mir lebhaft vorstellen, wie es aussah, wenn sich unförmige Schwangere in pastellfarbenen Jogginganzügen und zu kurzen Leggings am Boden wälzten. Sicher enthaarten sie ihre Beine und Achselhöhlen nicht, weil sie der Natur freien Lauf lassen wollten – wie beim Gebären. Inzwischen hatte ich zahllose Gespräche zwischen Uli und ihren Mitschwangeren verfolgt, in denen es darum ging, wie man den Geburtsvorgang so natürlich wie möglich gestalten könnte.
»Am tollsten wäre natürlich eine Hausgeburt«, hatte eine von ihnen geschwärmt, »in deiner gewohnten Umgebung, mitten im Kreis von Freunden – das wäre wirklich das Natürlichste!«
Sofort hatte ich Einspruch erhoben. Ulis gewohnte Umgebung war meine Wohnung, und ihre Freunde waren Thomas und ich. Ich wußte nicht, wie Thomas dazu stand, aber ich hatte nicht die geringste Lust, Zeugin einer Geburt zu werden.
Im übrigen fand ich, daß eine Geburt alles andere als ein natürlicher Vorgang war. Das Ganze war inzwischen zu

einem medizinischen Vorgang geworden, den man in einer guten Klinik so schnell wie möglich hinter sich bringen sollte. Je mehr technisches Gerät und High-Tech-geschultes Personal dabei zur Verfügung stand, desto besser!

Mit dieser Meinung hatte ich mich natürlich sofort ins Abseits manövriert. Mitleidig schauten mich die schwangeren Damen an. Wie ich diese selbstgerechte Art haßte!

Aber es half alles nichts, Uli wollte unbedingt, daß ich sie zur Gymnastik begleitete, und irgendwann ließ ich mich breitschlagen.

Die Wirklichkeit übertraf bei weitem meine Erwartungen. Die Jogginganzüge waren noch pastellfarbener, die Leggings noch kürzer und die Beine noch haariger, als ich mir das vorgestellt hatte.

Weit mehr als ihre Garderobe schockierte mich aber, daß die meisten der Frauen erst Anfang Zwanzig waren. Junge Mädchen fast noch, deren ganzes lustiges Leben noch vor ihnen lag, hatten nichts Besseres zu tun, als sich mit Kindern zu belasten! Uli war bei weitem die älteste, was deshalb besonders auffiel, weil sie auch noch »Erstgebärende« war. Die meisten anderen Frauen hatten schon Kinder.

All das erfuhr ich in kürzester Zeit, weil diese Mädchen hemmungslos von sich erzählten und über die intimsten Vorgänge plauderten, als tauschten sie Rezepte für Weihnachtsplätzchen aus.

Zwei werdende Väter, die beide so aussahen, als wären sie noch nicht trocken hinter den Ohren, waren auch mit von der Partie. Sie wirkten etwas eingeschüchtert von der massiven weiblichen Präsenz und den Gesprächsthemen. Aber einer tat sich nach anfänglicher Schüchternheit durch eifrige Fragen hervor. Alle paar Minuten hob er den Finger und wollte wissen, wie es sich anfühlt, wenn die Fruchtblase platzt, und ob man die Frau bei den Preßwehen anfeuern soll.

Die Kursleiterin trug ein orangefarbenes Hängerchen und war selbst schwanger. »Ich erwarte mein fünftes Kind«, lächelte sie, als er sie auch danach befragte.
Diese Schwangerschaftshormone mußten ja tierisch anturnen, wenn manche davon so süchtig wurden, daß sie mit dem Kinderkriegen gar nicht mehr aufhören konnten! Was, zum Teufel, brachte diese Weiber sonst dazu, sich unbedingt fortpflanzen zu wollen? War es das Gefühl von Wichtigkeit? Eine schwangere Frau erregt immerhin Aufmerksamkeit; wenn sie Glück hat, sind die Leute ein bißchen netter und rücksichtsvoller zu ihr als sonst. Vielleicht benehmen sich auch die Männer in der Zeit besser, in der ihre Frauen schwanger sind. Wenigstens manche.
Vielleicht war ihre Schwangerschaft für diese grauen Mäuse auch die einzige Chance, für einige Zeit herauszutreten aus der Masse der anderen grauen Mäuse. Vielleicht gab sie ihnen das Gefühl, daß ihr Leben einen Sinn hatte. Denn welchen Sinn machte es schon, hinter der Kasse eines Supermarkts oder am Fließband zu stehen?
Ich fing fast an, die Mädels zu verstehen. In ihrer Lage würde ich vielleicht auch lieber Kinder kriegen. Aber warum mußte Uli, deren Leben überhaupt nicht eng und langweilig war, ein Kind kriegen?
»Und jetzt beenden wir die Plauderstunde und legen uns alle auf den Rücken!« ertönte die Stimme der Kursleiterin.
Wie in einer Schulklasse hörten allmählich alle auf zu schwätzen. Wenig später hörte man ruhige Atemzüge und vereinzelt ein Gähnen oder Schnarchen.
Aus Solidarität mit Uli legte ich mich auch hin, schließlich wollte ich nicht unangenehm auffallen. Wie ich es erwartet hatte, befiel mich sofort eine bleierne Müdigkeit. Nur mühsam blieb ich wach, lauschte den Anweisungen des orangefarbenen Hängerchens und versuchte den Käsefüßegeruch zu ignorieren, der mir in die Nase stieg.

»Und nun kommen wir zu den Partnerübungen.«
Mein Auftritt! Blinzelnd schreckte ich hoch. Glücklich wandte Uli sich mir zu. Das Hängerchen gab weitere Kommandos: »Wir massieren uns jetzt gegenseitig den Rücken, dabei atmen Sie bitte in die Hand des Partners und konzentrieren sich auf die Strahlung, die von ihr ausgeht!«
Wie, bitte, atmet man in eine Hand? Und von welcher Strahlung redete diese Frau?
Uli ergriff die Initiative. »Ich massiere erst dich, und dann du mich.«
In Gottes Namen. Gegen eine Rückenmassage von der besten Freundin war eigentlich nichts einzuwenden. Brav hielt ich still, atmete tief durch und gab wohlige Grunzlaute von mir, damit Uli ein Erfolgserlebnis hatte.
Nach fünf Minuten tauschten wir die Rollen, und ich setzte mich hinter Uli. Ich hatte vergessen, wie anstrengend es ist, jemanden zu massieren. Nach kurzer Zeit schmerzten meine Finger und Handballen.
»So, und jetzt stehen Sie bitte auf, stellen sich Rücken an Rücken und spüren einfach den anderen.«
Folgsam lehnte ich mich an Ulis Rücken. Unsere Pos stießen aneinander und waren sich gegenseitig im Weg.
»Zu guter Letzt erfühlen Sie bitte gegenseitig Ihr Kreuzbein und drücken mit aller Kraft dagegen. Hier werden Sie bei der Geburt den Hauptschmerz fühlen; machen Sie sich mit der Stelle vertraut.«
Ah, endlich sollte ich erfahren, wo das Kreuzbein sitzt! Armer Michael, das entging ihm nun alles, dem Bedauernswerten! Uli legte ihre Hand auf eine Stelle oberhalb meines Hinterns und drückte.
»Hey, ich brauche mich mit meinem Kreuzbein nicht vertraut zu machen«, wehrte ich ab.
Dann drückte ich auf ihren verlängerten Rücken, und endlich war die Stunde um.

»Na, wie hat es dir gefallen?« fragte Uli auf dem Nachhauseweg. Um den Mief aus der Nase zu kriegen, hatte ich darauf bestanden, zu Fuß zu gehen.

»Ganz nett«, sagte ich, »muß doch irgendwie tröstlich sein, zu sehen, daß man nicht allein in so 'ner mißlichen Lage steckt.«

Uli schüttelte den Kopf und lachte. Zum Glück hatte sie ihren Humor wiedergefunden und war nicht mehr so mimosenhaft wie am Anfang der Schwangerschaft.

»Du kannst es nicht lassen, was?« sagte sie und knuffte mich in die Seite.

»Ach was«, antwortete ich, »ich habe mich doch längst mit meinem zukünftigen Tanten-Status abgefunden.«

Uli blieb stehen. »Du würdest wirklich Patentante werden?« fragte sie aufgeregt. »Ich habe mich gar nicht getraut, dich danach zu fragen, obwohl ich es mir so wünschen würde!«

Ich hatte das nur so dahingesagt. Jetzt war ich etwas überrumpelt. »Äh, was haben Patentanten denn für Aufgaben?« erkundigte ich mich ausweichend.

»Na ja, sie machen am Geburtstag und an Weihnachten Geschenke, passen öfter mal auf das Kind auf und nehmen es in den Ferien zu sich. Und wenn den Eltern etwas zustößt, nehmen sie das Kind bei sich auf.«

Ich hatte ja nun schon die Mutter bei mir aufgenommen, und jetzt auch noch das Kind? Schlagartig wurde mir klar, daß ich vermutlich beide nicht mehr so schnell loswerden würde, Patentante oder nicht.

Bevor ich noch was sagen konnte, fuhr sie schnell fort. »Aber keine Sorge, es gibt ja auch noch einen zweiten Paten.«

»Ach ja? Wen denn?«

Uli zögerte. »Also, ich habe ihn noch nicht gefragt, aber wenn er Lust hätte . . .«

»Wer denn?«
»Na, Thomas.«
Thomas? Jetzt staunte ich aber. »Wie hat der sich denn für die Tätigkeit als Patenonkel qualifiziert?«
»Thomas ist wahnsinnig lieb zu mir, ist dir das nicht aufgefallen?«
Mir war natürlich überhaupt nichts aufgefallen.
»Ehrlich gesagt, nehme ich sogar an, er ist in mich verliebt.«
»Waaas? Wer verliebt sich denn in eine Schwangere?« entfuhr es mir.
»Na, hör mal«, sagte sie beleidigt, »ich habe zwar einen dicken Bauch, aber doch keine eklige Krankheit. Außerdem weiß er, wie ich ohne Bauch aussehe, und davon abgesehen gibt es Männer, die schwangere Frauen erotisch finden!«
»Ja, wenn das Kind von ihnen ist«, warf ich ein. »Das ist doch die pure Eitelkeit, daß sie es mit ihrem allertollsten Teil geschafft haben, der Frau diese Kugel zu machen.«
»Das trifft vielleicht auf Männer wie Michael zu«, sagte Uli und holte Luft, um den Satz zu beenden. Dazu kam sie allerdings nicht mehr, denn im gleichen Moment stand Michael vor uns.
An seinem Arm klebte Doris, das Busenwunder vom Badesee. Sie trug einen schwarzen Ledermini und Overknee-Stiefel. Ihren Atombusen hatte sie in ein rosa Kunstlederjäckchen gequetscht. Sie hätte ohne weiteres auf dem Straßenstrich stehen können.
Michael war wie immer in langweiligem englischem Tuch. Neu war nur ein unsäglich bescheuerter Trachtenhut, den ihm sicher Doris aufgeschwatzt hatte.
»Was trifft auf mich zu?« fragte er, wartete die Antwort aber nicht ab. »Schön, daß du von mir sprichst.« Er grinste Uli, die leichenblaß geworden war, breit an.
Doris schaute unsicher zwischen uns hin und her. »Kennen wir uns nicht?« fragte sie schließlich.

»Ja, leider«, konnte ich mir nicht verkneifen zu sagen. »Du hast im Sommer schon mal deine Titten vor uns geschwenkt, als wir in trauter Runde am See saßen.«
Doris schien ein Licht aufzugehen, und Michael hatte plötzlich keine Lust mehr, das Gespräch zu vertiefen. »Laß uns gehen«, murmelte er und wollte Doris weiterziehen. Aber so einfach sollte er es nicht haben. Ich verstellte ihm den Weg.
»Willst du deine Ex-Lebensgefährtin nicht fragen, wie es ihr geht? Immerhin ist das dein Kind da drin!« fauchte ich ihn an und zeigte auf Ulis Bauch. »Im übrigen hoffe ich sehr, daß du demnächst deine Alimente zahlst!«
»Waaas?« Doris lief rot an. »Die ist schwanger von dir? Das hast du mir nie erzählt!«
Michael versuchte verzweifelt, sie wegzuziehen, und sonderte die gleichen Beschwichtigungsformeln ab wie damals am See. »Ich erkläre dir alles, das ist ein Mißverständnis, laß uns erst mal weitergehen . . .«
Aber Doris dachte nicht daran. Mitten auf der Straße machte sie Michael eine Szene, die sich gewaschen hatte.
»Du Scheißkerl, du Lügner!« keifte sie, und man sah Michael an, daß er am liebsten in den Boden versunken wäre.
Zufrieden schaute ich zu.
Uli zog mich am Ärmel. »Komm«, flüsterte sie mit schwacher Stimme.

Zu Hause legte sie sich ins Bett und sagte keinen Ton mehr. Zusammengekrümmt lag sie da und hielt die Augen geschlossen. Mit den Armen umfaßte sie ihren Bauch. Nur manchmal hörte ich ein leises Wimmern.
Ich saß an ihrem Bettrand und streichelte ihren Rücken. Es dauerte lange, bis sie sich schließlich umdrehte und mich ansah. Die Tränen liefen ihr aus den Augen.
»Es soll aufhören. Es tut so weh!«

Ich erschrak. »Hast du Schmerzen? Sind es die Wehen?«
Sie mußte trotz ihres Kummers lachen.
»Nein, du Dumme. Der Schmerz sitzt hier.« Sie zeigte auf ihr Herz.
»Aber ich dachte, mit dem Thema bist du durch?«
»Dachte ich ja auch. Aber ihm plötzlich gegenüberzustehen, ihn mit dieser ... dieser ...«
»Schlampe«, half ich aus.
»... mit dieser Person zu sehen, das hat doch ganz schön reingehauen.«
»Aber du liebst ihn doch gar nicht mehr?« fragte ich bang.
»Ich glaube, nicht. Aber immerhin waren wir vier Jahre zusammen, das Kind ist von ihm ... es tut einfach weh, verstehst du das nicht?«
Ich war natürlich der Meinung, daß es ein Segen für alle Beteiligten war, wie die Dinge sich entwickelt hatten. In diesem Moment war das aber sicher kein Trost für Uli.
»Sag mal, könntest du dir denn vorstellen, mit Thomas zusammenzusein?« Ich wollte sie auf andere Gedanken bringen.
»Ich weiß es nicht. Er ist wirklich ein guter Typ, wir hatten tolle Gespräche in der letzten Zeit. Aber ich bin ja nicht mal sicher, ob er sich wirklich für mich interessiert.«
»Aber nimm mal an, es wäre so«, insistierte ich, »käme er als Mann für dich in Frage?«
»Wie soll ich das denn rausfinden? Meinst du wirklich, ich sollte ihn verführen, in meinem Zustand?«
»Du hast doch selbst gesagt, viele Männer finden Schwangere erotisch!«
»So genau weiß ich das ja auch nicht«. Sie machte einen Rückzieher. »Außerdem, stell dir vor, wie unser Honeymoon aussähe: Schlaflose Nächte mit einem schreienden Säugling, ich mit Stilleinlagen im BH und Stützstrümpfen an den Beinen – sehr erotisch!«

»Wahre Liebe übersteht auch solche Belastungsproben!« verkündete ich zuversichtlich.
»Wir hätten gar keine Zeit, uns richtig kennenzulernen, immer wäre das Kind dabei«, argumentierte sie weiter.
»Also, wenn du das als Problem ansiehst, kannst du ja nie mehr einen Mann an dich ranlassen.«
»Wäre vielleicht auch das beste«, sagte Uli und drehte sich wieder weg.
Sanft legte ich eine Decke über sie.
»Schlaf ein bißchen. Wenn du mich brauchst, ich bin da.«
Uli murmelte etwas Unverständliches, und ich ließ sie allein.

Achtzehn

Jim Knopf rannte mir die Bude ein, und ich ließ mich immer wieder zu neuen Treffen überreden, weil ich es so wunderbar fand, mit ihm zu schlafen. Aber ich wußte genau, daß diese Geschichte keine Zukunft hatte.
Erstens war es so, daß ich gewissermaßen seine Vorgesetzte war. Das, was ich Jens Macke vorgeworfen hatte, machte ich jetzt selbst: Ich schlief mit meinem Mitarbeiter.
Zweitens war der Junge wirklich noch ein halbes Kind, und ich wollte mich bestimmt nicht ernsthaft in eine Teenie-Affäre stürzen. Es konnte doch nur eine Frage der Zeit sein, bis er unsterblich in mich verliebt wäre und anfangen würde, mir auf den Wecker zu gehen.
Und drittens war ich schwer beschäftigt mit der Vorbereitung der großen Versteigerung. Eigentlich hatte ich also gar keine Zeit für diese erotischen Ablenkungen.
Evelyn, meine Freundin mit der feinen Adressensammlung, war sofort bereit gewesen, mir zu helfen. Sie betrieb eine Veranstaltungsagentur, mit der sie überwiegend Wohltätigkeitsgalas und Big Events für die Adel- und Geldschickeria organisierte. Sie selbst war eine »von und zu«, sah ihre blaublütige Verwandtschaft aber eher kritisch. Wie ich ging sie die Sache pragmatisch an: Die Leute, die Kohle hatten, mußten hergeschafft werden. Damit sie kamen, mußte man ihnen was bieten. Und wir würden eine Menge bieten an diesem Abend!
Ich hatte den Senior-Chef des exklusivsten Party-Service unserer Stadt so lange bequatscht, bis der nicht mehr anders konnte, als uns das Buffet zu spendieren. Im Gegenzug wollte er mich dazu überreden, mal mit seinem Sohn aus-

zugehen. Der Junge hatte offenbar Kontaktschwierigkeiten, und Papa fand, ich sei genau die richtige Frau für ihn!
Danach hatte ich mir den Präsidenten der Schlösser-, Gärten- und Seenverwaltung vorgeknöpft, einen vornehmen adeligen Juristen, dem ich ebenfalls klarmachte, wie wichtig unsere Veranstaltung zugunsten des Kinderheims war. Als guter Christ konnte er sich meiner Bitte nicht verschließen. Er stellte uns den Kaisersaal der Residenz zur Verfügung, einen herrlichen Raum mit goldenem Stuck und einer imposanten Gewölbedecke.
Der entschieden mühsamste Teil meiner Arbeit war die Akquisition der Kunstwerke. Ivan hatte mir vierzehn Adressen von Kollegen gegeben, die in der ganzen Republik verstreut lebten. Zwei Wochen lang fuhr und flog ich durch die Gegend, um allerhand durchgeknallte Künstler zur Herausgabe ihrer Werke zu überreden. Das heißt, die meisten waren eigentlich ganz nett, vielleicht ein bißchen versponnen. Richtig ätzend war nur Irma Sonnenberg, eine Installationskünstlerin, deren Entwürfe und Zeichnungen für ein Schweinegeld gehandelt wurden, weil sie ihre Installationen unter Ausschluß der Öffentlichkeit aufbaute. Sie vertrat die Meinung, ein Kunstwerk stünde für sich und ginge nur den Künstler etwas an. Betrachter störten diese Beziehung nur und müßten deshalb ausgeschlossen werden.
Ich fand den Einfall genial, denn ich ging davon aus, daß sie die irrwitzig teuren und aufwendigen Installationen gar nicht herstellte, weil ja ohnehin kein Schwein sie zu Gesicht bekam. Mit dieser Geheimniskrämerei stachelte sie aber das Interesse der Öffentlichkeit an und trieb die Preise für ihre Zeichnungen in die Höhe. Zweifellos ein Marketing-Talent, die Frau!
Sie empfing mich in einer Fabriketage im Osten Berlins, die genauso aussah, wie Lieschen Müller (und das war ich ja gewissermaßen) sich ein Künstlerdomizil vorstellt.

An den Wänden lehnten halbfertige Bilder, der Holzboden war über und über mit Farbspritzern bedeckt, in einem Metallregal stapelten sich Bildbände und Kunstzeitschriften, überall standen leere und halbvolle Flaschen sowie überquellende Aschenbecher herum.
Die Künstlerin trug ein wallendes Gewand aus orientalischem Stoff, aus dessen Ausschnitt ihr halber Busen rausfiel, einen Turban und türkische Schnabelschuhe. Ihr Gesicht war fast weiß geschminkt, ihre Augen schwarz umrandet und ihr Mund grellrot bemalt. Ich hätte ihr Alter nicht schätzen können, irgendwas zwischen vierzig und sechzig, nahm ich an. Sie hielt eine halbmeterlange Zigarettenspitze in der nach außen abgeknickten Hand und sah mich mit schräggelegtem Kopf an. Die gesamte Szenerie wirkte künstlich arrangiert, wie für eine Filmaufnahme.
»Na, Schätzchen, von welcher Zeitung kommst du?«
»Ich bin nicht von der Presse. Es geht um eine Spende für eine Wohltätigkeitsveranstaltung . . .«
». . . Wohltätigkeitsveranstaltung?« kreischte sie. »Zu mir war auch niemand wohltätig, ich habe mich hochgearbeitet von ganz unten, ich habe nichts zu verschenken!!!«
»Ivan Remky schickt mich, er hat Ihnen meinen Besuch doch angekündigt!«
»So, hat er? Kann ich mich nicht erinnern.« Ihr Tonfall wurde etwas weicher. »Ivan, wie geht's ihm? Toller Mann, nur schade, daß Männer mein erotisches Instrument nicht zum Klingen bringen!«
Ach so, ich war bei einer Lesbe gelandet! Hoffentlich brachte *ich* ihr erotisches Instrument nicht zum Klingen.
»Und was willst du von mir?« fragte sie schroff.
»Es geht um die Rettung eines Heimes für behinderte Kinder. Wir machen eine Versteigerung von Kunstwerken; mit dem Erlös wird das Heim erhalten. Wenn Sie uns einige Ihrer Zeichnungen zur Verfügung stellen würden . . .«

»Umsonst? Wie komme ich denn dazu?«
Jetzt reichte es mir. Mit der Alten mußte man offenbar Tacheles reden, bei der kam man mit guten Umgangsformen nicht weiter. Ich holte tief Luft und legte los. »Weil ein paar Farbkleckser von Ihnen so viel Geld einbringen, wie ein normaler Mensch im Monat zum Leben hat! Weil es Sie nicht die geringste Mühe kosten würde, kranken Kindern zu einem erträglichen Dasein zu verhelfen! Und weil eine Menge Ihrer Kollegen nicht so geizig und zickig sind, wie Sie sich gerade anstellen!«
Schluck. Jetzt war ich vielleicht doch ein bißchen weit gegangen. Ich wollte mich gerade umdrehen und gehen, weil ich das Gefühl hatte, die Sache sei gelaufen, als ich ihre Stimme hörte, die plötzlich honigsüß klang.
»Mensch, Schätzchen, du hast ja richtig Feuer im Hintern! Das mag ich. Rede weiter so mit mir, das macht mich an!«
Genau das wollte ich ja eigentlich nicht! Aber was tat man nicht alles für die gute Sache. Ich brüllte sie also wieder an. »Was glauben Sie denn, wer Sie sind? Picasso? Dilettanten wie Sie gibt es Tausende! Nur aus Freundschaft hat Remky mir Ihren Namen gesagt! Sie müßten mir auf Knien danken, daß wir Ihren Schrott überhaupt in die Versteigerung aufnehmen!«
Laszivwand Irma Sonnenberg ihren Körper unter meiner Wortprügel. Ganz offensichtlich handelte es sich bei ihr um eine Verbalmasochistin, die es liebte, beschimpft zu werden. Mir fing die Sache an, Spaß zu machen. Womöglich war ich eine Verbalsadistin und wußte es nicht?
»Zeig mir dein Geschmiere!« herrschte ich sie an. Ich duzte sie jetzt auch, das paßte irgendwie besser.
Beschwingt wie ein junges Mädchen sprang sie in ihrem Atelier umher und zeigte mir eine Auswahl ihrer Blätter.
»Nimm diese hier«, schmeichelte sie.
»Nein«, brüllte ich.

»Oder diese?« fragte sie flehend.
»Du spinnst wohl, mir solchen Mist unterjubeln zu wollen!«
»Wie gefällt dir das, meine Kleine?« gurrte sie und hielt mir die Zeichnung eines riesigen schwarzen Bunkers unter die Nase, aus dessen Eingang rotes Feuer loderte. Das sah gut aus.
»Die nehme ich. Und diese. Und die drei da hinten. Hast du noch mehr, du Versagerin? Los, vorwärts, beweg deinen dicken Arsch!«
Je unflätiger ich wurde, desto geiler wurde sie. Lustvolle kleine Stöhner drangen aus ihrem Mund, und ich fürchtete, daß sie sich jeden Moment auf mich stürzen würde. Es war höchste Zeit, daß ich mich aus dem Staub machte.
»Also dann, herzlichen Dank, Frau Sonnenberg, für Ihre freundliche Kooperation!« sagte ich im höflichsten Tonfall der Welt.
Sie blieb stehen, wie vom Donner gerührt. Ein voller Interruptus.
Ich schnappte mir die Bilder und machte, daß ich rauskam.

Zu Hause angekommen, nahm ich mir Ivan vor.
»Sag mal, hättest du mich nicht ein bißchen vorbereiten können? Diese Sonnenberg ist ja ein ziemlich spezieller Fall, das hätte ich schon gern vorher gwußt!«
Ivan lachte. »Das habe ich dir extra nicht gesagt, sonst wärst du vielleicht nicht hingefahren.«
»Ach so, du hältst mich für feige?«
»Quatsch, aber wie hätte ich sie dir beschreiben sollen? Du hättest dir in jedem Fall das Falsche vorgestellt, deshalb fand ich es besser, dich deiner Intuition zu überlassen.«
»Nett von dir, so mache ich doch wenigstens ein paar neue Erfahrungen.«
»Was hast du ihr denn aus dem Kreuz geleiert?«
»Fünf Stücke, du wirst es nicht glauben.«

»Im Gegenteil, ich habe nichts anderes erwartet. Ich weiß doch, auf welchen Typ Frau die abfährt. Hat sie dich rumgekriegt?«
»Spinnst du?« kreischte ich jetzt. »Ich mag in sexueller Hinsicht etwas gestört sein, aber alles hat seine Grenzen!«

Das Ergebnis meiner Bettelreise konnte sich sehen lassen: Zweiundvierzig Arbeiten von neun Künstlern standen zur Versteigerung bereit. Ich war, ehrlich gesagt, ziemlich stolz. Außerdem hatte es mir großen Spaß gemacht, mal wieder herumzureisen, neue Leute zu treffen und in anderen Städten zu sein. Ich hatte mir in den letzten Monaten zu Hause echt den Hintern plattgesessen.
Ivan war hoch zufrieden, besonders, als ich ihm die Gästeliste zeigte: Über zweihundert Gäste aus Politik, Wirtschaft, Medien und Hochadel würden kurz vor Weihnachten in der Residenz versammelt sein. Um diese Zeit waren die Leute in Spendierlaune, so hoffte ich wenigstens.
Nun fehlte nur noch der Clou: Ein Auktionator, der den Leuten das Geld aus der Tasche quatschen würde.
Ich hatte natürlich längst eine Idee!

Anatol Dunkelangst war eine Institution. Er leitete seit ewigen Zeiten den Kulturteil des »Abendblattes«, war ein geistreicher Kritiker und begnadeter Redner. Ständig hockte er in irgendwelchen Talkshows, wo er meist der einzige Lichtblick war, weil er witziger und charmanter war als die anderen Gäste zusammen. Wenn jemand wie er den Hammer schwingen würde, dann wäre der Erfolg des Abends gesichert! Aber wie sollte ich an ihn rankommen?
Ich überlegte hin und her, ob ich nicht jemanden kannte, der mir den Kontakt machen könnte. Plötzlich fiel mir Max ein! Als ich mich vor Jahren in den germanistischen Seminaren der Uni langweilte, war er einer meiner Verehrer gewesen.

Max war ungeheuer gebildet, hatte bei jeder Gelegenheit ein Klassikerzitat parat und schrieb mir damals meine Hausarbeiten. Als Gegenleistung ging ich gelegentlich mit ihm ins Bett oder begleitete ihn zu Dichterlesungen.
An einem solchen Abend, der israelische Schriftsteller Amos Oz las in der jüdischen Buchhandlung, hatte ich seine Schwester kennengelernt. Sie war zu der Zeit die Freundin von Jannis Dunkelangst, dem ältesten Sohn des bedeutenden Kritikers. Mir war das damals ziemlich schnuppe gewesen, aber nun erinnerte ich mich daran.
Ich hatte Max seit Jahren nicht gesehen, ja, ich wußte nicht mal, ob er noch in der Stadt lebte. Doch mit einem Blick ins Telefonbuch hatte ich ihn gefunden. Es dauerte ein paar Tage, bis ich ihn endlich erreichte, und dann war ich ziemlich überrascht, als er plötzlich am Telefon war.
»Willkommen im Mittelalter, hast du eigentlich keinen Anrufbeantworter?« platzte ich heraus.
»Ähem, wer ist denn da, bitte?«
»Deutsche Dichtung der Gegenwart, Theater in der DDR, Büchner und seine Zeit . . .«, half ich ihm mit ein paar Seminartiteln auf die Sprünge.
»Ich verstehe nicht ganz . . .«
»Mensch, Max, ich bin's, die Muse deiner tristen Studententage!«
»Cora?«
»Der Kandidat hat hundert Punkte!«
»Cora! Das ist ja wirklich eine Überraschung! In welcher Versenkung warst du verschwunden?«
»In den Niederungen des Kommerzes, wenn du es wirklich wissen willst. Wofür ich einen Magister in Germanistik habe, frage ich mich bis heute. Und du? Was bist zu inzwischen, Professor für Mediävistik?«
»Dozent für Linguistik, Spezialgebiet Lautverschiebung.«
»Klingt aufregend! Hör mal, können wir uns nicht mal tref-

fen? Ich habe da ein paar Fragen, und außerdem ... ich würde mich echt freuen, dich wiederzusehen.«
Ich war wirklich neugierig auf ihn. Wir verabredeten uns für einen der nächsten Abende.
Er war kein besonders aufregender Liebhaber gewesen, eher konventionell, aber zuverlässig. Undenkbar, daß ihn die Leidenschaft übermannte und wir uns schon auf dem Weg ins Schlafzimmer die Kleider vom Leib gerissen hätten, wie das zum Beispiel mit Jim Knopf passieren konnte!
Nein, die Treffen mit ihm, die meistens in seiner superaufgeräumten Wohnung stattfanden, waren von langer Hand präzise vorbereitet. Meist hatte er ein paar leckere Sachen eingekauft, ein guter Wein stand bereit, und Kerzen waren aufgestellt. Auf dem Plattenteller lag das »Köln Concert« von Keith Jarrett, und das Bett war frisch bezogen.
Ich schätzte diese Fürsorglichkeit, die meisten Männer verschwendeten nicht die geringste Energie auf so was, und ich wußte nicht, in wie vielen Betten ich schon gelegen hatte, in denen ich bei genauerer Nachforschung Haare meiner Vorgängerinnen gefunden hätte.
Max hatte als Treffpunkt eine Art Jazz-Café vorgeschlagen, das ich nur vom Namen kannte. Es galt als Juristen- und Medizinertreff, wo Typen wie Michael verkehrten, auf die ich noch nie scharf war. Er saß im eleganten Zweireiher in einer Nische und erwartete mich. Sein hellbraunes Haar war etwas schütter geworden, sein scharfgeschnittenes Gesicht paßte gut zu der Vorstellung, die ich mir von einem Sprachforscher machte. Eine untadelig gepflegte Hand nahm die meine und führte sie an die Lippen.
»Wie viele Jahre sind ins Land gegangen? Weltreiche sind versunken, seit ich dein Antlitz sah, dem meinen nah«, zitierte er einen mir nicht bekannten Autor.
Da mein Zitatenschatz nicht ganz so reich war, zog ich die zeitgenössische Form der Begrüßung vor. Ich hauchte

ihm einen Kuß auf die Wange und setzte mich auf einen Stuhl.

»Du bist älter geworden. Steht dir aber gut«, faßte ich meinen ersten Eindruck zusammen.

»Du warst eine Knospe, als wir uns trafen. Jetzt stehst du in voller Blüte«, formulierte er denselben Tatbestand bedeutend poetischer.

Ich lachte. »Jetzt hör auf, Max! Laß uns reden wie zwei Menschen des zwanzigsten Jahrhunderts!«

»Sind wir das denn?« sinnierte er weiter. »Sind wir nicht Opfer einer Sinnestäuschung oder, schlimmer noch: eines riesigen Betruges?«

»Was meinst du denn damit?« wollte ich wissen.

»Irgendso ein verrückter Monarch sechshundertnochwas, Karl der Dicke oder so, wollte um jeden Preis eine Jahrtausendwende erleben. So hat er befohlen, das Jahr Siebenhundert zum Jahr Tausend zu erklären. Und seither fehlen uns dreihundert Jahre. Wir sind also erst im Jahre 1695.«

Ich staunte. »Ach komm, wer hat dir denn den Bären aufgebunden?«

»Darüber gibt's jede Menge Literatur. Aber egal, laß uns einfach so tun, als wären wir im zwanzigsten Jahrhundert.«

Ich bestellte einen Gin Tonic und lehnte mich bequem zurück.

»Wie lebst du, was machst du?« erkundigte sich Max.

Ich hatte überhaupt keine Lust, von mir zu erzählen. »Ich will erst etwas von dir hören«, forderte ich ihn auf.

Max überlegte. Im Hintergrund liefen die »Lounge Lizzards«, die ich mal mit Flori in der »Knitting Factory« in New York gehört hatte. Es war einer unserer schönsten Abende gewesen.

»Was soll ich dir erzählen?« fragte Max. »Was ich mache, weißt du, wo ich wohne, hast du im Telefonbuch nachgelesen, mein Familienstand ist – noch – ledig, mein Einkommen mittelmäßig und mein gesellschaftliches Leben zufriedenstellend.«

»Wieso: noch?« fragte ich, wie aus der Pistole geschossen.

»Ähm, was meinst du?«

»Ich meine, wieso sagst du ›noch‹ ledig?«

Er lachte. »Weil ich kurz vor der Verheiratung stehe.«

Kurz vor der »Verheiratung«. Der Mann war wirklich nicht aus diesem Jahrhundert!

»Wer ist denn die Glückliche?«

»Eine sehr begabte Mathematikerin. Ich habe sie über ein Zeitungsinserat kennengelernt.«

»Über eine Kontaktanzeige?« Das paßte zu ihm. »Akademiker, Nichtraucher, Katzenhaarallergiker, feinsinnig, sensibel und beständig, sucht Frau zum Lieben und Diskutieren. Kenntnisse in Literatur Voraussetzung.« Ungefähr so mußte der Anzeigentext gelautet haben. Aber warum hatte sich ausgerechnet eine Mathematikerin gemeldet?

»Nein, nein«, riß Max mich aus meinen Phantasien, »ich wollte nur meinen alten Computer verkaufen, und sie meldete sich auf meine Kleinanzeige in ›Gesucht & Gefunden‹. Jetzt hat sie einen Computer und ich eine Frau.«

»Du hast ihr deinen Computer verkauft, obwohl du dich in sie verliebt hast?«

»Na klar, deshalb hatte sie sich ja gemeldet!«

»Du hättest ihn ihr ja schenken können.«

»So toll ist mein Gehalt nun auch wieder nicht«, verteidigte er sich.

»Ist ja auch egal, nach der Hochzeit gehört das Ding ohnehin euch beiden.«

»Keineswegs«, korrigierte mich Max, »wir haben selbstverständlich einen Ehevertrag und Gütertrennung. Kein vernünftiger Mensch heiratet heutzutage einfach so.«

»Kein vernünftiger Mensch heiratet heutzutage überhaupt«, stellte ich richtig.

»Mag sein«, erwiderte Max, »wir wagen es trotzdem.«

»Wenn ich schon heirate, dann doch mit dem Vorsatz, mich nie mehr zu trennen«, beharrte ich. »Mit einem Ehevertag kalkuliere ich aber die Trennung ein. Also, ich wäre stinksauer, wenn einer das von mir verlangen würde!«

»Du siehst das falsch, Cora. Früher war die Ehe eine Versorgungsinstitution für Frauen. Heute, wo ihr selbständig seid, braucht ihr uns nicht mehr als Ernährer.«

»Ich find's trotzdem unromantisch, aber Liebe ist ja bekanntlich, wenn deine Neurosen mit den Neurosen deines Partners harmonieren. Ich wünsche dir jedenfalls viel Glück. Übrigens, wie geht's deiner Schwester?« lenkte ich das Gespräch in die gewünschte Richtung.

»Oh, gut! Sie ist in Amerika bei den Vereinten Nationen.«

»War sie nicht mal mit dem Sohn von diesem Kritiker liiert?« fragte ich beiläufig.

»Du meinst Jannis Dunkelangst?«

»Genau! Weißt du, was aus dem geworden ist?«

»Er ist ein guter Freund von mir! Macht Theaterregie, ziemlich ausgeflipptes Zeug.«

»Kennst du seinen Vater?«

»Anatol, natürlich! Weißt du, daß er mir mal gestanden hat, daß er lieber einen Sohn wie mich gehabt hätte?«

»Statt Jannis? Wieso denn?«

»Jannis ist sympathisch, aber er ist ein Chaot. Als Vater wünscht man sich was anderes.«

Einen Musterknaben wie Max, vermutete ich. Ich hatte Jannis nur einmal gesehen, aber ich hätte geschworen, daß ich mit ihm einen bedeutend unterhaltsameren Abend verlebt hätte. Gut, daß ich Max rechtzeitig aus meinem Leben verabschiedet hatte, der war ja ein schrecklicher Langweiler geworden! Aber er versprach mir, einen Empfehlungsbrief zu schreiben und zu faxen, was er, ganz Musterknabe, am nächsten Tag auch brav tat.

Neunzehn

*I*ch war ziemlich beunruhigt. Mehrfach hatte ich mit Tante Elsie telefoniert, aber das Ergebnis ihrer Untersuchung war immer noch nicht da. Ich hatte sie gebeten, mich sofort anzurufen, aber offensichtlich wußte sie immer noch nichts.

Endlich hielt ich es nicht mehr aus und wählte ihre Nummer. Sie meldete sich mit schwacher Stimme.

»Ruhland.«

»Tante Elsie, ich bin's, Cora, wie geht's dir?«

»Ganz gut, Prinzeßchen, danke!«

»Und die Untersuchung, haben sie dir endlich das Ergebnis gesagt?«

»Sie wissen es nicht genau, aber es könnte ein Tumor sein. Nächste Woche werde ich operiert.«

Ich brauchte einen Moment, um das genau zu verstehen. »Du meinst . . . Krebs?« fragte ich entsetzt.

»Ich glaube nicht, daß es so schlimm ist. Sicher irgendwas Gutartiges. Ich wollte dich nicht beunruhigen, deshalb habe ich nicht angerufen.«

»Ich mache mir aber Sorgen! Soll ich kommen?«

»Nein, um Gottes willen«, wehrte Tante Elsie ab, »es ist bestimmt ganz harmlos. Ich bleibe ein paar Tage im Marienkrankenhaus, und dann bin ich wieder obenauf.«

»Aber wenn irgend etwas ist, sagst du mir sofort Bescheid, hörst du!« bat ich eindringlich.

»Ich versprech's dir. Mach's gut, mein Liebes!«

Mir war gar nicht wohl. Aber wenn sie selbst das Gefühl hatte, daß es nicht so schlimm war, wollte ich sie nicht durch meine dramatischen Reaktionen beunruhigen.

Ich beschloß abzuwarten, wie die Operation verlaufen würde. Was hätte ich auch sonst tun können? Zumal ich bis über beide Ohren in Arbeit steckte.
Die Einladungen für die Versteigerung mußten entworfen und gedruckt, Stellwände für die Bilder organisiert und Informationen zu den Künstlern für einen Katalog zusammengestellt werden. Außerdem plante ich eine Broschüre über das Haus Sonnenschein, damit die Leute wüßten, wohin ihr Geld ginge.
Um das alles zu schaffen, hatte ich meine Lieben eingespannt. Ivan versorgte mich mit Informationen und Fotos, ich textete, Uli entwarf das Layout, Arne brachte die Druckerei auf Trab, und Thomas kochte unermüdlich Tee und schaffte Essen heran.
Uli schien seine Nähe zu genießen. Immer wieder beobachtete ich, wie sie ihn voller Wärme ansah, oder wie die beiden die Köpfe zusammensteckten. Es herrschte dieses gewisse Einvernehmen zwischen ihnen, das mich manchmal fast eifersüchtig machte. Es sah wirklich so aus, als bemühe Thomas sich um Uli. Aber mir war nicht klar, ob es sich nur um seine angeborene Fürsorglichkeit handelte oder um Mitgefühl, oder ob es tatsächlich mehr war, wie Uli vermutete.
Arne warf immer noch hie und da sehnsüchtige Blicke auf Ivan, aber seit einiger Zeit rief öfter ein Hubert für ihn an. Ich war zuversichtlich, daß auch er mal wieder Glück in der Liebe haben würde.
Der fette Scheck, der monatlich von Hennemann kam, verschaffte mir Freiheit. Hie und da eine Besprechung mit dem Powerteam, ein paar gute Ideen, ein strenger Brief, wenn was nicht klappte – schon hatte ich mein Geld verdient und konnte mich wieder der Spendenaktion widmen.
Nur die Ungewißheit über Tante Elsies Zustand lenkte mich immer wieder ab. Am Tag der Operation rief ich in der Klinik an. Ich erwischte nur die Stationsschwester. »Frau Ruh-

land ist gerade bei der Untersuchung, versuchen Sie's bitte später noch mal«, lautete die lapidare Auskunft.
»Ist der Eingriff gut verlaufen?« wollte ich wissen.
»Ich denke, schon«, antwortete sie ausweichend. Ich legte den Hörer auf und sah gedankenverloren auf die Papierstapel vor mir.
»Alles in Ordnung?« Ivan betrachtete mich aufmerksam.
»Ich hoffe es«, sagte ich.
Ivan war ein richtig guter Typ. Und wir beide arbeiteten toll zusammen. Nie spielte er sich auf oder legte irgendwelche Boss-Allüren an den Tag, wie ich das aus der Zusammenarbeit mit Männern sonst kannte. Er ging inzwischen fast täglich bei mir ein und aus. Sogar an Blue hatte ich mich derartig gewöhnt, daß der Hund bei Besprechungen unter meinem Schreibtisch lag und mir die Füße wärmte.
Auf merkwürdige Weise blieb Ivan mir dennoch fremd. Abgesehen von dem kurzen Bericht über seinen Sohn, damals bei unserem Besuch im Kinderheim, hatte ich nie wieder etwas Persönliches von ihm gehört. Ich wußte nicht, wie seine Wohnung aussah, ob er eine Freundin hatte, ob er gern ins Kino oder lieber in Bars ging, ob er Frühaufsteher oder Langschläfer war, ob er Kontakt zu seiner Ex-Frau hatte und ob er oft an Matti dachte. Es war, als wollte er ganz bewußt keine Nähe zwischen uns entstehen lassen.
Eigentlich fand ich das sehr angenehm. Je weniger man über jemanden wußte, desto unbefangener konnte man mit ihm umgehen. Das war auch der Grund, weshalb ich am liebsten mit Männern schlief, die ich nicht kannte. Ihnen konnte ich mich am leichtesten hingeben. Zwischen denen und mir war nichts, außer Sex. Keine Gefühle, keine Probleme, keine Erwartungen. Sobald der andere eine Geschichte hatte, war die Leichtigkeit weg. Mit Ivan und mir war es im Grunde ähnlich: Zwischen uns gab es nur das gemeinsame Projekt.

Als die drei Männer sich nach einem arbeitsreichen Abend verabschiedet hatten, saß ich noch mit Uli zusammen in unserer Puff-Küche und leerte den restlichen Wein. Ich streckte mich und gähnte.
»Wie geht's dir, dicke Frau?« fragte ich.
»Allmählich fühle ich mich wie ein gestrandetes Walroß«, stöhnte Uli und versuchte, eine bequeme Sitzposition auf ihrem Küchenstuhl zu finden. »Und selbst?«
»Fertig, aber zufrieden. Hätte nie gedacht, daß Wohltätigkeit so viel Spaß bringt!«
»Was du für eine Power hast! Und wie du alle Leute einspannst!« Aus Ulis Worten klang Bewunderung.
»Führungsstärke nennt man das. Damit könnte ich es in jedem Unternehmen zu was bringen. Aber wer will schon fest angestellt sein? Ich jedenfalls nicht mehr.«
»Ich auch nicht, deshalb mache ich ja auch weiter Hüte.«
»Was wird eigentlich aus deinem Laden, wenn das Kind da ist?« wollte ich wissen.
»Gitti wird mich ein paar Wochen vertreten, du weißt schon, meine frühere Nachbarin. Danach nehme ich das Baby mit.«
»Im Ernst? Da kommst du doch nicht mehr zum Arbeiten!«
Uli zuckte die Schultern. »Keine Ahnung, muß ich ausprobieren.«
»Wenn du auch noch Gitti bezahlen mußt, bleibt dir überhaupt keine Kohle mehr«, stellte ich fest. »Kümmere dich bloß rechtzeitig um die Unterhaltszahlungen von Michael!«
»Von dem Kerl nehme ich keinen Pfennig!« Ulis Stimme klang entrüstet.
Überrascht sah ich sie an. »Wie bitte? Soll das etwa heißen, daß ich dich weiter durchfüttern soll?«
»Nein, natürlich nicht, aber vielleicht könntest du mir noch ein bißchen was leihen?« Flehend sah sie mich an.
»Hör mal, dir steht Unterhalt zu, darauf wirst du doch wohl

nicht freiwillig verzichten«, sagte ich heftig. »Das sind vielleicht nur ein paar hundert Mark, aber das ist schließlich besser als nichts. Sobald das Kind da ist, gehst du zum Jugendamt, verstanden?«
Uli nickte kleinlaut.
Die hatte ja echt Nerven! Würde sich, ohne mit der Wimper zu zucken, weiter von mir aushalten lassen. Bei aller Liebe, aber das ging mir dann doch ein bißchen zu weit.
»Cora, ich verspreche dir, irgendwann zahle ich alles zurück«, beteuerte sie.
Sofort bekam ich ein schlechtes Gewissen. Die Freundschaft zu Uli zählte mehr als alles Geld der Welt. Eigentlich wollte ich solche Gespräche gar nicht führen.
»Schon gut, ich verdiene ja zum Glück im Moment genug. Auf die Dauer mußt du dir halt was einfallen lassen!« Meine Stimme war wieder wie Samt und Seide, und betont beiläufig fuhr ich fort: »Thomas ist leider auch keine tolle Partie. Unter dem Aspekt solltest du dich vielleicht anderweitig orientieren!«
Uli wurde rot. »Jetzt hör aber auf, das steht nun wirklich nicht zur Debatte! Sag mir lieber, wie du Ivan findest!«
»Nett, wieso?«
»Nett! Was soll das denn sein? Nett ist auch die Wurstverkäuferin von gegenüber. Ich meine, würdest du gern mit ihm ins Bett gehen? Oder ist er mehr der Typ für eine Wanderung durch den Himalaya?« Sie wurde ganz lebhaft, während ich wieder gähnte.
»Also, durch den Himalaya will ich überhaupt nicht wandern, und ob ich mit ihm ins Bett will, habe ich mir noch nicht überlegt. Wie findest du ihn denn?«
»Jetzt reden wir von dir!«
»Ach, Uli, du willst mich bloß verkuppeln. Ich will aber nicht verkuppelt werden. Ich will hin und wieder mit Jim Knopf vögeln und ansonsten meine Ruhe haben.«

»Fühlst du dich nicht manchmal einsam?«
»Einsam? Bei dem Trubel, der hier herrscht?«
»Ich meine eine andere Art von Einsamkeit. Du weißt genau, welche.«
»Kann schon sein. Aber nun bin ich gerade mal über Flori hinweg. Und ich hab' nicht den geringsten Bock auf neuen Beziehungsstreß, egal mit wem.«
Bei Flori fiel mir Tabea ein. Ich hoffte, daß sie Krampfadern und Schwangerschaftsstreifen bekäme. Und einen Hängebusen. Ich stand auf.
»Süße, ich bin todmüde. Ich gehe jetzt schlafen!«
Uli nickte. »Ist o.k. Mich plagt leider die präsenile Bettflucht.«
»Die was?«
»Die Schlaflosigkeit des Alters.«
Ich zeigte ihr einen Vogel.

Am nächsten Tag erreichte ich beim dritten Anlauf endlich Tante Elsie.
»Du bist ja schon wieder ständig auf Achse in deinem Krankenhaus«, begrüßte ich sie munter, »wie fühlst du dich denn?«
»Ach, Prinzeßchen, mir geht es nicht so gut. Die haben mir ein Stück vom Magen rausgenommen.«
Ich erschrak furchtbar. Die ganze Zeit hatte ich versucht, den Gedanken wegzuschieben, daß es wirklich ernst sein könnte. Nur zu gern hatte ich mich von ihrer optimistischen Art anstecken lassen. Jetzt hatte Tante Elsie zum erstenmal zugegeben, daß es nicht so harmlos war.
»Und ... und was geschieht jetzt?« fragte ich mit kleiner Stimme.
»Jetzt muß man abwarten. Ich muß massenhaft Pillen schlucken und darf nichts Rechtes essen. In ein paar Wochen wissen wir mehr.«

Mein Hals war trocken. Ich räusperte mich. »Würde es dir helfen, wenn ich käme?«
»Das ist wirklich lieb von dir, Cora, aber ich weiß doch, was du um die Ohren hast. Viel könntest du ja auch nicht tun. Und außerdem mag ich gar nicht, daß du mich so siehst.«
Ich war hin- und hergerissen. Mein Gefühl sagte: Fahr sofort zu ihr! Mein Verstand sagte: In ein paar Tagen ist die Versteigerung. Bleib da und mach deinen Job!
»Ich komme, sobald es geht«, versprach ich ihr.
»Ist gut, mein Prinzeßchen. Das wird schon wieder.«
Ich hoffte so sehr, daß sie recht hatte!

Zwanzig

*I*ch wählte die Nummer von Anatol Dunkelangst. Die Sekretärin stellte mich zu meinem Erstaunen gleich durch.

»Dunkelangst.«

»Cora Schiller, ich habe Ihnen . . .«

»Ja ja, ich weiß schon, die Jugendliebe des guten Max, richtig?« unterbrach er mich.

Ganz schön clever, der Mann! Max hatte nur was von einer »alten Freundin« geschrieben.

»Na ja, wenn Sie so wollen«, gab ich zu, »Max war meine einzige Verbindung zu Ihnen, ich dachte, ohne Empfehlung dringe ich nie zu Ihnen durch.«

»Aber nein, es wäre gar nicht nötig gewesen, Ihren alten Freund aus der Versenkung zu holen! Ich bin nicht so bedeutend, wie Sie vielleicht annehmen«, stapelte er tief. »Was kann ich für Sie tun?«

»Das würde ich Ihnen gerne in einem persönlichen Gespräch sagen«, antwortete ich, und im gleichen Moment dachte ich: Du bist wohl bescheuert, Alte! Als hätte der Kerl nichts Besseres zu tun, als sich mit dir zu treffen.

Aber Herr Dunkelangst hatte wohl wirklich nichts Besseres vor. »Warten Sie«, sagte er freundlich, und ich hörte ihn in seinem Terminkalender blättern.

Dann murmelte er mehr für sich: »Morgen Essen mit dem Bürgermeister, abends Verleihung des Filmpreises, übermorgen das Interview mit Spielberg . . . danach Redaktionssitzung, abends geht's auch nicht . . . Freitag! Wie wäre Freitag, dreizehn Uhr?«

»Paßt mir sehr gut!« Ich freute mich.

»Können wir uns im ›Kleinen Prinzen‹ treffen? Das ist der Vegetarier in der Heckenstraße, das Essen ist gräßlich, aber ich versuche gerade, ein paar Pfund abzunehmen«, sagte er vergnügt.
»Aber gern, ein Diättag kann mir auch nicht schaden.« Was redete ich bloß für dummes Zeug?
»Also, bis dann, ich freue mich auf Sie!«
Je wichtiger Leute waren, desto weniger wichtig nahmen sie sich. Diese Erfahrung hatte ich schon häufiger gemacht. Ich fand Anatol Dunkelangst jetzt schon sympathisch.

Der »Kleine Prinz« war einer dieser postmodernen Läden, wo man stilvoll, aber unbequem auf Designerstühlen aus Holz und Stahl klemmt und von riesigen Tellern winzige Salatblätter verspeist. Es war der absolut ideale Rahmen für eine Diät.
Die Kellnerinnen schwebten mit ätherischem Blick durch den Raum, sie trugen naturfarbene Leinenkleider, die an römische Tuniken erinnerten, und verständigten sich untereinander fast nur durch Blicke und Gesten. Für ein Restaurant war der Geräuschpegel erstaunlich niedrig, es schien, als würden sich auch die Gäste nur im Flüsterton unterhalten.
Ein Blick auf die Speisekarte zeigte, daß es sich bei den Betreibern keineswegs um eine alternative Studentenkommune handelte, wo jeden Tag ein anderer am Herd stand und für Gleichgesinnte Hirseplätzchen und Tofu-Lasagne brutzelte. Nein, hier wurde die »Nouvelle Cuisine« des Vegetarismus zelebriert, und das einzig Gesalzene waren die Preise.
Anatol Dunkelangst war noch nicht da. Ich bestellte einen Cocktail aus frisch gepreßten Karotten, Äpfeln und Sellerie. Als ich gerade zum erstenmal daran nippte, betrat er das Lokal.

Ich erhob mich ein wenig aus meinem Designerstuhl, damit er mich bemerkte, er winkte freundlich, händigte seinen Mantel einer Kellnerin aus und lief beschwingt auf mich zu.
Er war massiger, als ich ihn aus dem Fernsehen in Erinnerung hatte, ein fleischiger, sinnlich wirkender Mann, dessen Gesicht trotz seiner gut fünfzig Jahre etwas Jungenhaftes hatte. Ein bißchen atemlos kam er bei mir an, entschuldigte sich für die Verspätung und begrüßte mich mit Handkuß. Dann ließ er sich auf ein Stühlchen fallen, das unter seinem Gewicht bedrohlich wackelte.
»Womit wollen wir uns verwöhnen?« fragte er und griff nach der Karte. »Wenn ich Ihnen etwas empfehlen darf, die spinatgefüllten Buchweizencrèpes sind sehr delikat, ebenso das Pilzragout. Es wird mit kleinen Semmelknödeln serviert.«
»Sagten Sie nicht am Telefon, das Essen sei gräßlich?« erkundigte ich mich.
»Ich meinte, gräßlich gesund. Ich ziehe jederzeit eine knusprige Schweinshaxe vor, aber Sie sehen ja selbst!« Bedauernd zeigte er auf seinen Bauch. »Mein Arzt sagt, ich muß abspecken, sonst garantiert er mir einen Herzinfarkt innerhalb der nächsten zwei Jahre.«
Er machte nicht den Eindruck, als würde ihn das sehr beunruhigen. Ich grinste in mich hinein und klappte die Karte zu. »Also gut, das Pilzragout«, entschied ich.
Auch er hatte seine Wahl getroffen und winkte der Kellnerin.
Sie nahm die Bestellung auf, schenkte uns ein scheues Lächeln und entschwand.
»Ist Max nicht ein schrecklicher Langweiler?« eröffnete Dunkelangst das Gespräch.
Ich mußte lachen. »Ich gebe zu, verheiratet möchte ich mit ihm nicht sein!«

»Mit wem dann?« erkundigte er sich.
»Am liebsten überhaupt nicht, aber wenn schon, dann mit einem Mann, der kochen kann.«
»Tut mir leid, ich bin schon verheiratet«, lächelte er verschmitzt.
»Ich weiß, seit dreißig Jahren, und immer noch mit derselben Frau!«
»Sie lesen die Klatschspalte?«
»Gelegentlich.«
»Was lesen Sie sonst?«
»Das Fernsehprogramm.«
Er lachte laut auf. Offenbar hatten wir den gleichen Humor.
»Also los, welchen Anschlag auf mich planen Sie?«
»Ich möchte Sie engagieren«, antwortete ich ohne Umschweife.
»In welcher Funktion? Ich kann hervorragend kochen, einigermaßen reden, mäßig singen, kaum tanzen und überhaupt nicht schauspielern.«
»Als Auktionator für eine Versteigerung.«
»Oh, das habe ich noch nie gemacht! Was soll denn versteigert werden?«
»Bilder von zeitgenössischen Künstlern. Der Erlös dient dem Erhalt eines Heimes für behinderte Kinder.«
»Und natürlich wünschen Sie sich meine Dienste honorarfrei«, vermutete er.
Ich nickte. Gleich würde er mir freundlich, aber bestimmt mitteilen, daß er jede Woche fünf solcher Anfragen erhalte und sich leider nicht in der Lage sähe, sämtliche Kinderheime, Kleingartenvereine und Schulsportanlagen zu retten, die wegen akuter Finanznot von der Schließung bedroht seien. Aber warum hatte er sich dann überhaupt mit mir getroffen?
»Liebe Cora, ich darf Sie doch Cora nennen?«
Ich nickte wieder.

»Ich habe so etwas Ähnliches vermutet. Und wie Sie sicher vermutet haben, erhalte ich sehr viele solcher Anfragen. Daß ich nicht allen entsprechen kann, liegt auf der Hand.«
Ich hatte es ja gewußt.
»Daß wir dennoch hier sitzen, hat einen Grund.«
Ich schöpfte Hoffnung. Aber der nächste Satz traf mich wie ein Keulenschlag.
»Ich kenne Ihren Vater, Cora.«
Mechanisch fragte ich: »Welchen?«
»Wie viele haben Sie denn?« fragte er verblüfft.
»Zwei«, antwortete ich, »einen Erzeuger und einen Erzieher. Abgehauen sind beide.«
»Ich spreche von Klaus.«
»Der ist nicht mein richtiger Vater.«
»Weiß er das?« Gespannt schaute Dunkelangst mich an.
»Das war der Grund für sein Verschwinden«, erklärte ich.
»Das glaube ich nicht«, sagte Dunkelangst nachdenklich.
Fragend runzelte ich die Stirn. Was wollte er damit sagen? Was wußte er, was ich nicht wußte?
Dunkelangst räusperte sich. »Das ist eine längere Geschichte, ich erzähle sie kurz: Ihr Vater wurde verdächtigt, in seiner Firma Geld unterschlagen zu haben. Ihm drohte Gefängnis. Ich persönlich bin überzeugt, daß er unschuldig war. Aber er hatte keine Lust, das Risiko eines Prozesses auf sich zu nehmen. Er hat sich nach Südamerika abgesetzt, Sie wissen, dort gibt es Länder, die nicht ausliefern.«
Ich wollte es nicht fragen, aber dann rutschte es mir doch heraus. »Wie geht es ihm?»
»Ich habe keinen Kontakt mehr zu ihm.«
»Kann er denn nicht zurückkommen? So was verjährt doch mal, oder?«
»Es müßte längst verjährt sein.«
Ich dachte nach. »Na ja, wenn er bisher nicht gekommen ist, wird er es wohl auch nicht mehr tun.«

Er zuckte die Schultern. »Dazu kann ich Ihnen nichts sagen.«

Das Essen kam, und er begann mit Genuß, seine Crèpes mit Spinat zu verspeisen.

Mir hatte es den Appetit verschlagen. In meinem Kopf summte es, ich hatte so viele Fragen, aber ich brachte keine einzige über die Lippen. Schließlich sagte ich: »Wie haben Sie die Verbindung zwischen ihm und mir herausgefunden?«

»Max hat mir ein bißchen von Ihnen erzählt. Ich habe ihn angerufen, nachdem ich Ihren Brief erhalten hatte. So gängig ist Ihr Name ja nicht, das konnte kein Zufall sein. Als Ihr Vater in Hamburg seine Firma aufbaute, habe ich dort studiert.«

»Woher kannten Sie ihn?«

»Aus dem Tennisklub.«

Richtig, Tante Elsie hatte mir erzählt, daß Klaus ein begeisterter Tennisspieler war. Aber Dunkelangst? Daß der jemals ein Racket geschwungen haben sollte, erschien mir reichlich unwahrscheinlich.

»Ich weiß, was Sie denken«, lächelte er, »aber in meiner Jugend war ich schlank und sportlich!« Er atmete auf. »Gott sei Dank ist das vorbei!«

Ich mußte lachen.

Er ließ das letzte Stück Crèpes in seinem Mund verschwinden. Dann warf er einen begehrlichen Blick auf meinen unberührten Teller. Ich schob ihn in seine Richtung. »Probieren Sie ruhig!«

Erfreut stach er in ein Semmelknödelchen, wendete es in der Soße und aß es auf. »Köstlich!« lobte er. Dann schob er den Teller artig wieder zurück und tupfte sich den Mund mit der Serviette ab. »Ich hoffe, ich habe keine alten Wunden aufgerissen!«

»Nein, nein, schon gut. Ich bin nur ein bißchen überrumpelt.«

»Darf ich Sie noch mal überraschen?«
Fragend sah ich ihn an.
»Ich werde Ihre Versteigerung machen!« verkündete er. »Umsonst!« Er drehte sich nach der Kellnerin um. »Gibt's bei Ihnen Champagner?« rief er quer durchs Lokal.
Im nächsten Moment stand sie am Tisch. »Selbstverständlich, aus biologischem Anbau!«
»Na, dann bringen Sie uns bitte eine Flasche!« sagte er und lachte sein dröhnendes Lachen. Am liebsten wäre ich ihm um den Hals gefallen. Aber das traute ich mich dann doch nicht.

Als wir uns vor dem Lokal voneinander verabschiedet hatten, wanderte ich, in Gedanken versunken, nach Hause. Vielleicht mußten so die Männer sein, mit denen man es als Frau dreißig Jahre lang aushalten konnte! Er war kein schöner Vertreter seiner Gattung, wahrhaftig nicht. Aber er hatte einen umwerfenden Charme. Mit so einem Mann wurde es sicher nicht langweilig!
»Alte, du willst doch immer diese selbstverliebten Typen, die dich schlecht behandeln oder dir entsetzlich auf die Nerven gehen!«
»Oder beides«, ergänzte ich. »Du hast ja recht. Aber Machos sind so sexy!«
»Und was hast du davon? Ein paar wilde Nächte, sonst nichts. Auf lange Sicht ziehst du bei der Sorte doch immer den kürzeren.«
»Und was ist die Alternative? Einer für den dritten Blick, wie Hennemann?«
»Nun übertreib nicht gleich. Zwischen Florian und Hennemann wird's ja noch ein paar geben!«
»Verrätst du mir auch noch, wo?«
»Das mußt du schon selbst rausfinden, Alte.«
So schlau war ich auch vorher schon gewesen.

»Jakob möchte dich sehen«, sagte Ivan bei unserem nächsten Treffen.
»Mich?« fragte ich erstaunt. »Warum?«
»Er hat morgen Geburtstag. Er wünscht sich, daß du kommst.«
Ich dachte an meinen ersten Besuch im Haus Sonnenschein und daran, welchen Schrecken mir die Kinder damals eingejagt hatten. Inzwischen war ich noch einige Male dort gewesen. Ich hatte meine Scheu zwar etwas abgelegt, aber richtig wohl fühlte ich mich immer noch nicht.
»Was stellt er sich denn vor . . . ich meine, wünscht er sich irgendwas?«
»Er wünscht sich nur, daß du kommst. Du mußt dich nicht hinter einem Geschenk verstecken.«
Ivan hatte mich mal wieder durchschaut. Die Vorstellung, mit einem riesigen Paket zu kommen, das von mir ablenken würde, hatte mir den Gedanken tatsächlich leichter gemacht.
»Also gut, wann fahren wir?«
»Nicht wir. Du.«
»Aber warum willst du nicht mitkommen?«
»Weil du schon groß bist.«
Scheißkerl.
Er hatte genau verstanden, daß mein Engagement, das zweifellos wichtig und nützlich war, auch dazu diente, mir die nähere Beschäftigung mit dem Schicksal dieser Kinder zu ersparen. Ich wollte etwas für sie tun, aber ich wollte nicht wirklich mit ihnen in Berührung kommen. Ich wollte nicht sehen, wie ihnen der Speichel aus dem Mund lief, wie sie mit ihren verkrüppelten Gliedmaßen versuchten, ihren Alltag zu bewältigen, wie sie sich beim Essen beschmutzten oder ins Bett machten. Aber genau das sollte ich nach Meinung von Ivan sehen. Er wollte, daß ich nicht länger die Augen vor dem verschloß, was mir unangenehm war.

Am nächsten Tag fuhr ich zu Jakob. Ich hatte doch ein Geschenk gekauft, nicht um mich dahinter zu verstecken, sondern weil ich ihm eine Freude machen wollte. Es war eine Kugelbahn, so wie ich sie in meiner Kindheit besessen hatte. Man baute sie aus über vierzig Holzelementen immer neu zusammen und ließ eine bunte Glasmurmel durchsausen. Ich war sicher, daß Jakob sie lieben würde!
Die Fahrt raus aus der Stadt hatte die gleiche beruhigende Wirkung auf mich wie immer. Es hatte geschneit, eine dünne weiße Schicht bedeckte Bäume, Wiesen und Häuser. Alles sah ungemein friedlich aus.
Es war der 9. Dezember. Ich war dreißig Jahre und fünf Monate alt. Fast die Hälfte dieses Lebensjahres war abgelaufen. Was war alles passiert in den letzten Monaten?
Ich hatte Florian zum Teufel geschickt.
Ich hatte Macke erledigt.
Ich hatte rausgefunden, daß Thomas ein guter Freund war, aber ein schlechter Liebhaber.
Ich hatte keine Angst mehr vor Hunden (na ja, jedenfalls nicht mehr vor allen).
Ich wurde Patentante.
Und ich tat das erste Mal in meinem Leben etwas für andere. Das war kein übles Gefühl!
Jakob sah mich, lief auf mich zu und schlang die Arme um mich. »Hora, Hora«, stammelte er immer wieder, »Jakob heute Geburtstag!«
Er zog mich zu einem Tisch mit Geschenken und den Resten eines Kuchens, den offenbar die anderen Kinder für ihn gebacken und mit reichlich Gummibärchen und Smarties verziert hatten. Stolz nahm er ein Messer und schnitt ein Stück für mich ab. Vorsichtig probierte ich.
»Schmeckt? Schmeckt gut?« fragte er aufgeregt.
»Schmeckt ganz toll!« lobte ich.
»Ganz toll, ganz toll!« wiederholte Jakob glücklich.

»Ich habe auch ein Geschenk«, sagte ich. »Hier, das ist für dich.«
Damit gab ich ihm das Paket, das er fast andächtig betrachtete.
»Geschenk! Für Jakob!« stellte er fest und begann zaghaft, mit seinen runden Fingern am Papier zu zupfen.
»Pack es ruhig aus!« ermunterte ich ihn.
Langsam und vorsichtig riß Jakob Streifen für Streifen des Geschenkpapiers ab, bis der Karton mit der Kugelbahn zum Vorschein kam.
»Ist das?« fragte er ratlos.
»Warte, ich zeig's dir.«
Ich öffnete die Packung, nahm die Holzteile heraus und setzte sie zusammen. Dann hockte ich mich zu ihm auf den Boden und ließ eine Glasmurmel durchlaufen. Fasziniert schaute Jakob zu, wie die Kugel die Bahn abwärts sauste, in einer Öffnung verschwand und wenig später wieder auftauchte.
Er sah mich mit großen Augen an und bat: »Nomal!«
Wieder und wieder ließen wir die Kugel rollen, und Jakob begriff sehr schnell, wie er die Bahn konstruieren mußte, damit die Murmel genug Schwung bekam. Er strahlte übers ganze Gesicht.
Maria war unbemerkt eingetreten und sah lächelnd zu. Dann sprach sie ihn behutsam an. »Jakob, Andi ist hier. Sie hat noch nichts von dem Kuchen gehabt. Möchtest du ihr ein Stück abgeben?«
Jakob sah kurz auf und nickte.
Maria schob einen Rollstuhl ins Zimmer. Ich erinnerte mich an Andi, sie war eines von den spastisch gelähmten Kindern. Ihre klapperdürren Glieder, die wie verrenkt aussahen, steckten in einem roten Trainingsanzug. Sie hatte langes braunes Haar und war eigentlich ein sehr hübsches, etwa zwölfjähriges Mädchen. Aber die Behinderung hatte

ihren Körper und ihr Gesicht verzerrt. Sie hielt den Kopf schief und rollte unkontrolliert mit den Augen.
Mein erster Impuls war mal wieder, wegzulaufen. Aber ich nahm mich zusammen, ging auf Andi zu und fragte: »Soll ich dir ein Stück abschneiden?«
Sie bewegte den Kopf und gab unverständliche Laute von sich.
»Kann sie selbst essen?« fragte ich Maria. Die verneinte.
Ich legte den Kuchen auf einen Teller und rückte einen Stuhl zu Andi. Dann setzte ich mich und fütterte sie. Mit Lauten des Wohlbehagens nahm Andi die Stücke entgegen. Beim Kauen fielen ihr kleine Bröckchen aus dem Mund. Ich nahm eine Serviette und wischte sie von ihrer Trainingsjacke. Anschließend gab ich ihr aus einem Glas Apfelsaft zu trinken.
Sie schaute mich an und bewegte mit großer Mühe die Lippen. »Dangge«, sagte sie mit ihrer rauhen, unartikulierten Stimme.
»Bitte«, lächelte ich, »ich hoffe, es hat dir geschmeckt!«
Ein Lächeln huschte über ihr Gesicht, und ich atmete auf. Es war gar nicht so schwer, wie ich es mir vorgestellt hatte. Wenn man sich von der Idee befreite, Mitleid haben zu müssen, war es o.k. Es half sogar, wenn man irgendwas tat. Man mußte nur die Tatsache akzeptieren, daß diese Kinder nicht alles konnten, was andere Kinder konnten. Mehr war es eigentlich nicht.
Als ich mich von Jakob verabschiedete, umarmte er mich wieder.
»Hora kommt bald wieder!« sagte er und sah mich erwartungsvoll an.
»Ja, ich komme bald wieder, Jakob«, versprach ich ihm. Und diesmal meinte ich es ernst.

Einundzwanzig

*I*ch war lange nicht mehr so nervös gewesen wie am Abend der Versteigerung, zuletzt vielleicht bei meiner Magisterprüfung oder damals in der Achten, als ich beim Kiffen erwischt worden war und mir im Büro des Direktors meine Standpauke abholen sollte.

Evelyn erwartete mich und meine Getreuen bereits. Natürlich hatten es sich Uli, Arne und Thomas nicht nehmen lassen, dabei zu sein, schließlich hatten wir auch bis zum Schluß alle zusammen geschuftet wie die Irren.

Ivan trug einen dieser todschicken Anzüge mit Weste, aber ohne Krawatte, und wirkte damit völlig verändert. Er hatte also doch Sinn für Äußerlichkeiten, wie ich erstaunt feststellte.

»Du siehst klasse aus«, entfuhr es mir, als ich vor ihm stand.

»Danke, gleichfalls!« Er lächelte mich an.

Ich hatte mich schon für die Mühen der vergangenen Wochen belohnt und mir einen Traum von einem Abendkleid gegönnt. Schwarz, ganz schlicht, mit einem tiefen Rückendekolleté und schmalen, langen Ärmeln. Meine Haarmähne fiel auf die nackte Haut meiner Schultern, und der einzige Farbtupfer waren meine tiefroten Lippen.

»Wer sich nicht schon in dich verliebt hat, wird es spätestens heute abend tun, Traumfrau«, hatte Uli geseufzt, als sie mir den Reißverschluß zuzog.

Wir waren eine halbe Stunde früher gekommen, damit ich alles noch mal kontrollieren konnte. Die Kunstwerke hingen, effektvoll beleuchtet, an ihren Stellwänden, die Bestuhlung war komplett, das Stehpult für den Auktionator nebst Hammer stand bereit. Die Damen und Herren vom

Party-Service füllten die Gläser und bereiteten Tabletts mit kleinen Häppchen vor, im Hintergrund wartete unter einer kunstvoll drapierten Abdeckung das Buffet.

Auf jedem Platz lagen ein Katalog und der Prospekt von Haus Sonnenschein. Neben dem Pult würde Maria Bucher sitzen und die Zahlungen abwickeln. Ich betete, daß die Summe, die wir uns erträumt hatten, wenigstens annähernd zusammenkommen würde.

»Du bist blaß, Cora«, stellte Evelyn fest.

Sie war die Ruhe selbst, schließlich hatte sie schon Hunderte solcher Abende organisiert. Für mich war's eine Premiere, und mir schlotterten die Knie.

»Lampenfieber«, murmelte ich.

Erst gestern war mir klargeworden, daß ich ja auch ein paar Begrüßungsworte sagen mußte, und seither ging mir die Muffe.

Nervös schaute ich auf die Uhr.

»Und wenn nun keiner kommt?« fragte ich in die Runde.

Evelyn lachte. »Das Geheimnis der feinen Gesellschaft ist, daß keiner dem anderen was gönnt. Sobald Gräfin von Neusser erfährt, daß Baronin Kehlheim eine Einladung hat, wird sie unter Garantie kommen, weil sie Angst hat, jemand könnte denken, sie habe keine Einladung gekriegt!«

Gräfin von Neusser? Baronin Kehlheim?

»Muß ich die alle kennen?« fragte ich Evelyn entsetzt.

»Nur die Ruhe, ich stell' dir die Wichtigen schon vor«, beruhigte sie mich.

Tatsächlich, die ersten Gäste tröpfelten herein. Evelyn ging sofort auf ein älteres Paar zu, begrüßte es freundlich und begann eine Unterhaltung. Die Kellner starteten mit den Tabletts, ich schnappte mir ein Glas Sekt und goß es in mich hinein.

»Vorsicht!« warnte Arne, der meine Neigung, mich aus Nervosität zu betrinken, kannte.

»Schon gut, ich brauch' nur einen kleinen Tranquilizer«, erklärte ich.
Der Saal füllte sich mehr und mehr, es war unübersehbar, daß es sich bei den Gästen um Vertreter der oberen Zehntausend unserer Stadt handelte. Ich erkannte den Bürgermeister, den Intendanten des Theaters, den Herausgeber des Abendblattes und einen prominenten Kunsthändler. Daneben einige bekannte Schauspieler, die Programmdirektoren zweier Privatsender und einen schwerreichen Verlagschef.
Auch meine Pressearbeit hatte Früchte getragen. Vier Fernsehteams und eine Reihe Journalisten waren da, die ich mit einer großartigen Pressemappe beglückt und persönlich eingeladen hatte. Die Nummer unseres Spendenkontos würde morgen in allen Zeitungen stehen.
Allmählich wurde ich ruhiger. Alles schien zu klappen. Ivan zwinkerte mir aufmunternd zu.
Uli stand zwischen Arne und Thomas, die sich beide feingemacht hatten und ihre Aufregung bekämpften, indem sie sich gegenseitig an Fürsorglichkeit überboten.
»Soll ich dir einen Stuhl holen?« erkundigte sich Thomas bei Uli.
»Oder möchtest du ein Mineralwasser?« fragte Arne.
»Soll ich ein Fenster aufmachen?«
»Möchtest du vielleicht was essen?«
Uli schaute belustigt vom einen zum anderen.
»Ganz ruhig, Jungs! Es ist alles unter Kontrolle«, lachte sie.
Evelyn näherte sich mit einer alten Dame, der man das blaue Blut aus zwanzig Meter Entfernung ansah.
»Cora, darf ich dir Gräfin von Neusser vorstellen, meine Großtante väterlicherseits?«
O Gott, ich hatte noch nie eine Gräfin begrüßt! Doch die Großtante packte einfach meine Rechte und schüttelte sie energisch.

»Kompliment, junge Dame, Sie haben da eine bemerkenswerte Sache auf die Beine gestellt. Exquisites Publikum heute abend!«
»Vielen Dank«, hauchte ich verlegen, »ich freue mich, daß Sie gekommen sind!«
»Mußte doch schauen, wo mein Evelynchen mitmischt, nicht wahr, mein Kleines?« Sie klopfte ihrer Großnichte burschikos auf die Schulter und fuhr fort: »Evelyn ist die einzige in dieser Familie, die etwas Vernünftiges macht. Alle anderen sind Versager!«
Die Nichte grinste vielsagend und tippte sich unauffällig an die Stirn.
Mochte sein, daß die gräfliche Tante eine kleine Meise hatte, aber ich fand sie sehr nett. Jetzt hatte sie Uli entdeckt.
»Donnerwetter«, meinte sie anerkennend, »Sie machen es richtig! Halten sich gleich zwei Männer warm. Wer ist denn der glückliche Vater?«
Uli zuckte verlegen die Schultern und wußte nicht, was sie sagen sollte, aber Thomas rettete die Situation.
»Ich«, sagte er.
»Glückwunsch! Machen Sie weiter so!« Damit entschwand sie.
Vier Augenpaare richteten sich auf Thomas. Uli, Arne, Ivan und ich warteten gespannt, was jetzt kommen würde. Thomas bekam einen roten Kopf, wir fingen an zu grinsen.
»Glückwunsch!« sagte ich.
»Machen Sie weiter so!« echote Arne.
»Mach' ich!« sagte Thomas trotzig und sah zu Uli.
Die nahm seine Hand und lächelte ihn verlegen an. »Danke«, sagte sie leise.
Ich schaute zu den beiden. Hatte sich da in der Zwischenzeit doch was getan? Das wäre ja zu schön, um wahr zu sein!
Plötzlich durchfuhr mich ein Adrenalinstoß. Dunkelangst

war nicht da! Der wichtigste Mann des ganzen Abends fehlte. Ohne ihn konnten wir einpacken! Und es war kurz nach acht.
Evelyn machte mir aus der Ferne Zeichen. Ich arbeitete mich zu ihr vor. »Wir müssen anfangen!« flüsterte sie. »Die Stimmung ist gut, wir sollten nicht länger warten.«
»Dunkelangst ist nicht da«, flüsterte ich zurück.
»Ach du Scheiße!« fluchte sie äußerst unstandesgemäß.
In diesem Moment betrat Anatol Dunkelangst den Raum. Mir fiel ein Mittelgebirge vom Herzen. »Da ist er«, zischte ich Evelyn zu und lief ihm entgegen.
»Gott sei Dank, Sie sind gekommen«, begrüßte ich ihn atemlos.
»Was dachten Sie denn?« gab er freundlich zurück. »Versprochen ist versprochen! Sie sehen übrigens umwerfend aus!«
»Danke«, antwortete ich und bugsierte ihn Richtung Pult, wo ein Mikrofon bereit lag. Ich nahm es und klopfte dagegen. Die Gespräche verstummten, die Gäste wandten sich uns zu, erwartungsvolle Spannung lag auf den Gesichtern. Ich räusperte mich.
»Meine Damen und Herren, ganz herzlich willkommen hier im Kaisersaal der Residenz! Ich bin, ebenso wie alle Mitglieder des Trägervereins, außerordentlich glücklich, daß Sie unserer Einladung gefolgt sind und wir heute abend den ersten Schritt zur Rettung von Haus Sonnenschein machen können. Sie alle wissen: Kinder sind unsere Zukunft! Und gerade behinderte Kinder brauchen unsere besondere Zuwendung. Die Zukunft dieser Kinder liegt in Ihren Händen!«
Zustimmender Applaus unterbrach mich für einen Moment. Dann setzte ich meine Ansprache fort.
»Es werden heute abend Arbeiten von zeitgenössischen Künstlern zur Versteigerung kommen, die uns von diesen

Künstlern persönlich zur Verfügung gestellt worden sind. Sie haben die einmalige Gelegenheit, die Werke zu erwerben und damit nicht nur zur Rettung des Kinderheimes beizutragen, sondern sich auch ein wertvolles Sammlerstück zu sichern, das mit den Jahren an Wert gewinnen wird. So, und nun gebe ich weiter an einen Mann, den Sie alle kennen und schätzen und der dankenswerterweise die Auktion durchführen wird. Begrüßen Sie mit mir Herrn Anatol Dunkelangst!«

Unter freundlichem Applaus nahm Dunkelangst das Mikrofon von mir entgegen, bedankte sich mit einem Handkuß und stellte sich hinter das Pult.

»Wissen Sie«, begrüßte er die Gäste, »mir geht es genau wie Ihnen: Ich verstehe auch nichts von Kunst!«

Hilfe, dachte ich erschrocken, der wird doch keine Publikumsbeschimpfung veranstalten? Nein, elegant nahm er die Kurve.

»Aber man muß die Kunst auch nicht verstehen, um sie zu lieben, man muß sie nur bezahlen können!«

Die Leute lachten.

»Übrigens habe ich mir gerade das Telefonieren abgewöhnt. Was glauben Sie, was ich da spare! Dafür kann ich heute abend leicht drei Bilder ersteigern!«

Die Leute lachten lauter.

Es war bekannt, daß Dunkelangst ein manischer Telefonierer war, der seine Freunde zu jeder Tages- und Nachtzeit rausklingelte und in stundenlange Gespräche verwickelte, wenn ihm danach war.

»Geben Sie Ihrem Herzen einen Stoß, erwerben Sie ein Bild als Weihnachtsgeschenk für Ihre Familie! Sie werden sehen, das macht sich viel besser an Ihrer Wand als ein Snowboard, ein Kaschmirmantel oder ein Mobiltelefon!«

Wie alle guten Entertainer verstand Dunkelangst es, sein Publikum mit den eigenen Schwächen zu konfrontieren, ohne

es zu verärgern. Bald hatte er die Leute in die beste Stimmung versetzt.
Dann kamen die ersten Bilder unter den Hammer.
Zunächst lief es ein bißchen zögerlich, jeder schien abzuwarten, was der andere tun würde. Bald aber wurde die Atmosphäre hitziger, Dunkelangst spielte geschickt mit den Leuten, ließ sie sich gegenseitig hochschaukeln, und in kürzester Zeit ging es zu wie an der New Yorker Börse. Die Interessenten schrien durcheinander, um sich Gehör zu verschaffen, die Gebote wurden immer höher, einige aufgeregte Damen sprangen auf und gestikulierten wild, um sich bemerkbar zu machen.
Mir war eiskalt vor Aufregung. Mein Gesicht glühte, angespannt verfolgte ich jede Regung der Gäste. Die meisten Bilder gingen nun sehr schnell und zu einem guten Preis weg. Nur ein paar große Formate brauchten etwas länger, bis sie einen Besitzer fanden. Nicht jeder hatte genügend große Wände, um ein Achtquadratmeter-Werk zu hängen.
Maria notierte sorgfältig die erzielten Preise. Wir waren bei Bild Nummer vierunddreißig, und die Stimmung war auf dem Höhepunkt. Dunkelangst verausgabte sich völlig. Er schmeichelte, drohte, flüsterte, brüllte, sprach mit Engelszungen auf die Leute ein, hetzte sie auf und appellierte an ihre niedersten Instinkte: den Neid, die Habgier, die Eitelkeit.
Er sprang in die Luft, ließ den Hammer auf das Pult sausen, lachte sein dröhnendes Lachen und lieferte eine Performance, wie ich in meinem Leben noch keine gesehen hatte. Er war Mephistopheles, er war der Verführer. Ich betete ihn an.
Plötzlich hatte ich das Gefühl, beobachtet zu werden. Ich schaute mich um und entdeckte Ivan. Er lehnte an einer Wand und sah mich an. Mit dem gleichen Blick hatte er mich bei meiner Geburtstagsfeier zum erstenmal angese-

hen. Damals hatte ich ihm nicht standgehalten. Heute sah ich ihm ruhig in die Augen und lächelte. Nachdenklich lächelte er zurück.
Es war fast halb zehn, Dunkelangst war beim letzten Bild angekommen. Es war ein großes schwarz-weißes Gemälde von Ivan, auf dem eine Reisegruppe in einen altmodischen Bus steigt. Ich kannte die Arbeit aus seiner Ausstellung, schon damals hatte sie mir sehr gefallen. Ich mochte auch den Titel: »Unterwegs in unwegsames Gelände«.
»Meine Damen und Herren, das ist Ihre letzte Chance! Dieses herausragende Werk von Ivan Remky ist der krönende Abschluß unserer Auktion. Dieses Bild ist etwas Besonderes. Ich hoffe, Ihr Gebot wird dieser Tatsache gerecht!«
»Dreitausend!« ertönte eine Männerstimme.
»Dreitausendfünfhundert«, rief eine Frau, die bereits zwei Bilder ersteigert hatte. Sie war klein und unscheinbar, aber sehr entschlossen.
»Wer bietet viertausend?« Dunkelangst sah sich streng um. Der prominente Kunsthändler machte ein Handzeichen.
»Viertausend sind geboten! Machen Sie jetzt keinen Fehler, Herrschaften, dieses Bild könnte Ihnen sonst in ein paar Jahren in einem New Yorker Museum wiederbegegnen; das sollten Sie sich ersparen!«
Ich wurde unruhig. Ich mochte die Vorstellung nicht, daß einer dieser Schickis dieses Bild kaufen und in seinem Keller verstauben lassen würde.
»Viertausendfünfhundert!«
Edzard Schwalm, der superreiche Verleger mehrerer Hochglanzzeitschriften, darunter »Stil«, hatte geboten.
Mein Arm schoß in die Höhe. »Fünftausend«, sagte ich.
Dunkelangst warf mir einen amüsierten Blick zu.
»Fünftausend sind geboten, wer bietet mehr?«
»Fünftausenddreihundert.« Die unscheinbare Frau hielt mit.

»Fünftausendfünfhundert«, erhöhte ich.
»Fünftausendachthundert«, rief Schwalm.
»Sechstausend«, hörte ich plötzlich eine bekannte Stimme. Uli zwinkerte mir zu. Sie bot sozusagen für mich mit, sollte Sie den Zuschlag kriegen, wäre das Bild trotzdem meines.
»Sechstausendsechshundertsechzig«, witzelte Schwalm.
»Siebentausend«, bot ich mit fester Stimme.
Bis zehntausend würde ich mitgehen. Ich machte Uli ein Zeichen, und sie nickte.
»Siebentausendeinhundert«, rief Uli, um die Sache am Laufen zu halten, den Preis aber nicht unnötig schnell in die Höhe zu treiben.
»Siebentausenddreihundert«, bot Schwalm.
»Siebentausendfünfhundert«, zog ich nach.
Ich sah Ivans erstaunten Blick zwischen Uli und mir hin und her gehen.
»Siebentausendsiebenhundertsiebzig!«
Sehr originell! Machte dieser blöde Kerl sich auch noch lustig über uns.
»Siebentausendachthundert«, rundete ich auf.
»Welcher Liebhaber guter Kunst macht die achttausend voll?« schmeichelte Dunkelangst.
Die unscheinbare Frau schüttelte resigniert den Kopf.
»Siebentausendachthundertfünfzig!« Schwalm hatte offenbar vor, uns auf kleiner Flamme zu rösten.
Nicht mit mir. »Achttausend«, rief ich.
Ein Raunen ging durch die Menge.
Schwalm zuckte die Achseln. »Neuntausend«, versuchte er die Sache zu einem schnellen Ende zu bringen.
Ich bekam feuchte Hände. »Neuntausendfünfhundert.«
»Neuntausendneunhundertneunundneunzig!«
Scherzkeks.
Vereinzelt stöhnten Leute auf. Die Spannung war fast unerträglich.

»Zehntausend«, sagte ich ruhig.
»Zum ersten, zweiten und dritten«, brüllte Dunkelangst und ließ seinen Hammer auf das Pult sausen.
Yeah! Ich riß die Arme hoch. Es gehörte mir! Es war zwar ein völliger Wahnsinn, so viel Geld auszugeben, aber das war mir egal. Und wenn ich die nächsten Monate von Cornflakes und Milch leben müßte, dieses Bild war es wert.
Schwalm machte eine kurze Verbeugung in meine Richtung und lächelte sparsam. Die Gäste applaudierten.
»Und damit wären wir am Ende, meine sehr verehrten Damen und Herren. Das letzte Bild hat übrigens die Dame erworben, der Sie diesen anregenden Abend verdanken: Frau Cora Schiller!«
Der Applaus schwoll an, ich verbeugte mich verlegen.
»Und jetzt sind wir alle neugierig, zu erfahren, welcher Betrag dank Ihrer Großzügigkeit zusammengekommen ist«, fuhr Dunkelangst fort. »Frau Bucher, haben Sie schon eine Summe?«
Maria bediente fieberhaft einen Taschenrechner und schrieb Zahlen auf einen Zettel.
Dann stand sie auf. »Der heutige Abend erbrachte die Summe von 264 600 Mark!« sagte sie mit einem leichten Zittern in der Stimme.
Nun brach frenetischer Jubel los. Über zweihundertsechzigtausend Mark, das war noch mehr, als wir gehofft hatten! Die Hälfte hatten wir zusammen. Ich nahm das Mikrofon und bedankte mich mit bewegter Stimme bei Dunkelangst, den Sponsoren und den Gästen. Wieder wurde applaudiert. Dann eröffnete ich das Buffet.
Von allen Seiten kamen meine Getreuen und umringten mich.
»Du hast es geschafft«, jauchzte Uli und umarmte mich.
»Wir haben es geschafft«, sagte ich mit Freudentränen in den Augen, »wir alle!«

Und dann umarmte und küßte ich reihum Uli, Arne, Thomas und Evelyn.
Plötzlich kam Edzard Schwalm auf mich zu und streckte mir die Hand entgegen. »Ich nehm's nicht persönlich«, grinste er, »viel Spaß mit dem Bild! Ich wollte Ihnen nur zu heute abend gratulieren, das war eine tolle Sache! Sie scheinen mir eine sehr rührige junge Dame zu sein, wenn ich mal was für Sie tun kann, lassen Sie's mich wissen!«
Ich konnte gerade noch »Danke!« sagen, da war er schon wieder weg. Uli hob vielsagend eine Augenbraue.
Dann stand Ivan vor mir. In seinen Augen glitzerte es verdächtig. Er schloß mich in die Arme und ließ mich ungefähr eine Minute nicht mehr los.
»Vor Publikum bist du unschlagbar«, raunte er mir zu.
»Nur, wenn ich es einem arroganten Arschloch so richtig zeigen will«, flüsterte ich zurück.

Zweiundzwanzig

*E*s waren noch zwei Tage bis Weihnachten, und ich haßte Weihnachten. Ich ertrug dieses ganze Glitzerzeug nicht, die kitschigen Schaufensterdekorationen, die süßliche Musik, die Lichterketten und Sterne aus Glühbirnen, die die Straßen verunstalteten.
Ich haßte es, geschmacklose Weihnachtskarten und vorgestanzte Neujahrsgrüße zu kriegen, und ich haßte es, wochenlang trockene Weihnachtsplätzchen essen zu müssen. Außerdem fand ich es lästig, daß die Läden an den Feiertagen geschlossen blieben und man tagelang im voraus einkaufen mußte. Ich verabscheute die Zeit zwischen Weihnachten und Neujahr, wo alle bei ihren Familien sitzen und auf Harmonie machen, obwohl die meisten die Mischung aus zuviel Essen und zuviel Verwandtschaft zum Kotzen finden.
Das einzig Tröstliche blieb das Fernsehprogramm.
Nie gibt es so viele gute Filme wie an Weihnachten. Deshalb verbrachte ich diese Tage meistens auf dem Sofa, wo ich glotzte, bis mir die Augen weh taten.

Dieses Jahr würde ich am ersten Weihnachtstag zu Tante Elsie fahren. Ich hatte fast täglich mit ihr telefoniert, und es ging ihr inzwischen besser. Sie hatte ihren Humor wiedergefunden und machte Witze über ihren halben Magen. »Was soll's, dann kann ich nicht mehr so viel essen und werde nicht fett auf meine alten Tage!« Sie schien überzeugt zu sein, daß jetzt alles wieder in Ordnung sei. Ich bewunderte ihre Zuversicht.
Den Heiligen Abend wollte Tante Elsie mit ihren »lustigen

Witwen« feiern, ihren drei besten Freundinnen, die ihre Ehemänner ebenfalls vorzeitig unter die Erde gebracht hatten. »Aber wenn du dann kommen würdest, das wäre schön«, sagte sie, und ich versprach es ihr.
Uli, Thomas und ich hatten uns schon auf einen gemeinsamen Weihnachtsabend eingerichtet, als ich überraschend eine Einladung erhielt.
»Hast du am vierundzwanzigsten schon was vor?« fragte Ivan in seiner direkten Art, als wir gerade dabei waren, sein Bild aufzuhängen.
»Am vierundzwanzigsten?« Ich war irritiert. »Da sitzt man meines Wissens im Kreise seiner Liebsten, tauscht Geschenke aus und überfrißt sich gemeinsam.«
»Genau«, sagte er, trat einen Schritt zurück und begutachtete die Position des Bildes. »Hängt gut so.«
»Was soll das, warum fragst du?« erkundigte ich mich mißtrauisch.
»Laß dich überraschen.«
»Schon wieder? Deine letzte Überraschung hat mein ganzes Leben auf den Kopf gestellt!«
»Und, war's schlimm?« Er lächelte mich an.
Im Gegenteil. Es war vermutlich das Beste, was mir passieren konnte, dachte ich.
»Also gut«, seufzte ich in gespielter Resignation. »Aber keine Weihnachtslieder, klar?«
»Klar. Ich hol' dich ab, so gegen vier. Gefällt's dir so?« Er deutete auf sein Bild.
»Super!«
Ich war begeistert. Genau an diese Wand gehörte dieses Bild und nicht in die Protzvilla von Herrn Schwalm oder ins Magazin eines Kunsthändlers!
»Weißt du«, sagte ich sinnend, »der Titel ist wohl programmatisch für mein Leben. ›Unterwegs in unwegsames Gelände‹, so fühle ich mich eigentlich die ganze Zeit.«

»Ich bin froh, daß es bei dir gelandet ist«, sagte Ivan leise, »auch wenn es mir peinlich ist, daß du so viel dafür bezahlt hast!«
»Bevor ich am Hungertuch nagen muß, plündere ich deinen Eisschrank«, lachte ich leichthin.

Pünktlich am vierundzwanzigsten begann es zu schneien. Schon seit Jahren hatte es an Weihnachten nicht mehr geschneit. In meinen Kindheitserinnerungen war Weihnachten immer weiß, aber seit ich erwachsen war, konnte ich mich kaum an ein Weihnachten mit Schnee erinnern. Meistens war es grau und regnerisch, was meine Weihnachtsstimmung nicht gerade verbesserte.
Und nun schneite es plötzlich wieder. Es begann zaghaft mit ein paar einzelnen Flöckchen, steigerte sich unmerklich, und bis zum späten Nachmittag herrschte dichtes Schneegestöber.
Um kurz vor vier klingelte es. Ich küßte Uli und Thomas und nahm meinen Korb mit den Geschenken.
Für Ivan hatte ich einen – wie ich fand – wunderschönen Fotoband gekauft und den besten Grappa, den ich auftreiben konnte. Blue bekam eine Familienpackung Hundekuchen.
Vorsichtig legte ich den Weg von meiner Haustür zum Auto zurück. Der Schnee lang sicher schon fünfzehn Zentimeter hoch. Als ich die Beifahrertür öffnete, hörte ich ein zweistimmiges: »Fröhliche Weihnachten!«
Überrascht sah ich nach hinten. Auf der Rückbank, gemütlich an Blue gekuschelt, saß Jakob.
»Hallo, Hora!« begrüßte er mich strahlend.
»Hallo, ihr drei, fröhliche Weihnachten.«
Blue bellte kurz, wie zur Begrüßung. Ich tätschelte ihm den Kopf.
»Du bist also die Überraschung«, sagte ich zu Jakob.
»Wir gehen Theater«, erklärte er eifrig.

»Ins Theater?« Fragend sah ich zu Ivan.
»Zweiter Teil der Überraschung«, lächelte der und fuhr los.
Die Autos schlichen in Zeitlupe durch die wild tanzenden Flocken. Wie ein Schneepflug bahnte sich der betagte Saab seinen Weg. Nach einer Viertelstunde hatten wir unser Ziel erreicht, ein Puppentheater, das älteste der Stadt. Am Nachmittag vor Heiligabend wurde dort traditionell das Krippenspiel gegeben.
Eine Menge Väter mit ihren Kindern waren zu sehen, wahrscheinlich mußten sie für zwei Stunden von zu Hause verschwinden, damit die Mütter in Ruhe die Bescherung vorbereiten konnten. Ich erinnerte mich, wie ich früher mit Martin in den Kindergottesdienst geschickt wurde, während Tante Elsie den Weihnachtsbaum schmückte. »Ich muß dem Christkind helfen«, sagte sie mit wichtiger Miene, und in meinem Bauch kribbelte es vor Aufregung. Das ganze Jahr über gingen wir fast nie in die Kirche, aber an Heiligabend wußte Tante Elsie nicht, wohin mit uns.
Jakob trat aufgeregt von einem Fuß auf den anderen.
»Geht's los?« fragte er immer wieder.
Endlich klingelte es.
Wenn ich ehrlich war, hätte ich einen guten Kinofilm dem Puppentheater vorgezogen, aber ganz langsam zog mich das Geschehen auf der kleinen Bühne doch in seinen Bann.
Ich genoß es, im Dunkeln unter so vielen Menschen zu sitzen und doch für mich zu sein. Ich erlebte viel zu wenige solcher Momente, in denen ich nichts tat, nichts sagte, eigentlich nicht einmal etwas dachte. Ich folgte der Erzählung und vergaß für eine Weile mich selbst und alles um mich her. Irgendwann sah ich zu Jakob, der zwischen Ivan und mir saß und gebannt die Bewegungen der Marionetten verfolgte. Er sah so unschuldig aus, wie er mit offenem Mund zuhörte. Spontan beugte ich mich zu ihm und küßte ihn auf die Wange.

Er sah kurz rüber, lächelte und und murmelte: »Hora!« Dann verfolgte er weiter die Geschichte von Maria, Josef und dem Jesuskind.
Ivan schaute zu mir und formte mit den Lippen unhörbar das Wort: »Danke!«
Nach dem Theater lieferten wir Jakob zur Weihnachtsfeier im Haus Sonnenschein ab, wo Maria mich an sich drückte und mir ein Päckchen überreichte.
»Ich muß dir nicht sagen, was du für uns tust«, sagte sie.
»Wenn ihr nicht aufhört, euch zu bedanken, muß ich's mir echt noch mal überlegen«, drohte ich.
»Sie hat noch Probleme mit ihrer Rolle als Mutter Teresa«, erklärte Ivan lachend, »aber das kriegen wir noch hin!«
»Frohe Weihnachten!« wünschte Maria und küßte uns beide zum Abschied.
Eine halbe Stunde später betraten wir Ivans Wohnung.
»Und was passiert jetzt?« fragte ich aus alter Gewohnheit, obwohl ich schon vermutete, daß ich wieder keine Antwort kriegen würde.
»Wie war das noch mit dem Schlüssellochgucken an Weihnachten?«
»Ja ja, schon gut, ich habe eben immer schon gespickt, und ich werde es auch weiterhin tun, wenn sich die Gelegenheit bietet!«
»Blue, du bewachst diese ungezogene Frau, verstanden?« befahl Ivan streng.
Blue machte »wuff« und wich nicht mehr von meiner Seite.
Ivan bewohnte das Dachgeschoß eines alten Wohnhauses mit Blick über die ganze Stadt. »Sieht aus wie Paris!« sagte ich bewundernd und konnte mich gar nicht losreißen von dem malerischen Anblick der verschneiten Dächer.
Der große Wohnraum hatte die Form eines L. Da, wo der Knick war, befand sich ein offener Kamin, in dem Ivan jetzt ein Feuer entfachte. Im ganzen Raum stützten dicke Holz-

balken eine Decke, die ebenfalls aus schweren dunklen Balken gezimmert war.

Als das Feuer brannte, legte Ivan eine CD ein. Die ersten Takte erklangen. Billie Holliday. Fragend schaute er zu mir. Ich nickte. Ich liebte Billie Holliday. Ivan schenkte zwei Gläser Rotwein ein.

»So, du machst es dir jetzt hier gemütlich und rührst dich nicht von der Stelle«, befahl er.

»Und du?«

»Ich verschwinde in der Küche.«

»Soll ich dir nicht was helfen?«

»Kommt nicht in Frage!«

Folgsam kuschelte ich mich aufs Sofa und kraulte Blue, der, seinem Auftrag entsprechend, zu meinen Füßen Platz genommen hatte. »Was hast du nur für ein seltsames Herrchen?« fragte ich ihn. Aufmerksam sah er mich an.

Das Feuer knisterte und verbreitete eine wohlige Wärme. »That's why the lady is a tramp!« sang Billie mit ihrer leicht heiseren, traurigen Stimme.

Ich sah mich im Raum um. Bis zur Dachschräge stapelten sich an allen verfügbaren Wänden Bücher. Ein wuchtiger antiker Schreibtisch, eine geschnitzte orientalische Truhe und ein großer, alter Schrank bildeten neben dem Sofa und ein paar bequem aussehenden Sesseln die ganze Möblierung. Den Holzboden bedeckten einige sehr schöne Kelims in satten Farben. An manchen Balken hingen kleine Zeichnungen, Zettelchen oder Erinnerungen, wie zum Beispiel die Eintrittskarte zu einem Rolling-Stones-Konzert vor zwei Jahren. Also, ein Stones-Fan. War eigentlich nicht anders zu erwarten gewesen, was, Arne?

Arne saß jetzt sicher zu Hause bei Papa und Mama auf dem Kanapee, dachte sehnsüchtig an seine neue Liebe und verfluchte sich, daß er nicht den Mut hatte, seinen Eltern zu sagen: »Das ist Hubert, der Mann, den ich liebe!«

Tatsächlich hatte es massiv eingeschlagen bei ihm. Der hartnäckige Anrufer hatte sich als sehr sympathischer Typ entpuppt.
Mein Blick wanderte weiter und blieb an einem Foto hängen. Es zeigte Ivan, eine Frau und einen kleinen Jungen. Das mußte Matti sein.
Ich stand auf, um das Bild genauer zu betrachten. Ivan sah viel jünger aus, er lachte strahlend. Die Frau war blond, sehr hübsch, sie erinnerte mich an Greta Scacchi, die italienische Schauspielerin. Matti war ein niedlicher Junge mit strubbeligen Haaren und einem abstehenden Ohr.
Ich setzte mich wieder und wuschelte gedankenverloren in Blues Fell. Ob ein Hund auch trauerte? Was hatte Blue empfunden, als zwei seiner drei Menschen plötzlich verschwunden waren? Als ich mir vorstellte, wie verlassen er sich gefühlt hatte, kamen mir die Tränen.
Die Küchentür ging auf, und Ivan, angetan mit Küchenschürze, erschien. Er deutete eine Verbeugung an.
»Gnädige Frau, darf ich bitten?«
Ich erhob mich vom Sofa, wischte mir verstohlen die Augen und nahm mein Weinglas.
Die Küche war ein wunderschöner Raum mit weißem Dielenboden, weißen Wänden und blauweißen Fliesen. Die Balken, die wie im Wohnraum die Deckenkonstruktion bildeten, waren ebenfalls blau gestrichen. Es sah aus wie in einem bretonischen Bauernhaus.
In der Mitte stand ein großer heller Holztisch, an dem für zwei Personen gedeckt war. Am Tischende stand eine winzige Tanne mit brennenden Kerzen und kleinen roten Kugeln. Auf dem Herd standen verschiedene Töpfe. Es dampfte und duftete.
Wieder stieg mir das Wasser in die Augen, diesmal vor Freude. Warum waren denn plötzlich alle so nett zu mir?
»Blattsalate mit pochiertem Lachs, Rehrücken mit Spätzle,

Bayerische Crème mit Himbeeren«, gab Ivan das Menü bekannt.
»Bei welchem Party-Service hast du bestellt?« erkundigte ich mich angelegentlich.
»Nicht frech werden, sonst mußt du nachher spülen«, drohte Ivan und schenke die Gläser wieder voll. Dann servierte er das Essen.
Es schmeckte köstlich, und ich schlug derartig zu, daß Ivan seinen Augen nicht traute. Nach der dritten Portion Nachtisch gab ich ermattet auf. Eines war klar: Der Mann konnte kochen! Damit fiel er als Liebhaber erfahrungsgemäß aus.
»Ich kann nicht mehr!« stöhnte ich.
»Ein Segen.« Ivan atmete erleichtert auf. »Ich dachte schon, ich kriege dich nicht satt!«
Mir fiel der Grappa ein. »Jetzt ist Bescherung!« verkündete ich und holte die Geschenke.
»Das ist für Blue.« Ich legte ihm den Hundekuchen hin. Blue schien die Packung zu erkennen und wedelte erfreut mit dem Schwanz.
»Und das ist für dich.« Ich reichte Ivan den in Geschenkpapier verpackten Fotoband und die Grappaflasche.
»Hast du was dagegen, wenn wir die gleich aufmachen?« Ich zeigte auf die Flasche.
»Im Gegenteil.« Ivan stellte zwei Gläser auf den Tisch. Dann packte er das Buch aus. Er blätterte darin und stutzte. »Das gibt es nicht«, sagte er.
»Was gibt es nicht?« fragte ich verständnislos.
Aufgeregt blätterte er weiter. Dann zeigte er mir ein Foto. Es zeigte eine Gruppe von Leuten am Rande eines amerikanischen Highways, die gerade einen Reisebus bestieg. »Fällt dir was auf?«
»Was soll mir auffallen? Es sind Leute, die . . .« Jetzt begriff ich. »Unterwegs in unwegsames Gelände.« Das Foto war die Vorlage zu Ivans Bild.

»Hast du das Buch schon?« fragte ich enttäuscht.
»Nein! Vor Jahren habe ich mal eine Ausstellung dieses Fotografen gesehen. Ich habe längst vergessen, wie er heißt, aber die Fotos gingen mir nie mehr aus dem Kopf. Meine schwarz-weiße Serie beruht auf der Erinnerung an diese Bilder!«
»Ist ja ein Ding!« Ich staunte.

»Das bedeutet, du hast meine Bilder wirklich erfaßt und unbewußt dieses Buch gewählt, weil du es mit mir in Verbindung gebracht hast!« Ivan freute sich, und ich freute mich auch. Es war schließlich nicht leicht, jemanden zu beschenken, den man kaum kannte.
»Na, dann Prost!« sagte ich und hob mein Glas.
Ivan hob seines, und unsere Gläser berührten sich mit einem feinen klingenden Ton. Der Grappa rann weich wie Öl durch meine Kehle.
»Ich bin sehr froh, daß du da bist«, sagte Ivan mit rauher Stimme. »Weihnachten war die letzten Jahre ein Horror für mich.«
Das konnte ich mir vorstellen. Weihnachten, das Fest der Familie. Und er saß da und dachte an seinen toten Sohn und seine verschwundene Frau. »Hast du eigentlich noch Kontakt zu deiner Ex-Frau?« fragte ich.
»Seit kurzem wieder. Sie hat bisher in Italien gelebt, aber jetzt hat man ihr hier einen tollen Job angeboten. Sie überlegt sich, wieder herzuziehen.«
»Was ist sie von Beruf?«
»Ärztin.«
»Sie ist sehr schön«, sagte ich, »ich habe sie auf dem Foto draußen gesehen.«
»Sag mal, wo hast du eigentlich deinen südländischen Zinken her?« wechselte er abrupt das Thema.
Ich erzählte ihm von meinen verworrenen Familienverhält-

nissen, meinen verschollenen Vätern, meiner Mutter und Tante Elsie.
Er hörte ruhig und aufmerksam zu.

Später zogen wir ins Wohnzimmer um. Ich legte mich aufs Sofa, um ins Feuer sehen zu können. Ivan hockte sich neben mich auf den Boden, Blue saß neben Ivan und legte seinen Kopf zu mir. Er stupste mich sanft mit der Schnauze, was bedeutete, daß er gekrault werden wollte.
Wir redeten und redeten. Wir holten nach, was wir bisher versäumt hatten. Fast täglich waren wir zusammengewesen, wir hatten den wochenlangen Streß vor der Versteigerung gemeinsam durchgestanden und waren einander vertraut, ohne uns wirklich zu kennen. Und jetzt zeigte sich, was ich die ganze Zeit geahnt hatte, aber nicht wahrhaben wollte: Uns verband viel mehr als unser gemeinsames Projekt.
Der Grappa leerte sich zusehends, ich fühlte mich warm und schwer und unwahrscheinlich wohl. Irgendwann muß ich eingeschlafen sein.

Am nächsten Morgen erwachte ich auf dem Sofa.
Von Ivan war nichts zu sehen, aber aus der Küche klang das Klappern von Geschirr.
Ich streckte mich und krabbelte unter meiner Decke hervor, mit der Ivan mich offenbar zugedeckt hatte. Brr, war das kalt! Ein Fenster war geöffnet, und feuchtkalte Morgenluft strömte in den Raum. Fröstelnd ging ich schnell ins Bad und dann in die Küche.
»Guten Morgen«, empfing mich Ivan, »gut geschlafen?«
Auf dem Tisch standen frisch gebrühter Kaffee, heiße Milch und ein Hefezopf sowie Butter und Marmelade.
»Mmh«, brummte ich und setzte mich. »Hast du zufällig Multivitaminpillen?«

»Zufällig nicht, werden beim nächsten Mal geliefert!«
»Beim nächsten Mal?«
»Na, ich hoffe doch, du frühstückst nicht zum letztenmal bei mir!«
Er mischte mir einen Milchkaffee, und ich tauchte ein Stück Zopf ein. »Sag mal«, fragte ich zwischen zwei Bissen, »ich hatte gestern ziemlich einen im Kahn, habe ich mich gut benommen?«
»Ich finde, schon.«
»Und ... hast du dich auch gut benommen?«
»Du meinst, ob ich mich dir unsittlich genähert habe?«
»Mmh.«
»Ich hoffe doch sehr, daß, wenn ich's getan hätte, du dich erinnern könntest!«
»Also nicht!« stellte ich erleichtert fest.
»Wäre das so schlimm?«
»Ich hab' auf die Art schon mal einen guten Freund verloren, jedenfalls fast«, sagte ich. »Es würde mir leid tun, dich zu verlieren.«
»Warum glaubst du, daß man sich dabei verliert?«
»Gute Freunde sind schlechte Liebhaber«, erläuterte ich ihm meine Erfahrung und ergänzte lachend: »Gute Köche übrigens auch!«
»Es geht nichts über ein gepflegtes Vorurteil!« Ivan lächelte spöttisch.

Dreiundzwanzig

Nach dem Frühstück fuhr ich mit dem Taxi nach Hause. Um zwei ging meine Maschine nach Hamburg, von dort aus würde ich mit der Bahn zu Tante Elsie fahren.
Ich fühlte mich glücklich und beschwingt. Pfeifend schloß ich die Wohnungstür auf und sah Thomas, der gerade Ulis Schlafzimmertür von außen schloß.
»Psst«, machte er und legte den Finger an die Lippen.
Irgendwie kam es mir vor, als hätte ich dieses Stück schon mal gesehen, allerdings mit vertauschten Rollen. Damals kam Thomas aus meinem Schlafzimmer, und Uli stand im Eingang. Das Leben war doch ein ewig wiederkehrender Fluß, oder so ähnlich. Moment mal, was machte Thomas überhaupt in Ulis Zimmer?
»Habt ihr miteinander geschlafen?« platzte ich heraus.
»Habt ihr miteinander geschlafen?« gab er die Frage zurück.
»Du meinst, Ivan und ich?« fragte ich blöd.
»Wer denn sonst?«
»Also, was uns betrifft: Nein!«
»Und was uns betrifft: Ja!« Thomas weidete sich an meinem verblüfften Gesichtsausdruck.
»Aber ... ich meine, wie geht das überhaupt mit dem riesigen Bauch?«
»Streng deine Phantasie ein bißchen an«, forderte Thomas mich lächelnd auf.
»Meinst du nicht, das Baby erschrickt, wenn plötzlich dein Ding da drin auftaucht?«
Thomas prustete los.
»Nein, im Ernst«, beharrte ich, »ich hab' gelesen, daß man damit die Geburt auslösen kann!«

»Vielleicht am Schluß der Schwangerschaft, aber nicht jetzt.« Das war Ulis Stimme.
Sie stand mit schlafgeröteten Wangen und verstrubbelten Haaren in ihrer Zimmertür und strahlte.
Ich schüttelte ungläubig den Kopf. »Ihr seid gut! Kaum läßt man euch 'ne Nacht allein, schon geht die Post ab!«
Uli zuckte verlegen lächelnd die Schultern. Ich umarmte sie und schmatzte einen Kuß auf ihre warme Backe. »Vielleicht hätte ich euch schon früher mal allein lassen sollen.«
Mein Herz hüpfte vor Freude, während ich meine Klamotten in den Koffer schmiß. Alles würde gut werden.

Diesmal stand Tante Elsie am Bahnsteig und wartete auf mich.
Ich erschrak bei ihrem Anblick. Sie war abgemagert, wirkte richtiggehend geschrumpft und schien um Jahre gealtert. Mir schossen die Tränen in die Augen. »Was haben die bloß mit dir gemacht?« schluchzte ich auf, als ich ihren zerbrechlichen Körper umarmte.
»Beruhige dich, Prinzeßchen, mir geht es gut, ehrlich!«
»Aber du siehst aus, als würdest du jeden Moment umfallen vor Schwäche!«
»Ich darf nur Schonkost essen, und davon auch nur wenig«, erklärte sie, »aber mir tut das richtig gut! Diese ständige Fresserei, das macht die Leute doch krank!«
Während des gesamten Heimwegs konnte ich mich kaum beruhigen. Erst als unser Haus auftauchte, kam ich auf andere Gedanken. Es war bestimmt drei Jahre her, daß ich zuletzt hiergewesen war. Ich erkannte jeden Stein auf dem Gehweg, jede Scharte im Zaun, jeden Busch und jeden Baum. Das Reihenhäuschen erschien mir wie immer, wenn ich wiederkam, kleiner, als ich es aus meiner Kindheit in Erinnerung hatte.
So gern ich hier mit Tante Elsie gelebt hatte, immer hatte ich

davon geträumt, irgendwann wegzugehen. Ich wollte raus in die Welt.
»Du hast die Fensterläden streichen lassen«, stellte ich sofort fest.
»Ja, und das Dach ist neu gedeckt. Aber innen ist alles, wie es war.«
»Mein Zimmer auch?«
»Dein Zimmer auch.«
»Aber du kannst das doch nicht ewig so lassen«, sagte ich, »du solltest den Raum nutzen, irgendwas reinstellen oder einen Untermieter nehmen.«
»Ich hab' doch genug Platz, und jemand Fremden will ich nicht im Haus haben. Wer weiß, wozu das Zimmer noch gut ist.«
Ich nahm an, sie spielte auf Enkelkinder an. Plötzlich wünschte ich, ich könnte ihr diesen Traum erfüllen, und gleichzeitig beschlich mich die Angst, sie würde das Glück gar nicht mehr erleben. Ich unterdrückte einen neuerlichen Weinanfall.
»Wohnt der bescheuerte Breier noch nebenan?« fragte ich, um mich abzulenken. Breier war ein paranoider Querulant, der die gesamte Nachbarschaft mit Beschwerden, Eingaben und schulmeisterlichen Briefen nervte.
»Aber ja«, lachte Tante Elsie, »jetzt beschwert er sich, daß die Zweige des Apfelbaums überhängen und Laub auf sein Blumenbeet fällt. Er will prozessieren!«
»Dieser kleinkarierte Spießer! Wenn er dich zu sehr nervt, sag mir Bescheid, den mach' ich fertig«, drohte ich und warf einen grimmigen Blick in das zwanghaft ordentliche Vorgärtchen.
In meinem Zimmer war tatsächlich alles, wie es immer gewesen war. Ich mußte den Kopf einziehen, um nicht gegen die schrägen Wände zu stoßen, und mich bücken, um durchs Fenster sehen zu können. Die Gardinen mit den

Bären drauf hingen immer noch dort, sie waren sogar frisch gewaschen und gestärkt. Am Boden lag der bunte Flickenteppich, und auf Martins Holzregal saßen in der alten Ordnung meine Puppen und Kuscheltiere. Ein paar BRAVO-Starschnitte an der Wand erinnerten an meine frühe Jugend; die hundertvierundzwanzig Postkarten mit Ponys und Pferden drauf, die lange Zeit an der Wand hingen, hatte ich bei meinem letzten Besuch entfernt. Hunderte von winzigen Löchern im Holz zeugten von diesem pubertären Exzeß.
Plötzlich erinnerte ich mich wieder, wie ich mich als Kind gefühlt hatte. Hier oben war mein Prinzessinnen-Schloß, und da draußen die weite, geheimnisvolle Welt der Erwachsenen. War ich erst erwachsen, würde ich alles verstehen, was die Großen miteinander sprachen, ich würde wichtige Dinge tun und vom Metzger mit »Frau Schiller« angesprochen werden. Aber ich würde mich nicht mehr weinend zu Tante Elsie flüchten können, wenn mir irgend etwas zugestoßen war. Erwachsensein, das schien mir gleichzeitig aufregend und bedrohlich; mal wünschte ich, es sollte ganz schnell gehen, mal hoffte ich, es würde nie soweit kommen.
Und jetzt war ich erwachsen geworden, ohne es zu bemerken.
Ab wann war man überhaupt erwachsen? Ab dem achtzehnten Geburtstag, wenn man einen Führerschein in der Hand hält und seine Unterschrift auf einen Scheck setzen darf? Ab dem Tag, an dem man das Gefühl hat, es gibt mehr Menschen, die jünger sind, als Menschen, die älter sind als man selbst? Oder schon ab dem Moment, in dem man das erste Mal sein Leben aufs Spiel gesetzt hat und davongekommen ist? Ich erinnerte mich sehr gut an diesen Moment.
Ich war vielleicht sechzehn. Ich hatte mich unsterblich in einen Jungen verliebt, der ein paar Jahre älter war als ich und

sich einen Spaß daraus machte, riskante Liebesbeweise von mir zu verlangen.
Einmal ließ ich mich aus dem vierten Stock hängen, und er hielt mich an den Füßen fest. Ein anderes Mal überquerte ich mit verbundenen Augen eine sechsspurige Straße. Beim letzten Mal wollte er, daß ich nachts ins Gelände eines Gebrauchtwagenhändlers eindringe, das von einem blutrünstigen Pitbullterrier bewacht wurde.
Ich war drauf und dran, ihm diesen Beleg meiner Leidenschaft zu verweigern, aber dann packte mich doch der Ehrgeiz. Er sollte sehen, daß ich vor nichts und niemandem Angst hatte! Außerdem verursachten mir diese Mutproben ein aufregendes Kribbeln, und so ließ ich mich immer wieder darauf ein.
Ich schlich nachts aus meinen Zimmer und die Treppe hinunter. Ich wußte genau, welche Stufen knarzten und welche nicht. Tante Elsie hatte zum Glück einen festen Schlaf.
Knut, mein durchgeknallter Verehrer, erwartete mich schon. Schlotternd vor Angst kletterte ich über den Zaun. Die Abmachung war, daß ich einmal über den Hof laufen und wieder rausklettern sollte. Wir hofften beide, daß der Pitbull nicht so schnell in die Gänge kommen würde.
Aber das war ein Irrtum. Ich hatte kaum einen Fuß auf den Boden des Hofes gesetzt, da schoß der Köter laut bellend aus seiner Hütte. Ich rannte um mein Leben, aber das Vieh war in Sekundenschnelle hinter mir. Vermutlich hätte er mich im nächsten Moment zerfleischt, wenn nicht zufällig in dieser Nacht sein Besitzer auf dem Gelände gewesen wäre. Er kam aus seinem Wohnwagen heraus, der tagsüber als Verkaufsraum diente, und pfiff den Hund zurück. Im nächsten Moment hörte ich eine wütende Männerstimme: »Stehenbleiben, oder ich schieße!«
Ich dachte nicht daran, stehenzubleiben, sondern rannte wie von Sinnen zum Zaun, wo ich mich mit letzter Kraft

hochzog und auf der anderen Seite runterfallen ließ. Da peitschte ein Schuß durch die Dunkelheit.
Ich weiß nicht, ob es ein Luftgewehr war oder ob der irre Gebrauchtwagenhändler tatsächlich mit einer echten Knarre rumgeballert hatte. Tatsache war, daß ich mich aufrappelte, weiterrannte und in Sicherheit brachte.
Als ich Knut an der verabredeten Stelle traf, holte ich schweigend aus und knallte ihm eine.
Seither hatte ich Angst vor Hunden.

Ich blieb drei Tage bei Tante Elsie.
Am letzten Morgen, auf dem Weg zum Bahnhof, sagte sie plötzlich: »Ich habe Nachricht von Klaus.«
Ich schwieg.
»Er ist in Südamerika. Er hat einem Freund einen Brief mitgegeben, der hier in Deutschland eingeworfen wurde. Vor zwei Wochen habe ich ihn bekommen.«
»Was schreibt er?« erkundigte ich mich jetzt doch.
»Daß er damals Probleme mit den Behörden hatte und abhauen mußte. Er läßt gerade von einem Anwalt prüfen, ob er zurückkommen kann.«
Den Grund für sein Verschwinden kannte ich ja bereits von Anatol Dunkelangst. Ich hatte Tante Elsie nichts davon erzählt, weil ich sie in ihrem Zustand nicht noch mit dieser Geschichte belasten wollte.
Und nun wollte mein Vater, der nicht mein Vater war, wieder zurückkommen. Eigentlich legte ich keinen gesteigerten Wert auf ein Wiedersehen, meinetwegen konnte er bleiben, wo der Pfeffer wächst. Oder machte ich mir da was vor? Ich wußte es nicht.
»Du kannst ja Bescheid sagen, wenn er auftaucht«, sagte ich reserviert, »ich weiß noch nicht, ob ich ihn sehen will.«
Ich ahnte nicht, wie bald ich ihn sehen würde.

Wieder in meiner Wohnung, überfiel mich mein Jahresendzeitaufräumkoller. Den bekam ich immer kurz vor Silvester. Ich verspürte plötzlich das Bedürfnis, wenigstens äußerlich geordnet dem neuen Jahr entgegenzutreten.
Also arbeitete ich auf, was sich auf meinem Schreibtisch so angesammelt hatte, heftete Belege ab, zahlte Rechnungen, schrieb Mahnungen und zerknüllte Hunderte von Zettelchen, auf denen ich irgendwas notiert hatte.
Dann räumte ich meinen Kleiderschrank auf, machte mich auf die Suche nach lange verschollenen zweiten Socken, putzte dreiundzwanzig Paar Schuhe (darunter einige von Uli, die war nämlich für ein paar Tage zu ihren Eltern gefahren) und legte die Besteckschublade in der Küche mit Schrankpapier aus.
Bis zum 31. Dezember mittags war ich vollauf beschäftigt. Dann kam ich wieder zu mir.
Silvester! Heute war Silvester, und ich hatte noch keine Ahnung, wo ich die wichtigste Nacht des Jahres verbringen würde. So überflüssig ich Weihnachten fand, so bedeutsam erschien mir Silvester. Ein Jahr endete, ein neues begann, man konnte innerlich einen Schlußstrich unter mißliebige Erlebnisse ziehen und sich auf neue Herausforderungen freuen. Die Silvesternacht stand symbolisch für das ganze folgende Jahr, sie mußte so wild, bunt und fröhlich verlaufen wie irgend möglich!
Fieberhaft telefonierte ich mein Adreßbuch durch. Da und dort gab es ein Fondue oder einen Silvesterkarpfen im kleinen Kreis, das war zwar ganz nett, aber nicht das, was mir vorschwebte. Ich hatte Lust auf eine richtig große Fete.
Mein alter Schulfreund Egon erwies sich dann als die richtige Adresse. »Alter Flughafen, Technohalle, ab 21 Uhr. Ich schreibe dich auf die Gästeliste!« ratterte er runter.
Genau das war es, was ich brauchte! Stundenlang raven, in der Menge schwimmen, mir die Ohren mit Musik volldröh-

nen, tanzen bis zum Umfallen! Konnte schon sein, daß ich ein bißchen alt war für diese Art von Vergügen, aber das kümmerte mich nicht.
Bis zum Abend faxte ich noch ein paar Neujahrswünsche durch die Gegend und telefonierte mit alten Freunden. Auch bei Tante Elsie rief ich an, um ihr von Herzen ein gutes neues Jahr zu wünschen.
»Und im Mai, wenn du fünfundsechzigsten Geburtstag hast, machen wir zusammen eine Reise«, schlug ich vor.
»Au ja, Prinzeßchen, da freue ich mich!«
»Wo möchtest du gerne hin?«
Sie dachte nach. »Paris? Oder Venedig? Ich weiß noch nicht, das überlegen wir noch.«
»Ist gut, Tante Elsie. Du weißt, daß ich dich lieb habe wie niemanden auf der Welt. Das nächste Jahr wird besser, da bin ich ganz sicher!«
»Bis bald, meine Kleine! Viel Spaß auf der Party.«
Zuletzt rief ich bei Ivan an. Sein Band lief. Ich hinterließ ihm eine Nachricht. »Hier ist Cora, ich wünsche dir alles Gute für deinen Weg in unwegsames Gelände. Im nächsten Jahr kriegen wir die halbe Million voll! Alles Liebe!«
Ich legte auf und machte mich auf meinen Weg ins neue Jahr.
Ich tanzte, als sei es die letzte Nacht meines Lebens. Nur, um zwischendurch was zu trinken, verließ ich die Tanzfläche. Alle waren da, die ganze Szene. Egon, Rudi, Markus mit neuer Freundin, sogar Sandra und Tina. Es war wie ein Klassentreffen. Hier ein »Hallo, lange nicht gesehen!«, da ein Begrüßungskuß, dort eine stürmische Umarmung. »Mensch, wie geht's?« und immer wieder »Melde dich doch mal!« »Ja, ich ruf' dich an!«
Alle wußten, daß es nur Gerede war, aber das gehörte zum Spiel. Gegen elf machte ich einen Boxenstopp an der Bar. Sandra und Tina, das »Gemeinsam-sind-wir-unausstehlich-

Team«, näherte sich kichernd. »Hey, Cora, weißt du noch?« gluckste Sandra und stellte pantomimisch dar, wie Macke sich beim Versuch, seine Blöße zu bedecken, in den Klamotten verheddert hatte. Wir kreischten vor Lachen. Das war vermutlich der beste Augenblick des abgelaufenen Jahres gewesen!

Conni, ein bildschöner Neurologe, um den sich schon Frauen geprügelt hatten, bremste neben uns und bestellte ein Bier. »Hallo, Mädels!«

»Hallo, Connie«, schmachteten ihn Tina und Sandra synchron an. Dann verschwanden sie in der Menge.

»Cora, wo steckst du denn immer? Seriös geworden?« grinste er mich an. Scheiße, sah der Kerl gut aus!

Seriös, um Gottes willen! Wie kam er denn darauf? Seriös hieß, man cruiste nicht mehr auf dem freien Markt, sondern hatte sich mit festem Partner und womöglich Kind aus der Szene verabschiedet.

»Ich doch nicht! Nur ein bißchen viel Arbeit, wie du wahrscheinlich auch«, wies ich den Verdacht von mir.

»Du sagst es. Das menschliche Gehirn wartet noch immer darauf, endgültig von mir erforscht zu werden. Sag mal, hast du Lust auf Speed?«

»Dieses Zeug, wo man drei Tage nicht schläft und nur noch hektisch durch die Gegend rennt?« Das hatte ich einmal versucht und fand es voll beschissen.

»Nein, besser. MDMA, wenn dir das was sagt.«

»Ecstasy?«

»Aber vom Feinsten. Völlig sauber, kein Amphetamin drin.«

Ich überlegte einen Moment. Warum eigentlich nicht? Heute war schließlich Silvester. Wer weiß, wie lange ich mir so kindische Späße noch leisten konnte. Ab einem gewissen Alter wurde es doch ziemlich peinlich, sich die Birne vollzuknallen. Also, nur heute, zum ersten und zum letzten Mal.

»Wieviel?«
»Fünfzig.«
»Gebongt.«
Ich zog einen Schein aus der Tasche und legte ihn auf den Tresen. Er legte eine längliche weiße Kapsel neben mein Glas.
»Have a good trip«, lächelte er und küßte mich auf die Schläfe.
Mehr davon, dachte ich und schloß die Augen. Aber da war er schon weg.
Ich warf die Pille ein wie ein Aspirin und spülte mit Cola nach. Wenig später war ich wieder auf der Tanzfläche. Fast hatte ich schon vergessen, daß ich was genommen hatte, als die Wirkung einsetzte. Meine Hände und Füße wurden kühl, ich fühlte mich ganz leicht. Es war, als würde sich jede einzelne Zelle meines Körpers auf den richtigen Platz begeben. Alle Mißempfindungen hörten auf und machten einem wunderbaren Wohlbefinden Platz.
Die Musik war phantastisch, noch nie hatte ich so tolle Musik gehört! Ich gab mich völlig hin und spürte, daß ich noch nie so gut getanzt hatte. Irgendwann machte ich eine Pause und trank Orangensaft. Der Geschmack war wie eine Offenbarung! Niemals vorher hatte ich etwas so Köstliches geschmeckt. Das Licht war weich und angenehm, alles bekam eine große Intensität, und das beste: Ich liebte alle Leute, die hier waren!
Hatte ich Egon eigentlich jemals gesagt, wie nahe er mir war, wieviel ich für ihn empfand und wie glücklich ich war, daß es ihn gab? Ich sagte es ihm jetzt. Er schaute mich amüsiert an. »Welcome to the club, Baby!«
»Was meinst du?« fragte ich unschuldig.
»Wenn du deine Pupillen sehen könntest, wüßtest du's!«
Ich schaute in meinen Taschenspiegel. Meine Pupillen waren untertassengroß. Ich sah Egon an. Seine auch. Da

lachte ich. Wir alle hier gehörten zusammen, wir waren auf demselben Trip, wir liebten uns. Nur einen kurzen Moment stieg das Gefühl in mir hoch, daß alles nur ein großer Betrug war. Schnell verdrängte ich den Gedanken. Morgen würde es vorbei sein. Ab morgen würde ich mich wie eine Erwachsene benehmen, ganz bestimmt!

Die Musik brach ab, und durch die Lautsprecher schallte eine Stimme: »Zehn, neun, acht, sieben . . .«

Alle rasten zu den Ausgängen. Draußen drängten wir uns aneinander und zählten im Chor: ». . . sechs, fünf, vier, drei, zwei, eins, Happy new year!!!« Die Musik setzte in voller Lautstärke wieder ein, die Sektkorken knallten, wir lagen uns gegenseitig in den Armen und küßten uns, stießen mit den Sektgläsern an und wünschten uns ein frohes neues Jahr, während über der Stadt ein Feuerwerk abging, das besser war als alle bisherigen Feuerwerke meines Lebens.

Wenn das nächste Jahr so sensationell werden würde wie diese Nacht, dann könnte ich demnächst die Welt aus den Angeln heben!

Vierundzwanzig

*A*uf den Höhenflug der Silvesternacht folgte eine ziemlich harte Landung. Den ersten Januar verbrachte ich mit Weltschmerz im Bett. Keiner war da, niemand rief mich an, ich fühlte mich einsam und elend. Ich kam mir vor, als spielte ich in einem falschen Theaterstück. Warum mußte ich lauter Sachen machen, die ich eigentlich blöd fand? Warum schaffte ich es nicht, mich in meinem eigenen Leben zu Hause zu fühlen?

Der Januar verlief völlig ereignislos, wenn man davon absah, daß sich bald wieder ein Haufen unerledigter Arbeit auf meinem Schreibtisch stapelte, Jim Knopf sauer auf mich war, weil er sich nicht genügend geliebt fühlte, und meine Finanzlage sich desolat darstellte. Mein Beratervertrag würde demnächst auslaufen, ein paar kleinere Jobs, die ich nebenher gemacht hatte, waren beendet. Und Uli lag mir natürlich noch immer auf der Tasche, was die Sache auch nicht besser machte.

Ich beschloß, ein Problem nach dem anderen aus der Welt zu schaffen. Jim Knopf erklärte ich bei einem Abendessen, daß wir gute Freunde werden sollten. (War das mit guten Liebhabern überhaupt möglich?)

»Ich bin zu alt für dich!«

»Du spinnst«, sagte Jim Knopf, »außerdem: Gute Freunde sind wir doch schon! Deshalb können wir trotzdem miteinander ins Bett gehen, oder?«

Ich lachte. »Klar, zum Gute-Nacht-Geschichten-Vorlesen.«

»Wie langweilig.«

»Kommt auf die Geschichten an.«

Am nächsten Tag bekam ich ein Päckchen. »Erotische Gute-

Nacht-Geschichten aus aller Welt«, mit einer Widmung: »Wann darf ich zum Vorlesen kommen?«
Jim Knopf war wirklich süß, vielleicht war es ein Fehler, ihn in die Wüste zu schicken. Aber ich wollte nicht mehr so viele Kompromisse machen. Und die Affäre mit Jim Kopf war ein Kompromiß, wenn auch ein sehr angenehmer.
Was meine berufliche Zukunft anging, war mir auch einiges klargeworden. Die Versteigerung hatte mir gezeigt, wo meine Fähigkeiten lagen: Ich konnte Leute mobilisieren, und ich konnte organisieren. Das war nicht übel! Damit würde ich doch, verdammt noch mal, etwas anfangen können! Es gab Tausende von Jobs, in denen diese Talente gefragt waren. Ich mußte nur herausfinden, was ich wollte.
Aber bevor ich in Sachen Job etwas unternahm, mußte ich die Spendenaktion erfolgreich beenden. Das war im Moment das wichtigste. Ich zerbrach mir den Kopf darüber, woher die restlichen zweihundertfünfzigtausend Mark für den Erhalt des Kinderheimes kommen könnten.
Ich verfaßte Bettelbriefe an sämtliche großen Unternehmen unserer Stadt. Das Ergebnis war mager. Innerhalb von vier Wochen gingen gerade mal dreißigtausend Mark auf unserem Konto ein. Ein paar tausend Mark waren von Spendern gekommen, die von der Aktion in der Zeitung gelesen hatten. Blieben immer noch rund zweihunderttausend Mark, die fehlten. Ich war ratlos.
Eines Abends, als ich mit Uli vor der Glotze hing und frustriert Chips in mich reinstopfte, kam mir die Erleuchtung.
»Fernsehen«, sagte ich zu mir selbst, »das ist es!«
»Was erzählst du da?« fragte Uli.
»Wir müssen eine Fernsehshow machen, um das Geld zusammenzukriegen!«
»Na klar, ich singe, du tanzt, Ivan macht die Ausstattung und Thomas die Kamera!« Uli machte auch noch Witze.
»Blödsinn, doch nicht wir selbst. Ein Sender natürlich. Mit

hochkarätigen Promis, tollen Gästen und 'ner guten Moderation. Während der Sendung können die Zuschauer anrufen oder faxen, wieviel sie spenden wollen. Wenn zwei Millionen Leute das sehen, und jeder spendet nur zehn Pfennig, ist das Heim gerettet!«

»Das ist gar nicht so blöd«, sagte Uli, »aber wie willst du das schaffen¿ Du kennst kein Schwein beim Fernsehen.«

Von wegen! Hatte ich nicht kürzlich gelesen, daß Schwalm ins Fernsehgeschäft einsteigen und einen neuen Sender betreiben würde¿ STIL-TV sollte das Ding heißen, und wenn nicht gerade Florian der Chefredakteur war, dann wäre das die richtige Adresse!

Ich erzählte Ivan sofort von meiner Idee. Er fand sie nicht schlecht, aber er glaubte noch weniger als Uli, daß wir so was auf die Beine stellen würden. Wir saßen in seiner blauweißen Küche und diskutierten.

»Meinst du nicht, das ist eine Nummer zu groß¿«

»Kann schon sein, aber das weiß ich doch erst, wenn ich es ausprobiert habe!«

Ivan lächelte. »Ich bewundere dich. Wenn ich nur halb soviel Kraft hätte wie du . . .«

Er sah schlecht aus. Seine Augenringe waren noch tiefer als sonst, er war blaß und wirkte niedergeschlagen.

»Was ist mir dir¿« fragte ich besorgt.

»Katja ist zurückgekommen.«

»Katja¿«

»Meine Ex-Frau, die Mutter von Matti. Sie hat den Job angenommen und eine Wohnung gefunden. Das Wiedersehen war ganz schön hart.«

»Liebst du sie noch¿« fragte ich beklommen und merkte, wie mir ein Kloß in den Hals stieg.

»Das ist es nicht«, sagte Ivan, »es ist die Erinnerung. Mit Katja ist Matti zurückgekommen, ich . . . ich muß ständig an ihn denken.«

Er schlug die Hände vors Gesicht und fing an, lautlos zu weinen. Ich legte die Arme um ihn und hielt ihn fest, ohne was zu sagen. Er erwiderte meine Umarmung. Minutenlang saßen wir so da. Endlich hob er den Kopf und sah mich aus geröteten Augen an.
»Du weinst ja auch!« sagte er mit rauher Stimme.
Mit der Hand wischte er mir die Tränen aus dem Gesicht. Ich konnte nicht aufhören. Er beugte sich nach vorn und begann ganz zart, mir die Tränen wegzuküssen, eine nach der anderen. Mein ganzes Gesicht bedeckte er mit Küssen.
Ich war erst versucht, ihn abzuwehren, dann ließ ich ihn. Er war ja schließlich nur ein guter Freund. Oder?

Am nächsten Tag ließ ich mir einen Termin bei Schwalm geben.
»Wie wär's Donnerstag?« schlug seine Sekretärin vor.
Donnerstag. Ich blätterte schnell in meinem Kalender. Morgens war ein Friseurtermin, zum Mittagessen traf ich meinen Steuerberater, abends wollten Ivan und ich uns treffen. Dazwischen könnte ich es reinquetschen.
»Geht 15 Uhr?« fragte ich.
»Ja, wenn Sie pünktlich sind. Er hat nur eine halbe Stunde.«
Ich bedankte mich und spazierte gedankenverloren in die Küche, um mir einen Tee zu kochen. Wie verkauft man eine Fernsehidee, wenn man keine Ahnung vom Fernsehen hat?
Uli saß in der Küche und umfaßte ihren Bauch. Dazu machte sie ein Gesicht, als hörte sie in der Ferne mysteriöse Geräusche, deren Sinn sie zu enträtseln suchte.
»Ist alles o. k.?« fragte ich.
»Es hüpft!« Sie nahm meine Hand und legte sie auf ihren Bauch.
Tatsächlich! Plötzlich spürte ich eine Bewegung. Erschrocken zog ich die Hand zurück.
»Ist ja irre!« Neugierig legte ich die Hand wieder hin. Wieder

zuckte es, eine kleine Ausbuchtung zeichnete sich ab. Ich tippte dagegen, die Ausbuchtung verschwand und kam gleich darauf zurück.
»Was ist das, ein Fuß?«
»Schwer zu sagen.« Uli zeichnete mit der Hand die Umrisse des Babys nach. »Hier ist der Rücken, das könnte der Po sein, hier vielleicht ein Ellenbogen und da die Füßchen.«
Ich versuchte mir vorzustellen, wie es sich anfühlte, ein Kind im Bauch zu haben. Es gelang mir nicht.
»Man kann es nicht beschreiben«, sagte Uli auf meine Frage. »Es ist sehr merkwürdig, daß da etwas heranwächst, was einerseits ein Teil von dir ist, andererseits ein völlig eigenes Wesen. Manchmal vergißt du es, dann hopst es dir plötzlich auf die Blase, und du erinnerst dich wieder.«
»Denkst du oft an die Geburt?«
»Ständig. Ich kriege langsam Schiß.«
»Wie lange dauert es noch?«
»Sechs Wochen.«
Schluck. Das war ja überhaupt nicht mehr lange!
»Was machen wir denn, wenn es plötzlich losgeht?« fragte ich erschrocken.
»Dann fahren wir in die Klinik, was sonst?«
»Wir?«
»Na, Thomas und ich«, sagte Uli.
»Thomas geht mit zur Geburt? Der fällt doch garantiert in Ohnmacht!«
»Möchtest du lieber mitgehen?«
»Um Gottes willen!«
»Na also! Außerdem ist er Heilpraktiker und kann mir sicher helfen!«
»Ich hab' noch nie von 'ner Fußreflexzonenmassage zur Linderung des Wehenschmerzes gehört«, spöttelte ich.
Uli sah mich interessiert an. »Kann es sein, daß du eifersüchtig bist?«

Ich fühlte mich ertappt. Sie hatte recht, in gewisser Weise war ich eifersüchtig. Monatelang hatte ich sie ganz für mich allein gehabt, und jetzt war plötzlich Thomas wichtiger als ich.
»Ach, Quatsch, ich habe mir doch gewünscht, daß ihr zusammenkommt. Ich bin nur überrascht, daß mein Wunsch sich erfüllt hat! Und diesem Zwerg hier drin kann nichts Besseres passieren als ein Vater wie Thomas!«
Uli lehnte den Kopf an meine Schulter.
»Und mir konnte nichts Besseres passieren als ein Mann wie Thomas«, sagte sie versonnen.
»Bist du glücklich?«
Uli nickte.
»Und? Hab' ich es nicht gesagt?« trumpfte ich auf. »Für so was hab' ich 'ne Antenne!«
Was meine eigenen Angelegenheiten betraf, mußte irgendeiner die Antenne umgeknickt haben. Da war der Empfang leider meistens gestört . . .

Der Donnerstag war ein absoluter Streßtag.
Jede Ampel stand auf Rot, in der ganzen Stadt war kein Parkplatz zu bekommen, und mein Friseur hatte Liebeskummer, was sich äußerst ungünstig auf seine Tagesform auswirkte.
Schlecht gelaunt und genervt traf ich in dem Lokal ein, in dem Bruno, mein Steuerberater, auf mich wartete. Das hatte mir gerade noch gefehlt: Es handelte sich um einen Griechen. Ich verabscheute griechisches Essen. Alles schmeckt gleich, schwimmt im Fett und kommt lauwarm auf den Tisch. Wenn ich das gewußt hätte!
Bruno winkte schon aus einer Ecke, und so fügte ich mich in mein Schicksal und bestellte eine Moussaka. Die erinnert wenigstens entfernt an Lasagne. Es schmeckte wie erwartet, und meine Laune wurde auch nicht besser, als Bruno mir

eröffnete, er habe versehentlich Umsatz und Gewinn meiner Firma verwechselt, und ich sollte mich schon mal seelisch und moralisch auf eine Steuernachzahlung in fünfstelliger Höhe vorbereiten. Er würde natürlich sofort Beschwerde einlegen.

Ich überlegte, ob ich ihn gleich feuern sollte oder erst später. Da mir die Energie für einen öffentlichen Eklat fehlte, verschob ich es fürs erste.

Auf der Fahrt zum Verlagshaus Schwalm begann es in meinen Gedärmen zu rumoren. Die ekelhafte Moussaka, ich hatte es ja geahnt! Ich mußte ganz schnell irgendwo eine Toilette finden, sonst passierte ein Unglück ...

Ich ließ mein Auto in zweiter Reihe stehen, stürmte in ein Café und rettete mich hinter die Tür mit der Aufschrift »Damen«.

Die nächste Etappe reichte gerade bis zum Verlag. Noch bevor ich mich bei der Empfangsdame melden konnte, sprintete ich wieder zur Toilette.

Danach wurde es besser. Etwas geschwächt trat ich Herrn Schwalm gegenüber. Mit seiner leichten Stirnglatze und der modischen Hornbrille wirkte er wie eine Mischung aus einem verwöhnten Kind und einem knallharten Geschäftsmann. Bestimmt schikanierte er seine Sekretärinnen und schenkte ihnen zur Versöhnung Theaterkarten.

In seinem Büro, einem riesigen hellen Raum, dessen Panoramascheiben den Blick in einen Park freigaben, thronte er hinter einem wuchtigen Schreibtisch. Er erhob sich höflich und kam auf mich zu. »Frau Schiller, einen schönen guten Tag!«

Er geleitete mich zu einer Sitzecke unter einem modernen Gemälde und zeigte lachend auf die leere Wand daneben: »Hier sollte der Remky hinkommen, aber der hängt ja jetzt bei Ihnen!«

Ich zuckte verlegen die Schultern.

»Kaffee?«

»Nein, vielen Dank.«

Bloß nicht. Jetzt eine Tasse Kaffee auf meine rebellierenden Innereien zu schütten wäre das Ende.

»Was kann ich für Sie tun?« kam Schwalm schnell zur Sache.

»Sie planen doch Ihren eigenen Sender, STIL-TV?« begann ich ohne Umschweife.

»Richtig. Wie Sie wissen, ist das Verlagshaus Schwalm eines der größten Unternehmen seiner Art in Europa. Damit das in Zukunft so bleibt, kommen wir am Fernsehen nicht mehr vorbei.«

»Also, kurz gesagt: Ich hätte da eine Idee.«

»Haben Sie schon mit Fernsehen zu tun gehabt?«

»Nein, ähm . . . ich komme mehr aus der PR, vom Fernsehen verstehe ich eigentlich nicht viel.«

»Jeder versteht etwas vom Fernsehen. Aber man muß heute neue Wege gehen, mit neuen Leuten! Wir brauchen innovative junge Köpfe. Leute mit Einfällen und Power. Wie sieht Ihre Idee denn aus?«

Bevor ich antworten konnte, suchte mich eine weitere Durchfallattacke heim. Kalter Schweiß brach mir aus.

»Wenn Sie mich einen Moment entschuldigen könnten, ich bin gleich wieder da«, murmelte ich und verließ fluchtartig das Büro.

Bei meiner Ankunft hatte ich mich schon auf dem endlosen Flur nach dem rettenden Örtchen umgesehen. Erleichtert sank ich auf der Schüssel zusammen.

Neue Leute, innovative Köpfe, Ideen, Power, neue Wege . . . Hatte ich dieses ganze Marketing-Geschwafel nicht irgendwo schon mal gehört? Ach, richtig, der letzte Vortrag dieser Art war von Jens Macke gewesen und hatte sich auf Kinderpralinen bezogen. Ging's denn beim Fernsehen auch nur darum, den Leuten was zu verkaufen, was sie nicht brauch-

ten? Ich hatte fast keine Lust mehr, mit dem Kerl weiterzureden. Vielleicht sollte ich einfach abhauen?
Mein Unterbewußtsein gab heftige Funksignale.
»Mensch, Alte, reiß dich zusammen! Wegen ein bißchen Dünnschiß darfst du jetzt nicht schlapp machen!« meldete sich seine Sprecherin.
»Ist ja gut«, stöhnte ich.
»Du mußt dynamischer auftreten, mitreißender. Du willst dem Kerl was verkaufen, also überzeug ihn von deiner Idee!«
»Du hast ja recht! Ich fühl' mich nur so mies!«
Wenig später saß ich Schwalm wieder gegenüber.
Er schien etwas befremdet über mein plötzliches Verschwinden. Da ich ihm ja schlecht sagen konnte: »Tut mir leid, ich habe Durchfall«, versuchte ich, so zu tun, als wäre nichts. »Bißchen viel Tee getrunken, entschuldigen Sie«, nuschelte ich und lächelte ihn an.
»Also dann, erzählen Sie mir von Ihrer Idee«, forderte er mich auf.
Ich holte tief Luft. »Ich nenne es mal ›Die Show der guten Taten‹«, begann ich. »Der Zeitgeist hat sich geändert, die Leute wollen nicht mehr nur konsumieren, sie sind auf der Sinnsuche. Werte wie Mitgefühl und Solidarität zählen wieder. Ich stelle mir eine Show vor, bei der die Leute auf hohem Niveau unterhalten werden und gleichzeitig etwas Gutes für soziale Projekte tun.«
Aufmerksam folgte Schwalm meinen Worten. Er nahm seine Brille ab und ließ sie gedankenverloren kreisen. »Das ist nicht übel«, sagte er nach längerem Nachdenken, »ich glaube, das könnte die Gemütsverfassung der Leute ganz gut treffen. Wie stellen Sie sich das denn im einzelnen vor?«
»Na ja, so aus dem Stand kann ich Ihnen jetzt kein Konzept anbieten«, antwortete ich ausweichend, »aber wenn Sie mir ein bißchen Zeit geben . . .«

Hilfe, der wollte es aber gleich ganz genau wissen! Er beugte sich nach vorn und sah mich prüfend an. Hätte ich bloß nicht zugegeben, keine Ahnung vom Fernsehen zu haben! Ich hätte einfach behaupten sollen, daß ich seit Jahren nichts anderes machte. Zu blöd, daß ich so schlecht lügen konnte!
»Also gut, bringen Sie mal zu Papier, was Ihnen einfällt, und dann sehen wir weiter.«
Er machte Anstalten, sich zu erheben. Für ihn war das Gespräch beendet.
»Eine Bedingung habe ich«, sagte ich mit fester Stimme.
»Und zwar?« Er schaute überrascht.
»Sollte daraus was entstehen, muß unbedingt unser Kinderheim davon profitieren. Das müssen Sie mir schriftlich geben!«
Er sah mich amüsiert an.
»Sie sind eine clevere Frau. Das gefällt mir!«
»Danke, und Sie sind ein mutiger Mann, das gefällt mir!«
Im nächsten Moment stand ich wieder draußen auf dem Flur. Allmählich beruhigten sich meine Gedärme. Wäre buchstäblich ein Scheißtag gewesen ohne dieses Gespräch mit Schwalm! Ich brannte darauf, Ivan davon zu erzählen.
Am Abend stand ich mit einer Flasche Champagner vor seiner Tür. Er öffnete und streifte dabei die Gummihandschuhe von seinen Händen.
»Komm rein, ich habe Hausputz gemacht, bin gerade fertig.«
»Du putzt deine Wohnung selbst?« fragte ich entgeistert. Ich kannte keinen Mann, der das tat.
Ivan nickte. »Das beruhigt mich. Die Herstellung der äußeren Ordnung hilft mir gegen das innere Chaos.« Das kannte ich, das war bei mir genauso.
Ivan entdeckte die Champagnerflasche. »Gibt's was zu begießen?«

»Sozusagen.«
»Klingt spannend! Ich muß nur noch kurz ins Atelier. Kommst du mit?«
Wir durchquerten den Hinterhof seines Hauses und betraten das Rückgebäude. Im Erdgeschoß befand sich ein großer, nicht sehr gut beleuchteter Raum, in dem Ivan offensichtlich arbeitete.
»Hast du hier denn genug Licht?«
»Na ja, es ist nicht ideal, aber es ist nah bei der Wohnung, und die Miete ist bezahlbar.«
Er prüfte die Feuchtigkeit auf zwei frisch grundierten Leinwänden, drehte die Heizkörper runter und öffnete ein Klappfenster.
»Gehen wir wieder.«
»Zeigst du mir ein paar Bilder?«
»Interessiert es dich wirklich?«
»Sonst würde ich wohl nicht fragen.«
»Also gut.«
Er ging zu einer Wand, wo mehrere Bilder mit dem Rücken zu uns lehnten, und zog eines hervor.
»Das ist ja farbig«, stellte ich überrascht fest, »ich kenne bisher nur schwarz-weiße Sachen von dir.«
»Ich arbeite immer eine gewisse Zeit an einem Thema. Die schwarz-weißen Arbeiten hatten alle das Thema Reisen.«
»Und welches Thema bearbeitest du jetzt?«
»Was kommt nach der Reise?« fragte er.
Ich überlegte. »Das Nachhausekommen?«
»Genau. Das Thema heißt Ankunft.«
Ich betrachtete das Bild. Es zeigte ein Flugzeug kurz vor der Landung.
»Man spürt richtig den Sog, der es zu Boden zieht«, sagte ich.
»Ich wollte die Sehnsucht darstellen, die einen nach einer Reise befällt, wenn man kurz vor dem Ziel ist.«

»Das Gefühl kenne ich, man wird total ungeduldig, es kann einem gar nicht schnell genug gehen!«
Er zog das nächste Bild heraus. Es zeigte einen Koffer, der Spuren einer langen Reise aufwies. Kratzer, Beschädigungen, halb abgerissene Gepäckaufkleber, ein kaputtes Schloß, das durch einen Lederriemen ersetzt war. Das Bild war ganz einfach, aber es löste sofort Geschichten in meinem Kopf aus. Es gefiel mir sehr.
Das nächste Gemälde zeigte auf feuerrotem Hintergrund eine Frau in einem schwarzen Kleid, die sich bückte, um einen Stöckelschuh anzuziehen. Ein Schwall dunkler, langer Haare fiel dabei vornüber. Ich betrachtete es eine Weile. Dann sah ich erstaunt hoch. »Das bin ja ich!«
»Stimmt.«
»Was habe ich mit dem Thema Ankunft zu tun?«
Anstatt zu antworten, nahm Ivan mich in die Arme und küßte mich. Diesmal dachte ich nicht mal daran, mich zu wehren. Ich ergab mich ohne Widerstand. Nach einer Ewigkeit lösten wir uns voneinander. Meine Wangen glühten.
»Keine Vertraulichkeiten unter Geschäftspartnern«, murmelte ich verlegen.
Ivan lächelte. »Komm, laß uns rübergehen.«

Verdammt, ich hatte mich verliebt! Ich glaube, an diesem Abend war es passiert. Bis dahin war es mir gelungen, nur den guten Freund in ihm zu sehen – jedenfalls hatte ich mir das erfolgreich eingeredet. Ich hatte wohl geahnt, daß der Kerl mir – wie Tante Elsie es ausgedrückt hatte – gefährlich werden konnte. Wohlweislich hatte ich seine Signale ignoriert, aber es half alles nichts: Er hatte gewonnen!
Wir liebten uns auf einer Decke vor dem Kamin. Wir machten Liebe im wahrsten Sinne des Wortes. Ich war ganz schön durcheinander, als ich merkte, wie sehr ich mich ihm ausgeliefert hatte.

»Soll ich den Champagner holen?« fragte er irgendwann.
Den hatte ich völlig vergessen. »Mmh.«
»Und dann erzählst du mir, was los ist.«
Er löste sich aus unserer Umarmung und ging in die Küche.
Ich sah ihm nach.
Hatte ich eigentlich nie wahrgenommen, was für ein attraktiver Mann er war? Er war schlank und muskulös, hatte breite Schultern und lange Beine. Am schönsten war sein Hintern, der sich so herausfordernd wölbte, daß man fast ein Sektglas auf ihm hätte abstellen können.
Ich setzte mich auf, schlang die Arme um die Knie und schaute ins Feuer. Dieser Tag würde mein Leben verändern, das spürte ich. Nur ahnte ich noch nicht, wie sehr.
Blue, der in einer Ecke gelegen und ein Schläfchen gehalten hatte, stand auf, schüttelte sich und gähnte. Dann kam er zu mir getrottet und ließ sich nieder.
»Hallo, alter Junge!« begrüßte ich ihn.
Ivan kam mit der Flasche und zwei Gläsern zurück. Wir stießen an. Ivan sah mir in die Augen. »Auf die Ankunft.«
Wir tranken. In manchen Momenten war Champagner das einzig richtige.
»Weißt du, was der Unterschied zwischen dir und den Männern vor dir ist?« fragte ich.
»Nein«, antwortete er, »aber du wirst es mir sicher gleich sagen.«
»Ganz einfach«, lächelte ich, »du kannst nicht nur kochen!«

Fünfundzwanzig

Ich mußte Tante Elsie die große Neuigkeit erzählen! Als ich sie telefonisch nicht erreichte, tat ich, was sie auch tun würde: Ich schickte ein Telegramm: BIN VERLIEBT! HOFFE, DIR GEHTS GUT, DEINE CORA. Postwendend kam die Antwort: FREUE MICH FÜR DICH, PRINZESSCHEN! IN LIEBE, ELSIE.

Mit Feuereifer stürzte ich mich in die Arbeit an dem Show-Konzept. Tagelang zappte ich mich durch alle Unterhaltungssendungen und studierte, was mir daran gefiel und was ich blöd fand. Ich verglich Einschaltquoten und Marktanteile, informierte mich über Zielgruppen und Sendeplätze. Und ich versuchte mir vorzustellen, wie eine Show aussehen mußte, die viele Leute erreichte und trotzdem Niveau hatte.

Nach schlaflosen Nächten, unzähligen Brainstormings mit den verschiedensten Leuten und nach einer Bindehautentzündung vom Dauerglotzen hatte ich es geschafft. Ich legte Schwalm ein zwanzigseitiges Konzept vor. Etwas völlig Neues im Fernsehmarkt!

Als er es schon eine Woche auf dem Tisch hatte und nicht antwortete, wurde ich nervös. Warum reagierte der Kerl nicht?

Endlich meldete sich seine Sekreätin und bestellte mich in den Verlag.

»Was sagten Sie neulich, Sie verstehen nichts vom Fernsehen?« empfing er mich. »Sie hatten recht.«

Ach, du Scheiße, das klang ja gar nicht gut. »Ähm . . . also, es gefällt Ihnen nicht?«

»Ganz so schlimm ist es nicht«, lachte er, als er mein Gesicht

sah, »es sind schon ein paar gute Ideen drin. Aber eine Sendung ist es noch nicht.«
Mist. Diesmal hatte ich mich offenbar überschätzt.
»Soll ich's noch mal überarbeiten?«
»Nein, wir machen es anders. Ich kaufe Ihnen die Idee ab. Wir schauen selbst, was wir daraus machen können. Und wenn wir's realisieren, kommt Ihr Kinderheim vor, das verspreche ich Ihnen.«
Ich nickte. Das war immerhin eine Chance.
»Wieviel wollen Sie dafür?« wollte er wissen.
Wieviel? O Gott, keine Ahnung. »Was ist denn die Idee wert?«
»Das ist schwer zu sagen. Ich zahle Ihnen tausend. Wenn was draus wird, kriegen Sie noch mal soviel, in Ordnung?«
Das war ja wohl ein Witz. Für vier Wochen Arbeit!
»Fein«, stimmte ich zu, »dann habe ich ja wenigstens nicht draufbezahlt!« Ich hoffte, er würde die Ironie verstehen, aber da hatte ich mich geschnitten.
»Und wenn Sie andere Ideen haben, melden Sie sich einfach«, forderte er mich noch auf.
Klar, weil ich ja sonst nichts zu tun hatte, als einem geizigen Medien-Tycoon kostenlos Ideen zu liefern.

Als ich wieder auf der Straße stand, war ich ziemlich ernüchtert. Ich konnte nur hoffen, daß aus der Idee trotzdem irgendwas wurde, dann würde wenigstens was fürs Haus Sonnenschein rausspringen. So viele tolle neue Ideen hatten diese Fernsehleute ja offenbar nicht, also abwarten!
So richtig niedergeschlagen war ich trotzdem nicht, denn ich war ja verliebt wie schon lange nicht mehr! Sollte ich durchgeknallte Amsel tatsächlich den richtigen Kerl gefunden haben?
Ich dachte an Ivan, und es kribbelte in meinem Bauch.
Als ich heimkam, erwartete mich Uli mit verheulten Augen.

Sie hielt mir ein Telegramm hin. Es kam aus dem Krankenhaus, in dem Tante Elsie damals operiert worden war.
»Erbitten Ihren Rückruf«, las ich.
»Ich habe schon angerufen«, schluchzte Uli, »sie ist heute morgen mit einem Magendurchbruch eingeliefert worden und heute mittag gestorben.«
Mir wurde eiskalt. Alles drehte sich. Ich hatte das Gefühl, jemand risse mir den Boden unter den Füßen weg. Im letzten Moment zog Uli mich auf einen Stuhl.
»Gestorben?« wiederholte ich monoton. »Aber das kann nicht sein, ich hab' doch vorgestern noch mit ihr telefoniert!«
Verzweifelt las ich immer wieder den kurzen Text des Telegramms. Ich konnte es nicht fassen. Erst als Uli den Arm um mich legte, erwachte ich aus meiner Erstarrung. Ich fing an, bitterlich zu weinen. Das Schluchzen schüttelte meinen ganzen Körper, unaufhörlich stammelte ich: »Warum bloß, warum?«
Uli streichelte mich und sprach tröstend auf mich ein, aber auch ihr versagte immer wieder die Stimme.
Tante Elsie war tot. Das hieß, ich hatte niemanden mehr. Ich war jetzt ganz allein auf der Welt.

Ivan begleitete mich zur Beerdigung. Ich wollte mit dem Zug fahren. Ich brauchte die Zeit, um mich auf den Abschied vorzubereiten. Zum Glück hatten wir ein Abteil für uns. Stumm saßen wir uns gegenüber, von Zeit zu Zeit beugte Ivan sich vor, um meine Hand zu nehmen.
Es war ein kalter, sonniger Märztag. Seit Wochen hatte die Sonne nicht geschienen, ausgerechnet heute kam sie hinter den Wolken hervor. Bald würde es Frühling sein, auf den ich mich sonst immer so freute.
Daß die Natur einfach weitermachte, als sei nichts geschehen, erbitterte mich. Was nutzte mir der Frühling, wenn

Tante Elsie ihn nicht mehr erleben durfte! Je schöner es draußen wurde, desto trauriger wurde ich.
Die Landschaft sauste vorbei. Felder, Wiesen und Bäume, dazwischen Häuser und Ortschaften. Warum war alles so, wie es war? Steckte dahinter irgendein Plan, irgendein Sinn? Wie tröstlich wäre es, wenn man daran glauben könnte. So wirkte alles zufällig und deshalb sinnlos. Ich verstand plötzlich, warum die Menschen sich den lieben Gott ausgedacht hatten.
»Erzähl mir von ihr!« bat Ivan.
»Hab' ich doch schon.«
»Erzähl mir mehr, es tut gut, sich zu erinnern.«
Ich dachte an früher, an die Sommernachmittage im Garten, an Elsies unvergleichlichen Apfelkuchen, an ihr glückliches Lachen, wenn Martin mit dem Leiterwagen herumzog, an die Geburtstagsfeste, die sie liebevoll für uns arrangiert hatte, daran, wie sie mich mutig gegen einen ungerechten Lehrer verteidigt und mich beim ersten Liebeskummer getröstet hatte. Ich merkte gar nicht, wie es aus mir heraussprudelte. Eine Begebenheit nach der anderen fiel mir ein, und Ivan hörte geduldig zu.
»Und dann die Sache mit dem Bügeln!« erinnerte ich mich und mußte lächeln. »Ewig hat sie versucht, mir beizubringen, wie man richtig bügelt. Weil ich keine Lust hatte, hab' ich mich doof angestellt. Ich hoffte, sie würde es dann für mich machen. Mir war es ja wichtig, gut auszusehen, schließlich fing ich gerade an, mit Jungs auszugehen. Aber Tante Elsie dachte nicht daran. Statt dessen sagte sie ganz cool: ›Dann mußt du dir eben einen Mann suchen, der bügeln kann!‹«
Ivan tippte sich mit dem Zeigefinger an die Brust. »Hier ist er!«
Ja, hier war er. Der Mann, der kochen konnte, der seine Hemden selbst bügelte und – was viel wichtiger war – der

mich so nahm, wie ich war. Der Mann, nach dem ich nicht gesucht hatte. Und der mich trotzdem gefunden hatte.

Die Kirche war überfüllt.
Tante Elsie war unheimlich beliebt gewesen, und so drängten sich Freunde, Bekannte und Nachbarn in der kleinen Friedhofskapelle. Sogar der paranoide Breier von nebenan war gekommen, worüber ich ziemlich erbost war. Finster starrte ich ihn an. Als er tatsächlich die Frechheit besaß, zu mir rüberzukommen, fauchte ich ihn an: »Lassen Sie mich bloß in Ruhe! Typen wie Sie sind schuld, daß andere Leute Magengeschwüre kriegen!« Mit roten Ohren zog er sich zurück.
Die Orgel setzte ein, der Pfarrer betrat seine Kanzel. Er ließ das übliche, scheinheilige Geschwafel ab. Warum konnte er nicht einfach sagen, daß es eine große Ungerechtigkeit war, daß Tante Elsie sterben mußte und Typen wie dieser Breier uralt werden! Daß man sogar als guter Christ Zweifel am lieben Gott haben konnte, weil er immer die Falschen abberief! Und daß Tante Elsie eine bessere Christin gewesen war als die meisten dieser scheinheiligen Gewohnheitskirchgänger!
Der Sarg verschwand fast unter einem Meer von Blumen.
Auch ich hatte einen Kranz bestellt, weiße Lilien und lachsfarbene Rosen. Die hatte sie besonders geliebt. An jedem ihrer Geburtstage hatte ich ihr einen Strauß geschickt und zuletzt einen ins Krankenhaus.
Nach dem Gottesdienst, den ich einigermaßen gefaßt durchgestanden hatte, bewegte sich der Trauerzug zur Grabstelle. Der Sarg wurde auf ein Holzgestell über das offene Grab gestellt, die Kränze rechts und links davon aufgereiht.
Ein Junge aus dem Knabenchor sang mit glockenheller Sopranstimme das »Ave Maria«. Anschließend wurde der Sarg

ins Grab gesenkt. Jetzt war es vorbei mit meiner Fassung. Aufschluchzend barg ich mein Gesicht an Ivans Brust.
Das konnte doch nicht wahr sein, daß in dieser Holzkiste meine geliebte Tante Elsie lag! Daß sie jetzt in diesem Erdloch verschwinden und für immer weg sein würde!
Ich weinte hemmungslos.
Die anderen Trauergäste warfen nacheinander eine Schaufel Erde auf den Sarg und spritzten mit einem kleinen Besen Weihwasser hinterher. Dann gingen alle bei mir vorbei und kondolierten.
Die lustigen Witwen Christa, Erna und Hilde umarmten mich der Reihe nach und schluchzten: »Sie war so eine gute Haut, Gott gebe ihrer Seele Frieden!«
Die Nachbarin von der anderen Seite, Frau Millan, nahm meine Hand und sagte: »Ich kümmere mich gerne um den Garten, bis Sie einen Käufer für das Haus gefunden haben. Ich hätte da übrigens schon einen Interessenten!«
Scheinheilige Schlange. Du lieber Himmel, wahrscheinlich war ich ja die Erbin und mußte mich um den Nachlaß kümmern! Daran hatte ich überhaupt noch nicht gedacht. Ich faßte sofort den Plan, eine der lustigen Witwen damit zu betrauen. Die hatten ja schon das Begräbnis so prächtig organisiert.
Die Trauergäste verliefen sich, der eine oder andere verharrte noch einen Moment im stillen Gebet vor dem Sarg, machte ein Kreuzzeichen und verließ gesenkten Hauptes den Ort des Geschehens.
Irgendwann waren Ivan und ich allein. Wir wollten gerade gehen, da näherte sich uns ein Mann, der offenbar in einiger Entfernung gewartet hatte. Er kam geradewegs auf uns zu.
»Ich bin Klaus, Elsies Bruder«, stellte er sich vor, »du mußt Corinna sein.«
Das also war er. Der Mann, der meine Mutter und mich vor siebenundzwanzig Jahren verlassen hatte. Den alle für mei-

nen Vater gehalten hatten, der es aber nicht war. Der mich Corinna nannte, weil seine Tochter, die nicht seine Tochter war, so hieß.
Ich sah ihn mir genau an. Er war mittelgroß, hatte dichtes graues Haar und graublaue Augen. Er trug eine etwas altmodische Brille und einen eleganten dunklen Anzug, der mindestens zwanzig Jahre alt war. Auch der Regenmantel, den er über die Schultern gehängt hatte, sah aus, als sei er mal sehr teuer gewesen – allerdings lag auch das schon lange zurück. Sein ganzes Aussehen war irgendwie unzeitgemäß. Vielleicht sahen Menschen so aus, die viele Jahre weggewesen waren?
Seine Hände umklammerten ein Sterbebildchen. Es war ein Foto von Tante Elsie, auf dem sie höchstens fünfundvierzig war. Hilde hatte es ausgewählt. »So behalten die Leute sie in schöner Erinnerung!«
Ich suchte in seinem Gesicht und seiner Haltung nach etwas Vertrautem, etwas, das mich an früher erinnerte. Aber da war nichts. Er war einfach ein wildfremder Mann. Er war nicht mal verwandt mit mir. Ich hatte nichts mit ihm zu tun, und genau so sollte es auch bleiben.
»Bedaure«, sagte ich, »ich heiße nicht Corinna. Und jetzt entschuldigen Sie uns.«
Damit zog ich Ivan mit mir fort.

Die Rückfahrt im Zug verbrachte ich überwiegend schlafend. Ich war plötzlich unendlich erschöpft, so als würde ich alle Anstrengungen der letzten Monate auf einmal spüren. Zwischendurch wachte ich manchmal auf, trank einen Schluck oder aß etwas. Danach verfiel ich wieder in Dämmerschlaf.
Kurz bevor der Zug am Abend in den Bahnhof einfuhr, kam ich wieder zu mir. Liebevoll lächelte Ivan mich an.
»Na, wie geht's dir?«

»Ganz gut.«
Ich fühlte mich leer. Die Trauer war einer gewissen Ruhe gewichen. Aber ich wußte, daß sie irgendwo lauerte wie ein schlafendes Tier und mich wieder überfallen würde. Dennoch war ich in diesem Moment froh, daß es nicht mehr so weh tat.
Mein Auto parkte in der Nähe des Bahnhofs.
»Soll ich bei dir bleiben, oder möchtest du deine Ruhe?« fragte Ivan, als wir eingestiegen waren.
Ich war dankbar für diese Frage. Tatsächlich hatte ich ein großes Bedürfnis nach Alleinsein, aber ich hätte es ihm nicht gesagt, aus Angst, ihn zu verletzen.
»Ich wäre gerne ein bißchen für mich«, antwortete ich und lehnte meinen Kopf an seine Schulter. Er küßte mich aufs Haar. »Setz mich einfach zu Hause ab.«
Wir schwiegen, bis wir vor seiner Haustür angekommen waren.
»Weißt du, Ivan«, sagte ich nachdenklich, »als ich heute meinen sogenannten Vater dort stehen sah, habe ich gemerkt, daß ich ihn nicht mehr brauche. Jahrelang habe ich gedacht, es sei wichtig, daß es ihn gibt. Ich weiß nicht, was ich mir eigentlich von ihm erwartet habe. Er war so was wie die letzte Verbindung zu meiner Kindheit. Und die ist seit heute endgültig vorbei.«
»Warum wolltest du nicht mit ihm sprechen?«
»Was hätte das gebracht? Es ist sowieso nichts mehr zu ändern.«
Ivan nickte nachdenklich. »Stimmt schon. Ich glaube nur, ich wäre neugierig gewesen.«
»Ich nicht«, sagte ich mit fester Stimme. »Diesmal ausnahmsweise nicht.«
Ivan küßte mich zum Abschied. »Bis morgen«, flüsterte er, und ich sah ihm nach, bis er im Haus verschwunden war.

Als ich in meine Straße einbog, traf mich fast der Schlag. Vor dem Haus stand ein Krankenwagen mit rotierendem Blaulicht, zwei Sanitäter trugen gerade eine Trage aus dem Haus, und auf dieser Trage lag – Uli.

»Uli!« schrie ich, rumpelte schräg auf den Bordstein und ließ mein Auto so stehen. Ich lief zum Krankenwagen. »Was ist passiert?«

»Blasensprung«, sagte einer der beiden Sanitäter. »Verdacht auf Nabelschnurvorfall.«

»Ist das schlimm?« fragte ich aufgeregt.

Die beiden schüttelten den Kopf und hoben mit Schwung die Trage ins Auto. »Nur eine Vorsichtsmaßnahme.«

Uli, die gerade noch ihr Gesicht schmerzvoll verzogen hatte, atmete tief aus. »Bin ich froh, daß du da bist!« schnaufte sie. »Das Kind kommt.«

»Jetzt?« rief ich aus. »Aber es sollte doch erst in zwei Wochen kommen?«

Die Burschen lachten. »Kinder halten sich nicht an den Kalender. Was ist, wollen Sie mitfahren?«

»Ja, also . . . nein . . . ich meine, wo ist denn Thomas?«

»Auf einem homöopathischen Seminar«, sagte Uli.

Oh, verdammt, das war in einer Hütte irgendwo im Schwarzwald, ohne Strom und Telefon! Keine Chance, ihn zu erreichen. Das war mal wieder typisch Mann! Erst die großen Sprüche, und wenn's ernst wird, meditieren sie in weiter Ferne über weißen Kügelchen!

Uli wurde von der nächsten Wehe überrollt. Wieder verzog sie vor Schmerzen das Gesicht und begann rhythmisch zu atmen. Nach zwei Minuten war es vorüber.

»Wir müssen los«, drängte einer der Sanitäter.

»Laß mich jetzt nicht allein!« bat Uli kläglich.

»Ist gut, ich bleibe ja bei dir!«

Ich stieg ein und quetschte mich neben Uli, die sich alle paar Minuten stöhnend krümmte.

»Ich wußte es doch, daß die Vögelei in deinem Zustand nichts ist«, sagte ich vorwurfsvoll, »jetzt kriegst du eine Frühgeburt!«
Uli warf mir einen vernichtenden Blick zu, der Sanitäter, der mit uns eingestiegen war, grinste.
Im Krankenhaus wurde Uli zum Ultraschall gebracht. Eine sympathische ältere Ärztin mit einem ausladenden Busen nahm uns in Empfang.
»Mein Name ist Mittler«, stellte sie sich vor. «So, jetzt schauen wir mal, was da los ist.« Sie setzte den Schallkopf auf Ulis gigantischen Bauch. Die grauen Schatten, die ich schon vom Foto her kannte, wurden auf einem Monitor sichtbar. Ich sah den Kopf des Kindes, seine Nase, seinen Mund, ich erkannte die Hände und jeden einzelnen Finger.
»Ist ja unglaublich!«
In ein paar Stunden würde dieses Baby geboren sein, und Uli würde es im Arm halten! Im Moment stöhnte die hoffnungsvolle Mutter allerdings so, daß ich fürchtete, sie würde die Zeit bis dahin nicht überleben.
«Alles in Ordnung«, sagte die Ärztin, »die Nabelschnur ist da, wo sie hingehört.«
Mit schnellem Griff tastete sie an Ulis Unterkörper herum.
»Portio sechs Zentimeter«, diagnostizierte sie, »ist doch prima!«
»Was meint sie?« flüsterte ich Uli zu.
»Der Muttermund ist sechs Zentimeter weit auf.«
»Und wie weit muß er aufgehen?«
»Zehn Zentimeter.« Uli stöhnte.
»Das ist ja erst ein bißchen mehr als die Hälfte!«
»Mach mir nur Mut! Ich hab' ja erst seit acht Stunden Wehen.«
Ich fühlte mich sehr unnütz.
»Gehen Sie ein bißchen spazieren«, forderte uns Frau Dr. Mittler auf.

»Spazieren?« Uli riß die Augen auf. »Ich glaube nicht, daß ich überhaupt noch stehen kann, geschweige denn, gehen!«
»Versuchen Sie's trotzdem, dann geht's schneller.«
»Ich bin nicht sicher, ob ich das will«, preßte Uli während der nächsten Wehe zwischen den Zähnen hervor.
Aber ich wollte es. Lange würde ich das nämlich nicht durchstehen. »Komm, Uli, ich helfe dir«, sagte ich aufmunternd und hievte sie gemeinsam mit Frau Dr. Mittler von der Untersuchungsliege.
Breitbeinig, die Hand ins Kreuz gestützt, ging meine Freundin ein paar Schritte. Trotz der Anspannung mußte ich lachen. Genau so gingen schwangere Frauen im Kino, ich hatte das immer für eine Übertreibung gehalten.
»Hauptsache, du findest es lustig«, maulte Uli.
Die nächsten zwei Stunden wanderten wir durch die Krankenhausflure, treppauf und treppab. Zwischendurch wurde Uli von einer dicken, kleinen Hebamme an den Wehenschreiber angeschlossen und untersucht.
Geduldig spazierte ich neben ihr her, hielt sie, streichelte sie oder munterte sie auf. Plötzlich fiel mir was ein.
»Hast du überhaupt schon einen Namen für das Baby?« fragte ich aufgeregt.
Uli nickte. »Lukas. Oder Clara.«
»Weißt du denn, was es wird?«
»Wenn ich das wüßte, hätte ich es dir wohl erzählt.« Uli verzog das Gesicht.
»Kann man das beim Ultraschall nicht erkennen?« fragte ich.
»Doch, schon, aber es hat immer die Beine zusammengekniffen.«
»Na, dann geht es nicht nach dir!«
Uli puffte mich in die Seite. »Werd jetzt bloß nicht frech, nur, weil ich mich nicht wehren kann!«
Bei der nächsten Wehe war es mit ihrer Selbstbeherrschung

vorbei, sie begann zu weinen. »Ich kann nicht mehr, ich halte diese Schmerzen einfach nicht mehr aus!«
»Was hat euch denn diese schwangere Kuh aus dem Kurs noch beigebracht?« fragte ich hilflos.
Uli schaute grimmig. »Wenn ich die erwische, der drehe ich den Hals um! In die Gebärmutter atmen, daß ich nicht lache! Kein Wort davon, wie scheißweh so 'ne Geburt tut!«
Wir bewegten uns Richtung Kreißsaal. Eine Wanduhr zeigte kurz vor Mitternacht. Frau Dr. Mittler hatte Schichtende. Fröhlich verabschiedete sie sich von uns. »Also dann, alles Gute! Es ist übrigens noch keines dringeblieben!«
Das war ja ein Trost.
Ein schneidiger Mitvierziger mit modischer Langhaarfrisur betrat den Kreißsaal, wo Uli inzwischen auf einer Liege schicksalsergeben an allen möglichen Drähten hing. Vor lauter Erschöpfung nickte sie zwischen den Wehen ein.
»Guten Abend«, trompetete der neue Doc, »ich heiße Lange.«
Uli schreckte hoch. »Na, hoffentlich ist der Name nicht Programm«, stöhnte sie, »wie lange dauert's denn noch?«
»Wieso?« grinste er. »Haben sie noch was vor? Wenn Sie 'n bißchen Geduld haben, begleite ich Sie!«
Na, großartig! Ein Arzt, der im Kreißsaal die Gebärenden anbaggerte! Uns blieb wirklich nichts erspart. Am liebsten hätte ich Streit mit ihm angefangen, aber ich war sicher, daß wir ihn noch brauchen würden. Da wollte ich die Stimmung nicht leichtsinnig vermiesen.
Er machte die Tastuntersuchung und erwischte offenbar einen schlechten Moment, denn Uli schoß, wie von der Tarantel gestochen, in die Höhe.
»Sie Sadist!« brüllte sie. »Nehmen sie die Pfoten weg!«
Jetzt wird der sicher sauer, dachte ich.
Aber das Gegenteil war der Fall. Dr. Lange lachte gutmütig. Offenbar war er an Beschimpfungen gewöhnt.

»Und wer ist das da drüben mit der grünlichen Gesichtsfarbe?« scherzte er mäßig geschmackvoll in meine Richtung.

»Der werdende Vater«, gab ich zurück.

»Glückwunsch«, konterte er schlagfertig. »Beim ersten Mal ist's besonders aufregend, was?«

»Wie lange dauert es noch?« brüllte Uli jetzt entnervt.

Wieder blieb er ruhig. »Noch ein Stündchen, dann haben Sie's geschafft.«

»Eine Stunde«, sagte Uli mit ersterbender Stimme, »das halte ich nicht aus. Ich gehe jetzt, macht ohne mich weiter.«

Tatsächlich machte sie Anstalten, sich von der Liege zu schwingen. Mit vereinten Kräften hielten wir sie fest und sprachen beruhigend auf sie ein. Die nächste Wehe warf sie aufs Lager zurück.

Ich hatte inzwischen das dringende Bedürfnis, frische Luft zu schnappen. »Gibt's hier einen Kaffeeautomaten?« fragte ich den Scherzbold im weißen Kittel.

»In der Eingangshalle.«

»Aber du kommst wieder?« hörte ich Ulis flehende Stimme.

»Na, hör mal, jetzt habe ich mir die ganze Ouvertüre angetan, da werde ich doch nicht aufs Finale verzichten!«

Ich raste die Treppen runter. In der Halle zog ich mir einen großen Becher Kaffee aus dem Automaten und ging nervös auf und ab.

Ich hatte höllische Lust zu rauchen und stellte mir vor, ich sei einer dieser werdenden Väter aus den Karikaturen, die kettenrauchend im Flur auf und ab gehen, während ihre Frauen mit Fünflingen niederkommen. Wenigstens in dieser Hinsicht stand uns keine Überraschung bevor, zumindest hoffte ich das.

Vielleicht war das alles ein bißchen zuviel für mich. Heute mittag hatte ich Tante Elsie zu Grabe getragen, jetzt kam

Ulis Baby auf die Welt. Von der Beerdigung zur Geburt – das war zwar ein schönes Sinnbild fürs menschliche Werden und Vergehen, aber mich persönlich überforderte es etwas. Ich hatte das dringende Bedürfnis, mich zu Hause ins Bett zu legen, mir die Decke über den Kopf zu ziehen und aufs menschliche Werden und Vergehen zu pfeifen. Aber das war mir nicht vergönnt.

Also trat ich den Rückweg an. Im Flur vor den Kreißsälen stockte mir der Atem. Mindestens drei Frauen schrien nun um die Wette. Am liebsten hätte ich auf dem Absatz kehrtgemacht. Aber das konnte ich Uli nicht antun. Kreidebleich schlich ich in den Kreißsaal zurück. Arzt und Hebamme waren nun beide schwer in Aktion.

»Gehen Sie ans Kopfende, stützen Sie sie von hinten ab!« herrschte mich die Hebamme an. »Wir sind bereits in der Preßphase.«

Folgsam begab ich mich zu Uli, die mit hochrotem Kopf dalag und japste. Bei der nächsten Wehe brüllten Dr. Lange und die Hebamme im Chor: »Und pressen, pressen, ja, so ist's gut, weiter, weiter!«

Uli bäumte sich auf, ich hielt ihren Kopf und ihre Schultern, sie packte meinen Daumen und bog ihn mit aller Kraft nach außen. Dabei ließ sie einen Schrei los, der mir das Blut in den Adern gefrieren ließ. Niemals zuvor habe ich einen Menschen so schreien hören. Mir wurde kurz schwarz vor Augen, mit aller Kraft kämpfte ich gegen eine Ohnmacht an. Dr. Lange, der sah, wie es mir erging, zwinkerte mir aufmunternd zu.

»Man sieht schon den Kopf«, gab die Hebamme bekannt. »Wollen Sie mal fühlen?«

»Nein«, schrie Uli, »ich will, daß es aufhört!«

Bei der nächsten Wehe feuerten wir Uli gemeinsam an, und bei der übernächsten rief Dr. Lange: »Noch ein bißchen, ja, so ist es gut . . . da ist es!«

In der nächsten Sekunde hielt er ein winziges rotes Menschlein an den Beinen in die Höhe. Es ruderte mit den Armen in der Luft, öffnete den Mund und machte herzzerreißend: »Wäääh!«

»Es ist ein Mädchen!« sagte die Hebamme und legte Uli das Baby auf den Bauch.

Uli lachte und weinte gleichzeitig und sagte immer wieder: »Clara, meine Süße, da bist du ja endlich!«

Endlich löste sich auch meine Anspannung, und ich begann sturzbachartig zu weinen. Ich umarmte Uli, und wir schluchzten gemeinsam vor Freude und Erleichterung.

»Mein Gott, ist die süß«, sagte ich gerührt. Ich war wirklich überwältigt.

Andächtig betrachteten wir das Kind, das noch ein bißchen zerknautscht aussah. Seine Augen waren weit aufgerissen und sahen neugierig umher. Es hatte ganz dunkle, noch feuchte Haare, eine niedliche Stupsnase und so winzige Hände, daß ich es gar nicht fassen konnte.

»Sieht ihrem Vater zum Glück überhaupt nicht ähnlich«, stellte Uli zufrieden fest.

Die Hebamme und Dr. Lange warfen sich einen vielsagenden Blick zu. Dr. Lange hielt mir eine Schere hin.

»Wollen Sie die Nabelschnur durchtrennen?«

»Nein, danke«, wehrte ich ab, »das ist ja wie Autobahn-Einweihen, machen Sie das mal lieber selbst!«

Er lachte. Die Hebamme wedelte mit einer Polaroidkamera. »Soll ich?«

Uli nickte. Gespannt beobachteten wir, wie sich das erste Foto der neuen Erdenbürgerin entwickelte.

Auch die nächsten Stunden blieb ich bei Uli und Clara. Ich sah zu, wie die Kleine gebadet wurde, wie Uli sie das erste Mal an die Brust legte, wie sie irgendwann erschöpft einschlief.

Uli war plötzlich fit wie ein Turnschuh. Vergessen waren

die Schmerzen und Qualen, sie war hellwach und überglücklich. Am liebsten hätte sie ihr Baby genommen und wäre nach Hause gefahren, aber schließlich hörte sie doch auf die Hebamme, die ihr riet, wenigstens ein paar Tage zur Beobachtung in der Klinik zu bleiben.
Langsam wurde es hell draußen. Auch ich war völlig wach und aufgedreht. »Jetzt rufen wir überall an und erzählen es allen«, schlug ich vor.
»Es ist fünf vor sechs«, wandte Uli ein, »da kannst du doch keinen aus dem Bett klingeln!«
»Wieso denn nicht? Mensch, du hast ein Kind gekriegt, das ist doch wohl wichtiger als ein bißchen Schlaf!«
Uli lachte. »Willst du jetzt eigentlich Patentante sein, oder nicht?«
Empört sah ich sie an. »Das fragst du mich nach dieser Nacht? Ich bin eher der Meinung, wir sollten noch mal Thomas' Qualifikation überprüfen!«
»Geschenkt«, meinte Uli, »der ist doch längst zum Papa ehrenhalber befördert.«
»Apropos, wann kommt er überhaupt wieder?«
»Heute mittag, sagst du ihm Bescheid?«
»Worauf du wetten kannst.« Ich war ganz wild darauf, die große Neuigkeit zu verbreiten.
»Und rufst du bitte auch Gitti im Laden an?« bat Uli. »Sie wollte heute mit ein paar neuen Entwürfen vorbeikommen. Schick sie einfach hierher, o.k.?«
»Wird gemacht.«
Uli gähnte. »Ich glaube, ich versuche jetzt mal zu schlafen. Wer weiß, wie lange die Kleine mich läßt.«
Sie warf einen zärtlichen Blick auf ihre schlafende Tochter, die fast verschwand unter einem Berg aus Decken.
Ich küßte Uli zum Abschied. »Erhol dich gut, meine Süße, ich melde mich später.«
Sie hielt meine Hand fest und sah mich an. »Das war die

schlimmste und schönste Nacht meines Lebens. Ich bin so froh, daß ich sie mit dir erlebt habe!«
»Ich auch.« Ich griff nach dem Polaroid, das auf dem Nachttisch lag. »Darf ich das mitnehmen?«
Uli nickte. »Aber nicht verlieren!«
Als ich auf die Straße kam, überfiel mich ein derartiger Hunger, daß ich mich kaum noch auf den Beinen halten konnte. Im nächstliegenden Café bestellte ich mir das megagigantische Superfrühstück und spachtelte, daß die Bedienung mir ganz mißtrauische Blicke zuwarf. Danach ließ ich mich in ein Taxi fallen und fuhr nach Hause.
Noch bevor ich ausgestiegen war, stellte ich fest, daß mein Auto abgeschleppt war. »Verdammter Mist!« fluchte ich und schloß die Taxitür gleich wieder. »Zum Polizeipräsidium!«
Dort irrte ich durch lange Gänge, bis ich vor dem Büro stand, in dem der zuständige Beamte sitzen sollte. Ich klopfte kurz und riß die Tür auf. »Grüß Gott, mein Name ist Schiller, ich . . .«, platzte ich heraus, dann starrte ich verblüfft den Polizisten an, der hinter seinem Schreibtisch saß und mich ebenfalls erstaunt ansah. Den kannte ich doch!
»Herr Grasmüller«, stammelte ich, »das ist ja eine Überraschung!«
Es war der sympathische Bulle von damals, der mich hatte laufen lassen, obwohl ich geblitzt worden war.
»Na, Frau Schiller, was kann ich denn heute für Sie tun?« fragte er lächelnd.
»Tja, also, mein Auto ist abgeschleppt worden, aber ich kann nichts dafür, ehrlich!«
»Wo stand denn der Wagen?«
»Vor meinem Haus, aber halt so ein bißchen schräg.«
»Vorschriftsmäßig geparkt oder nicht?«
»Eher nicht«, sagte ich wahrheitsgemäß, »aber ich habe eine Erklärung, ich bin nämlich Tante geworden.«

»Das ist an und für sich noch keine Erklärung«, sagte Herr Grasmüller bedauernd.
»Ja, aber es war ein Notfall«, erklärte ich und schilderte ihm haarklein die ganze Geschichte von der Fahrt zum Krankenhaus bis zur letzten Preßwehe. Endlich konnte ich jemandem alles erzählen!
»Also, es ist ein Mädchen!« schloß ich. »Und sie heißt Clara!« Mir fiel das Polaroidbild ein. »Hier ist sie!« sagte ich stolz und präsentierte Herrn Grasmüller das Foto von Clara.
Er lachte. »So jemand wie Sie ist mir wirklich noch nie untergekommen. Ich bin schon gespannt, welche Geschichten Sie mir beim nächstenmal auftischen!«
Er füllte ein Formular aus, stempelte es ab und reichte es mir. »Die Abschleppkosten müssen Sie leider zahlen, aber die Verwarnungsgebühr kann ich Ihnen erlassen. Kaufen Sie Ihrer Freudin einen schönen Blumenstrauß davon!«
Ich stand auf, beugte mich über den Schreibtisch und drückte Herrn Grasmüller einen Kuß auf die Wange.
»Sie sind wirklich der netteste Polizist, den ich je getroffen habe!«

Sechsundzwanzig

*I*n den nächsten Tagen gaben sich die Besucher im Krankenhaus die Klinke in die Hand. Ulis Zimmer sah aus wie ein Blumenladen, und sie thronte inmitten der ganzen Pracht und hielt hof.

Clara ließ sich von dem Trubel nicht beeindrucken. Die meiste Zeit ratzte sie ungerührt, alle paar Stunden meckerte sie und wollte was zu trinken. Uli sah aus wie Anna Nicole Smith, ihr Busen war so gewaltig angeschwollen, daß mich fast der Schlag traf. Entsetzt starrte ich darauf, als sie ihn freilegte, um Clara zu stillen.

»Um Gottes willen, bleibt das so?«

»Schön wär's«, lachte Uli, »aber das ist nur kurz nach dem Milcheinschuß so. Später normalisiert es sich. Bis man abgestillt hat, ist es weniger als vorher.«

Das fand ich nun auch wieder nicht gerecht. Da mühte man sich monatelang mit der artgerechten Aufzucht der kleinen Säuger, und zum Dank behielt man einen geschrumpften Hängebusen zurück. So richtig gut war das alles nicht eingerichtet von der Natur.

Thomas verwand es nur schwer, die Gelegenheit, Geburtshelfer zu spielen, verpaßt zu haben. »Und dir ist nicht schlecht geworden?« fragte er mich ein ums andere Mal.

»Kein bißchen, stell dir vor!« Ich glaubte selbst inzwischen daran. Längst hatte ich verdrängt, wie beschissen ich mich zwischendurch gefühlt hatte. Nein, ich war die Heldin des Kreißsaales, daran bestand kein Zweifel. Und Uli natürlich auch! Wir waren mächtig stolz auf unser gelungenes Teamwork!

Dr. Lange schien richtig erleichtert, als er bei einer Visite auf

Thomas traf. »Das ist also der stolze Papa, herzlichen Glückwunsch!« gratulierte er freundlich. »Schade, daß Sie nicht dabeisein konnten.«
»Ja, schade«, antwortete Thomas, »auch wenn ich nicht der Vater bin. Also, nicht der Erzeuger jedenfalls. Als Vater sehe ich mich schon in gewisser Weise, auch wenn ich erst herausfinden muß, ob ich mit der Rolle zurechtkomme.«
Verwirrt sah Dr. Lange ihn an. Er holte tief Luft, um eine Frage zu stellen, brach dann aber ab. Die Familienverhältnisse dieses Babys waren ihm wohl zu kompliziert. »Wie auch immer, alles Gute!« Er suchte das Weite.
Uli und ich kicherten.

Als Mutter und Kind nach vier Tagen aus der Klinik kamen, bereiteten wir ihnen einen tollen Empfang. Schon die Eingangstür hatten wir mit einer Girlande geschmückt, an der kleine Geschenke baumelten. Darüber prangte ein Schild mit der Aufschrift: WILLKOMMEN DAHEIM! In der ganzen Wohnung standen Blumen, und Claras Zimmer war komplett eingerichtet. Bettchen, Wickelkommode und Kinderwagen standen bereit, auf dem Regal thronte der erste Plüschteddy. Aufgeregt nahmen wir die beiden in Empfang.
»Soll ich sie halten?« fragte Arne, als Uli ihren Mantel auszog.
»Doch nicht so«, fuhr Thomas dazwischen, »du mußt den Kopf stützen!«
Linkisch bemühten sich die beiden Männer, das wertvolle Bündel richtig zu halten, und ich bewunderte Uli, die es ruhig mit ansah. Irgendwann legte sie Ivan das Kind in den Arm. »Dich soll sie auch kennenlernen.«
Er betrachtete das Baby lange, dann sagte er leise: »Es ist ein Wunder, findet ihr nicht?«
»Das größte Wunder ist, daß Uli die Geburt überlebt hat«, stellte ich fest, »und darauf trinken wir jetzt!«

Ich servierte eisgekühlten Schampus, und wir fühlten uns fast wie eine große Familie. Als Uli sich gerade zum Stillen zurückgezogen hatte, klingelte es an der Tür. Ich öffnete. Es war Michael mit einem riesigen Blumenstrauß im Arm.
»Was willst du denn hier?« fauchte ich ihn an.
»Ich wollte Uli gratulieren. Und . . . mein Kind sehen.«
»Dein Kind? Du hast sie wohl nicht alle!« Ich wollte ihm die Tür vor der Nase zuschlagen, da sah ich, daß er Tränen in den Augen hatte. »Woher weißt du es überhaupt?«
»Von Gitti, ich war im Laden«, erklärte er und wischte sich eine Träne aus dem Gesicht. »Mir geht es furchtbar, seit unserer Begegnung damals kann ich an nichts anderes denken.«
»Das hättest du dir früher überlegen müssen!« Ich blieb ganz kühl. »Was ist mit Doris?«
»Hat mich verlassen.«
Geschieht dir recht, wollte ich sagen, aber er schien tatsächlich ziemlich fertig zu sein, und deshalb fiel mein Spruch etwas sanfter aus: »Tut mir leid, trotzdem kann ich dich nicht reinlassen. Es ist zu spät, Michael. Was du Uli angetan hast, das kann man nicht verzeihen.«
»Laß mich wenigstens mit ihr reden!«
»Nein.« Ich blieb hart.
»Bitte, Cora«, sagte er flehend.
»Ich sage Uli, daß du hier warst. Wenn sie mit dir sprechen will, kann sie sich ja melden. Und jetzt mach's gut.«
»Gib ihr wenigstens die Blumen!« Er drückte mir den Strauß in die Hand, und ich schloß die Tür.
Die Blumen schmiß ich in den Müll, und Uli sagte ich nichts von seinem Besuch. Nur mit Ivan sprach ich darüber.
»Du bist ja gar nicht so cool, wie du immer tust!« stellte der erstaunt fest.
Ich bekam einen Schreck. Was hatte meine bessere Hälfte mir gesagt? Wenn die Männer das erkennen, sind sie so gut

wie weg. Sie rächen sich dafür, daß sie sich anfangs zum Deppen gemacht haben. Aber Ivan hatte sich nie zum Deppen gemacht.
»Hättest du mich lieber cooler?« fragte ich vorsichtig.
Er nahm mein Gesicht in die Hände und sah mich an. »Ich will dich genau so, wie du bist! Und du hast völlig richtig reagiert.«
Ich war erleichtert. Damit war das Kapitel Michael ein für allemal abgeschlossen. Er mußte ab sofort nur noch seiner Unterhaltspflicht nachkommen.

Ein paar Tage später klingelte das Telefon, und Schwalm wollte mich sprechen. »Gute Nachrichten, Frau Schiller! Wir werden zum Sendestart im Juli eine Show machen, in der wir ein paar Ihrer Ideen verwenden können. Hätten Sie Lust, uns einen Dreh in Ihrem Kinderheim zu organisieren?«
»Heißt das, Haus Sonnenschein wird von den Spenden profitieren?«
»Genau das heißt es.«
»Schön, daß Sie Wort halten.« Ich freute mich. »Klar helfe ich Ihnen.«
»Gut, unser Mitarbeiter Ben Reichel wird sich bei Ihnen melden.«
Das geschah prompt am nächsten Tag. »Hi, Cora, Ben hier«, meldete sich eine Männerstimme, »wie soll das Ding in dem Mongi-Heim laufen?«
»Wie bitte?« fragte ich eisig.
»Sind doch Mongis, oder nicht?«
Mir ging das Messer in der Tasche auf. »Daß du gleich klar siehst, Ben, diesen Ausdruck vergißt du ganz schnell, sonst kannst du woanders drehen, verstanden?«
»Ja, ja, reg dich nicht auf. Du weißt, worauf's ankommt, oder?«

»Um einen Einspielfilm für die Show, wenn ich Schwalm richtig verstanden habe.«
»Das ist die Tränendrüsen-Nummer. Aber nicht zuviel Elend, das mögen die Zuschauer nicht. Ist schließlich 'ne Unterhaltungssendung!«
Aha, ich verstand. Bloß nicht zuviel Realität im Fernsehen, den Leuten könnte ja das Abendbrot im Hals steckenbleiben! Ich begann daran zu zweifeln, ob das Ganze eine gute Idee war.
»Wann können wir loslegen?« fragte Ben.
Ich hatte bereits einen Termin mit Maria vereinbart. Aber unter diesen Umständen würde ich selbst genau aufpassen müssen, was diese Typen da veranstalteten.
»Mittwoch, 10 Uhr, Adresse fax' ich dir. Von dir kriege ich bitte eine Teamliste.«
»Geht klar«, knurrte Ben.
Wir tauschten unsere Fax-Nummern aus und beendeten das Gespräch. Na, das konnte ja was werden!
Ich versuchte, Uli dazu zu bringen, sich mit mir ein paar Gedanken über den Film zu machen, aber die hatte keinen Sinn dafür. Sie ging voll in ihrem Mamajob auf. Eigentlich beschäftigte Clara aber uns alle. Wenn sie nachts schrie, rannten abwechselnd Thomas und ich los, um sie hochzunehmen, zu Uli zum Stillen zu bringen oder wieder zum Einschlafen zu bewegen.
Eines Nachts war ich vor Erschöpfung den Tränen nahe. Eine Stunde lang hatte die Kleine ununterbrochen geschrien. Ich war ungefähr zwanzig Kilometer durch die Wohnung gewandert, um sie zu beruhigen, nur damit Uli ein bißchen schlafen konnte, denn die konnte doch auch schon nicht mehr!
»Clara«, flehte ich das Baby an, »bitte hör auf zu schreien!«
Clara schrie weiter.
»Was hast du denn? Tut dir der Bauch weh? Sag doch was!«

Clara sagte nichts, sie schrie.
Einen Moment lang verfluchte ich den Tag, an dem Uli mit ihren Koffern in meiner Wohnung stand. Warum, warum nur hatte ich mir das aufgehalst? Im nächsten Augenblick schämte ich mich zwar für diesen Gedanken, aber in dieser Nacht begriff ich, was es bedeutete, ein Kind zu haben. Es bedeutete, für viele Jahre die eigenen Bedürfnisse zurückzustellen. Man war nie mehr allein, immer mußte man für ein anderes Wesen mitdenken, mitentscheiden. War überhaupt jemand irgendwann in seinem Leben reif für diese Verantwortung?
Tagsüber, wenn Thomas in der Schule war, übernahm Arne den Part des Vaters, während Uli ihren versäumten Nachtschlaf nachholte, sich um den vernachlässigten Haushalt kümmerte oder zur Rückbildungsgymnastik ging. Ich begann mich zu wundern, daß ein so winziges Baby mehrere Erwachsene gleichzeitig problemlos auf Trab halten konnte. Wie schafften das nur normale Ehepaare oder gar alleinerziehende Mütter?
»Ich würde mir die Kugel geben, wenn ich euch nicht hätte!« Uli stöhnte. »Ich hab' nicht mal Zeit für 'ne postnatale Depression!«
Fast hätte *ich* die bekommen, aber es war ja nicht nur anstrengend, es war auch schön mit Clara. Mit tiefen Ringen unter den Augen beugten wir uns über ihr Bettchen und fanden sie wundervoll. Bald begann sie zu lächeln, wenn sie einen von uns sah. Und so ein Lächeln haut auch den stärksten Babyfeind um. Ich konnte Clara ihr nächtliches Gebrüll nie lange übelnehmen.
Wie sehr Tante Elsie sich an ihr gefreut hätte, dachte ich manchmal wehmütig. Das einzig Gute an dem Streß war, daß ich keine Zeit zum Traurigsein hatte. Nur in manchen Momenten durchzuckte mich ein heftiger Schmerz. Es war immer noch schwer zu verstehen, daß ich nie mehr ihre

Stimme hören sollte, die mich »Prinzeßchen« nannte. Ich hätte mich verfluchen können, daß ich nicht früher schon mal eine Reise mit ihr gemacht hatte. Wie schön wäre es gewesen, ihr Paris und Venedig zu zeigen.

»Mein Gott, bin ich müde«, seufzte ich eines Tages, »mir ist morgens manchmal richtig schlecht vor Müdigkeit.«
Uli sah mich aufmerksam an. »Du siehst auch ganz schön fertig aus, vielleicht solltest du mal zum Arzt gehen.«
»Ach, Quatsch, mir fehlt nichts. Es war nur ein bißchen viel in letzter Zeit. Sogar meine Tage sind vor lauter Streß weggeblieben.«
»Du hast deine Tage nicht gekriegt?« Uli riß die Augen auf. »Wann waren die denn fällig?«
Ich rechnete kurz nach. »Vor zwei Wochen oder so.«
»Und was meinst du, was der Grund ist?« fragte sie betont beiläufig.
»Ich weiß genau, was du denkst! Aber mach dir keine Hoffnungen, ich bin nicht schwanger! Ich hab' doch die Spirale!«
»Die Spirale kann versagen«, beharrte Uli.
»Und warum ausgerechnet bei mir? Ich hab' schließlich auch noch nie im Lotto gewonnen!«
»Du hast ja auch noch nie Lotto gespielt.«
Wir lachten.
»Trotzdem«, sagte Uli, »geh zum Arzt. Wer weiß, was dahintersteckt! So was muß man abklären.«
»Keine Zeit, ich muß arbeiten.«
Aber Uli ließ nicht locker. »Nebenan hat eine gynäkologische Gemeinschaftspraxis neu eröffnet. Laß dir da einen Termin geben, das kostet dich 'ne halbe Stunde.«
Schließlich ließ ich mich überreden, machte mir einen Termin und betrat am nächsten Tag die hellen, modernen Praxisräume. Eine Helferin mit festgeschraubtem Blendax-Lächeln empfing mich.

»Bitte schön?«
»Meine Menstruation ist ausgeblieben, ich würde gern überprüfen lassen, warum.«
»Haben Sie schon einen Schwangerschaftstest gemacht?« erkundigte sie sich, ohne mit dem Lächeln aufzuhören.
Ich verneinte. Sie reichte mir einen kleinen Becher. »Dann geben Sie mir als erstes eine Urinprobe.«
Das war das geringste Problem. Pinkeln mußte ich sowieso ständig.
Nachdem ich den Becher abgegeben hatte, blätterte ich noch eine Weile in den Frauenzeitschriften im Wartezimmer. Früher war ich extra immer eine halbe Stunde zu früh zum Arzt gegangen, damit ich in Ruhe lesen konnte. Aber heute machte mir nicht mal das Spaß. Ich war so schrecklich müde.
Endlich rief die Helferin mich auf und schickte mich in ein Behandlungszimmer. Nach weiteren fünf Minuten öffnete sich die Tür, und eine attraktive Frau im Arztkittel betrat den Raum. Mit ausgestreckter Hand kam sie auf mich zu.
»Frau Schiller?«
Ich nickte.
»Mein Name ist Niemann, guten Tag.«
Sie blickte auf die Karteikarte mit meinen Daten, dann sah sie mich forschend an. »Wollen wir schnell die Untersuchung machen?«
»Ja, klar. Ich weiß auch nicht, was los ist. Nach meiner Periode kann ich sonst die Uhr stellen. Schwanger kann ich ja nicht sein, ich habe die Spirale.«
Ich machte mich frei und wollte mich gerade auf den Untersuchungsstuhl setzen, da zeigte sie auf eine Liege. »Bitte hier, wir machen zuerst eine Ultraschalluntersuchung.«
Also legte ich mich neben den Monitor. Sie rückte mit einem Ding an, das wie ein Dildo aussah. Gottergeben ließ ich sie gewähren und war dankbar, daß sie kein Mann war. Sorgfältig bewegte sie dieses Ding hin und her.

»So, das hier ist Ihre Spirale. Die sitzt nicht ganz da, wo sie sein sollte.« Sie bewegte den Stab weiter. Bei einem reiskorngroßen Punkt stoppte sie wieder.
»Können Sie irgendwas sehen?« fragte ich besorgt. »Ist es was Schlimmes?«
Sie zog das Ding raus und schaltete den Monitor ab. »Wie man's nimmt«, sagte sie.
Mir sackte das Herz in die Hose. Wie man's nimmt? Das hieß doch wohl, daß es zwar noch schlimmer hätte kommen können, aber alles war ja relativ. Im Vergleich zum sofortigen Exitus war ein operables Krebsgeschwür sicher die gute Nachricht.
»Was . . . was meinen Sie damit?« stammelte ich.
»Ganz einfach, Sie sind schwanger.«
»Wie bitte?« fragte ich begriffsstutzig.
»Sie bekommen ein Kind. Sie sind in der siebten Schwangerschaftswoche.«
»Aber . . . aber wofür habe ich denn die Spirale? Das ist doch unmöglich!«
»Nichts ist unmöglich«, sagte sie und hob bedauernd die Schultern. »Es gibt den Fall, daß sich trotz Spirale ein befruchtetes Ei einnistet. Das ist sehr selten, aber es kommt vor.«
Fassungslos starrte ich sie an. Das konnte nur ein schlechter Witz sein. »Sie verarschen mich, oder?«
»Nein, keineswegs.«
»Dann täuschen Sie sich!«
»Der Urintest war auch positiv, es gibt nicht den geringsten Zweifel.« Sie begrub meine letzte Hoffnung. Dann sah sie mich aufmerksam an und fragte: »Ist es denn so schlimm? Ich meine, Sie sind . . .«, sie warf einen kurzen Blick auf die Karteikarte, »Sie sind dreißig; wenn Sie Kinder haben wollen, ist jetzt der richtige Zeitpunkt!«
Ich wußte nicht, ob ich lachen oder heulen sollte. Dann ent-

schied ich mich fürs Heulen. »Ich kann unmöglich jetzt ein Kind kriegen! Ich muß mir einen neuen Job suchen, ich kenne meinen Freund erst seit ein paar Monaten, und überhaupt . . .«

». . . und überhaupt ist immer der falsche Zeitpunkt«, lächelte sie.

»Und außerdem ist da noch Uli.«

»Uli?« echote sie fragend.

»Meine beste Freundin. Sie hat gerade selbst ein Baby bekommen und braucht mich. Und außerdem: Ich wollte eigentlich überhaupt keine Kinder!«

»Und uneigentlich?«

Ich überlegte einen Moment. »Na ja, seit Clara da ist, finde ich die Vorstellung nicht mehr ganz so schrecklich«, räumte ich schniefend ein, »andererseits weiß ich jetzt auch, wieviel Verantwortung das ist. Ich weiß wirklich nicht, ob ich dafür schon reif bin und ob ich das überhaupt will!«

»Wissen Sie was, überlegen Sie in Ruhe, sprechen Sie mit Ihrem Freund, und wenn ich irgendwas für Sie tun kann, melden Sie sich.« Sie stand auf und reichte mir die Hand.

Ich konnte keinen klaren Gedanken fassen. Wie in Trance wankte ich aus der Praxis und den kurzen Weg nach Hause, wo Uli mich erwartete.

»Und, was ist los?« fragte sie aufgeregt.

Ohne ein Wort warf ich mich in ihre Arme.

»Du bist doch schwanger?« fragte sie hoffnungsvoll.

Ich nickte.

»Wußte ich's doch! Mensch, Cora, dann können unsere Kinder bald zusammen spielen, freust du dich nicht?«

»Nein«, murmelte ich dumpf.

In diesem Moment meldete sich Clara, und Uli sauste los. Mit dem Baby auf dem Arm kam sie zurück.,

»Schau nur, sie hält den Kopf schon ganz allein!« Stolz drehte sie sich so, daß ich Clara besser sehen konnte. Die

Kleine hob wackelnd ihr Köpfchen, hielt es einen Moment aufrecht und ließ es wieder auf Ulis Schultern fallen. Unendlich rührend erschien sie mir bei dieser Anstrengung.
Das Telefon klingelte.
»Nimm sie mal«, sagte Uli und drückte mir Clara in die Hand.
Widerstrebend hielt ich sie fest. »Glaub ja nicht, daß du es mit solchen Tricks schaffst, mir das Hirn zu vernebeln«, rief ich ihr nach.
Vor kurzem hatte sie mir erzählt, daß bei Leuten, die den Duft eines Babys einatmen, irgendein Liebeshormon ausgeschüttet wird. Wahrscheinlich hoffte sie, daß ich im Hormonrausch anfangen würde, mich über meine Schwangerschaft zu freuen.
Vorsichtig schnupperte ich an Claras Kopf. Mmh, das duftete wirklich gut! Aber schon stieg mir eine zweite, nicht so angenehme Duftnote in die Nase. Die kam von weiter unten.
»Iiih«, rief ich und wollte Uli, die gerade zurückkam, ihre kleine Stinkbombe reichen. »Ein vollgekacktes Baby, echt 'ne Superwerbung!«
Aber Uli winkte ab. »Gitti ist am Telefon«, sagte sie, »ich muß ihr schnell ein paar Zahlen durchgeben. Üb ruhig schon mal, du weißt ja, wie es geht.«
Tatsächlich hatte ich bereits gelernt, wie man wickelt, diese Tätigkeit aber wohlweislich auf jene Gelegenheiten beschränkt, bei denen Clara nur naß war.
Mit spitzen Fingern schälte ich das Baby aus seinem Strampler und der Plastikwindel. Mit ungefähr zwanzig Kleenex und einer halben Flasche Öl reinigte ich den Po. Interessiert sah Clara mich an und fuchtelte mit ihren kleinen Fäusten herum.
Ich fing an zu rechnen. Fünf Windeln braucht ein Kind im Schnitt täglich, machte pro Jahr eintausendachthundertfünf-

undzwanzig; wenn es drei Jahre lang in die Hose macht, würde man es also ungefähr fünftausendfünfhundertmal wickeln. Wenn man für einmal Wickeln drei Minuten ansetzt, macht das zweihundertdreiundsiebzig Stunden Wickeln. War es das, was ich wollte?

Nachdenklich sah ich Clara an. »Mensch, Süße, was soll ich bloß machen? So was wie du bringt mein Leben doch völlig durcheinander.«

Ich war ratlos.

Als Clara endlich schlief, setzten Uli und ich uns zusammen und redeten.

»Und die Ärztin hat sich ganz bestimmt nicht geirrt?«

Ich schüttelte den Kopf. »Vergiß es, die hat sich nicht geirrt. Leider.«

Uli fand natürlich, ich sollte das Kind kriegen. »Weißt du noch, was du damals zu mir gesagt hast: Daß jedes Kind ein Recht hat zu leben. Warum hat deines dieses Recht nicht?«

»Jetzt bist du unfair! Du hattest dich längst für das Kind entschieden. Die Frage war nur: Was machst du, wenn es behindert ist? Ich weiß ja noch nicht mal, ob ich überhaupt ein Kind will!«

»Stimmt schon, ich kann mir nur nicht mehr vorstellen abzutreiben.«

»Und was wird aus meinem Beruf? Wer schafft die Kohle ran, von der übrigens auch du zur Zeit lebst?«

»Wir wechseln uns ab. Mal nimmst du die Kinder, mal ich. Dann schaffen wir beide einen Halbtagsjob.«

»Ach, Uli, das ist doch Quatsch. Wer weiß, wie lange du hier bleibst? Irgendwann ziehst du vielleicht zu Thomas, und dann stehe ich da.«

Wir redeten die halbe Nacht. Im einen Moment erschien es mir völlig klar, daß ich das Kind kriegen würde, im nächsten konnte ich es mir überhaupt nicht vorstellen. Mal weinte

ich, dann lachte ich, nur, um im nächsten Moment wieder in Tränen auszubrechen. Ich war wirklich völlig durcheinander, und Uli hatte eine Engelsgeduld mit mir.
Endlich beschlossen wir, daß ich mit Ivan reden müßte. Schließlich war er der Vater, es war auch sein Kind.

Am nächsten Tag war der Drehtermin im Haus Sonnenschein. Danach würde ich zu Ivan fahren. Pünktlich um zehn traf ich im Kinderheim ein und schnappte mir als erstes Maria. »Paß auf, ich will dich nur vorwarnen. Könnte sein, daß das ziemliche Arschgeigen sind. Laß mich das machen, o.k.?«
»In Ordnung. Und was ist mit dem Interview mit mir?«
»Da sitz' ich daneben und pass' auf. Wenn dir einer dumm kommt, hau' ich ihm aufs Maul!«
Maria lachte. So leicht konnte man sie nicht aus der Ruhe bringen. Gegen halb half trudelte Ben mit einem Kameramann und einem Tonmann ein.
»Wir hatten zehn Uhr vereinbart«, begrüßte ich die drei kühl.
»Sorry, war Stau«, nuschelte Ben, ein Milchbubi mit Ziegenbärtchen und Rapper-Frisur. »Das ist Mike, das ist Danny«, stellte er mir die zwei anderen vor. Erstaunlich, daß beim Fernsehen alle englische Namen haben.
Maria zeigte uns die Räumlichkeiten, und Ben entschied, daß er erst einen Gang durchs Haus drehen wollte. Das war mir recht, dabei konnte nicht viel passieren. Eine Annahme, die sich schnell als Irrtum herausstellte.
Mike, der mit der Kamera auf der Schulter rückwärts ging, stieß nämlich bei einer abrupten Drehung mit dem Ellbogen in eine Glasscheibe und zerschlug sie.
»Sorry«, sagte er nur und lief weiter, als wäre nichts passiert.
»Hey, du hast gerade ein Fenster zerdeppert!« rief ich ihm nach.

»Regeln wir nachher«, wollte Ben mich beschwichtigen, »das ist im Etat drin.«
»Es geht hier nicht um Geld«, sagte ich mit schneidender Stimme, »sondern darum, daß eines von den Kindern sich verletzen könnte. Ihr entfernt sofort die Scherben, sonst könnt ihr was erleben!«
Jetzt wurde Ben frech. »Ey, Alte, was regst'n dich bei jeder Kleinigkeit so auf?« Er gab sich betont lässig.
Ich war stinksauer. Nur, weil ich mir trotz allem was von der Sendung erhoffte, beherrschte ich mich. Maria kam mit einem Kehrblech und fegte schweigend die Scherben weg. Wir tauschten einen vielsagenden Blick.
»So, wo sind jetzt die Kids?« fragte Ben munter, als er seinen Gang im Kasten hatte.
Wir gingen in den Aufenthaltsraum, wo sechs der Kinder spielten. Ben steuerte ungeniert auf sie los. »Könnt ihr euch mal da drüben so 'n bißchen nett hinsetzen?« forderte er zwei Jungen auf.
Der eine ignorierte ihn völlig, der andere schlug wütend mit seiner Krücke nach ihm.
»Hey, ich hab' dir doch nichts getan!« Ben sprang erschrocken zurück. Ich grinste schadenfroh.
»So geht das nicht«, mischte sich jetzt Maria ein, »die Kinder kennen Sie nicht, die verstehen Sie zum Teil gar nicht. Die können Sie nicht hin- und herschicken und ihnen sagen, was sie tun sollen!«
»Und wie soll ich dann was drehen?«
»Wenn Sie ein bißchen Geduld aufbringen, haben die Kinder Sie in wenigen Minuten vergessen und spielen weiter. Dann können Sie drehen, solange Sie wollen.«
Ben muffte vor sich hin, tat aber dann, was Maria gesagt hatte. Mike filmte die Kinder beim Spielen, beim Aufräumen und beim Essen. Und immer, wenn die Behinderung eines Kindes zu augenfällig wurde, winkte Ben ab.

»Laß den Spasti«, hörte ich ihn murmeln. Ich hätte den Typen stundenlang ohrfeigen können.
Zum Schluß machte er das Interview mit Maria. Seine Fragen waren erwartungsgemäß so dämlich, daß ich mich mehrmals einschaltete. Wenigstens erreichte ich, daß die wichtigsten Informationen mitgedreht wurden.
Endlich packten die Kerle ihren Kram zusammen. Ich machte drei Kreuze, als dieser Vormittag vorbei war.

Gegen zwei bremste ich vor Ivans Haus. Als ich gerade aus dem Auto steigen wollte, sah ich ihn in Begleitung einer Frau auf seine Haustür zugehen. Sie gingen Arm in Arm und waren so ins Gespräch vertieft, daß sie mich nicht bemerkten. Vor dem Haus blieben sie stehen und umarmten sich lange. Ivan strich der Frau zärtlich übers Haar. Sie küßte ihn und lehnte ihren Kopf an seine Schulter. Dann drehte sie sich um und ging.
Es war die Frau auf dem Foto, Ivans Ex-Frau Katja.
Zitternd blieb ich im Auto sitzen und versuchte meine Gedanken zu ordnen.
Verhielten sich so zwei Menschen, die nichts mehr miteinander verband? Waren sie sich vielleicht wieder nahe gekommen, seit Katja zurück war? Vielleicht war ihre Liebe nach all den Jahren wieder aufgeflammt, jetzt, wo die Erinnerung an Matti langsam verblaßte?
In jedem Fall hatten die beiden eine gemeinsame Geschichte, gegen die ich niemals ankommen würde. Sie waren sich sehr nah, da war kein Raum für mich. Und schon gar nicht für ein Kind.

Siebenundzwanzig

*F*ünf Stunden später saß ich im Flugzeug nach Rom. Ich hatte das dringende Bedürfnis, möglichst weit weg in Ruhe nachdenken zu können. Ivan hatte ich auf den Anrufbeantworter gesprochen, ich müßte für ein paar Tage geschäftlich verreisen. Das gleiche hatte ich Uli erzählt. Erst dann fragte ich Carlo und Marina, ob ich kommen könnte. Sie freuten sich riesig und würden mich in Fiumicino abholen.
Aufatmend lehnte ich mich in meinem Sitz zurück und schloß die Augen. Nun würde ich doch dieses Jahr noch nach Rom kommen, allerdings unter etwas anderen Umständen als mal geplant! Das Flugzeug gewann an Höhe. Mit jedem Meter, den es sich vom Erdboden entfernte, wurde mir leichter.
Ich hatte Zeit, ich konnte nachdenken. Ich würde das Richtige tun.
Nur die Gedanken an Ivan verwirrten mich. Hatte ich mir alles nur eingebildet? Nein, unsere Gefühle füreinander waren tief und echt, da war ich sicher. Aber es gab eben auch Katja. Energisch versuchte ich, meine Zweifel wegzuschieben. Ich wollte jetzt nicht traurig sein. Ich wollte mich auf Carlo und Marina freuen.
Die beiden waren eigentlich Freunde von Florian. Er hatte sie kennengelernt, als er während seines Kunststudiums ein Semester in Rom gewesen war. Sie kannten sich seit mindestens zwanzig Jahren, waren Kettenraucher der schlimmsten Sorte und wahnsinnig sympathisch. Marina war Ärztin, Carlo leitete eine Musikschule für Kinder reicher Leute. Jahrelang hatten sie in getrennten Appartements gelebt,

aber seit einiger Zeit teilten sie sich eine romantische Dachgeschoßwohnung, die ihnen eine reiche Gönnerin zur Verfügung gestellt hatte.
Carlo hatte eine magische Wirkung auf alte Damen. Sie sahen in ihm die romantischen Helden ihrer Jugend oder den Sohn, den sie nie gehabt hatten. Er war ganz schmal, hatte eine wilde Haarmähne, einen Bart und schwarze, blitzende Augen. Marina überragte ihn um Haupteslänge, sie war kräftig gebaut und von stoischem Temperament. Sie konnte Menschen und Situationen blitzartig erfassen und messerscharf analysieren. Insgeheim hoffte ich, die beiden könnten mir helfen, mein inneres Chaos zu ordnen und eine Entscheidung zu treffen.
»Carissima!« Carlo strahlte, als er mich am Flughafen in die Arme schloß. »Che bello rivederti dopo tanto tempo!«
Er hatte recht, wir hatten uns ewig nicht gesehen! Auch ich freute mich sehr.
Marina küßte mich auf beide Wangen. »Come stai, bella? Tutto à posto?«
Ob alles in Ordnung war? Ich schüttelte den Kopf. »C'é un grande casino!« beschrieb ich ihr unbeholfen meinen Zustand. Ein Riesenchaos.
Mein Italienisch war nicht gerade berauschend, aber ich bekam fast alles mit. Irgendwie hatten wir uns immer verständigt.
Als wir aus dem Flughafengebäude kamen, merkte ich, wie warm es war. In Deutschland herrschte noch feuchtkaltes Winterwetter, obwohl wir schon April hatten. Hier war Frühling, herrlich!
Kaum saßen wir im Auto, steckten sich beide Zigaretten an und begannen mich einzunebeln. Der Aschenbecher quoll über. Als ich zuletzt bei ihnen gewesen war, hatte ich selbst noch geraucht und immer das Gefühl gehabt, in Italien sei das Rauchen weniger schädlich. Das ganze Leben war hier

leichter, also konnte einem auch das Nikotin nicht so viel anhaben. Jetzt fand ich den Rauch unangenehm. Ich kurbelte mein Fenster halb herunter und sah hinaus.
Wir quälten uns über die Autostrada Richtung Centro, die anderen Autos überholten uns links und rechs, was Marina nicht im geringsten aus der Ruhe brachte.
»Wie geht's unserem alten Freund Florian?« Sie sah mich kurz an.
»Keine Ahnung, wir haben uns letztes Jahr getrennt, wißt ihr das nicht?«
»Das haben wir schon gehört«, lachte Carlo, »aber wir haben es nicht ernst genommen. Ihr habt euch doch schon tausendmal getrennt. Erst, als vor ein paar Tagen diese Geburtsanzeige kam, haben wir uns gewundert. Wer ist Tabea?«
»Seine gerechte Strafe«, knurrte ich.
Die beiden lachten. »Sie haben eine Tochter bekommen«, sagte Carlo.
Aha, sieh an. Ich hoffte inständig, daß Tabea eine Horrorgeburt gehabt hatte und daß ihr Kind dick und häßlich war. Weiterhin hoffte ich, daß Florian Nacht für Nacht von dem schreienden Balg um den Schlaf gebracht würde.
Marina und Carlo waren eines dieser Paare, die völlig aufeinander eingespielt sind. Ich konnte mir nicht vorstellen, daß sie sich jemals trennen würden. Trotzdem war jeder von ihnen eine individuelle Persönlichkeit und lebte ein eigenes Leben, unabhängig vom anderen. Vielleicht war das ihr Geheimnis: Sie waren sich nahe, ohne sich völlig im anderen zu verlieren.
»Klappt das mit euch in der gemeinsamen Wohnung?« fragte ich.
Die beiden lachten. »Na ja, inzwischen haben wir uns zusammengerauft«, sagte Marina, »Carlo mußte erst ein paar Junggesellen-Unsitten ablegen!«

»Und Marina mußte sich auf ihre Pflichten als Hausfrau besinnen!« Das war typisch Carlo.
Ob sie sich treu waren? Wir hatten immer über alles gesprochen, aber danach hatte ich mich nie zu fragen getraut. Diese Frage erschien mir gleichermaßen banal wie indiskret. Interessiert hätte es mich trotzdem.
Als wir das Zentrum erreicht hatten, schlängelte Marina sich geschickt durch die vestopften Straßen und Gassen bis zu ihrem Haus in Trastevere, in der Nähe des Tiber. Sie parkte das Auto kriminell nahe bei einer Einfahrt und fuhr dabei fast ein Verkehrsschild um.
»Eccoci quoi! Alles aussteigen!«
Carlo schnappte sich meine Tasche, und wir trabten hintereinander die fünf Treppen zu ihrer Wohnung hoch. Wenig später saßen wir in der Küche bei einer Flasche Wein.
Ich erzählte, was alles passiert war, seit wir uns zuletzt gesehen hatten.
»Che stronzo!« kommentierten die beiden empört meine Geschichte von Florian und zündeten sich Zigaretten an. Ich gewöhnte mich langsam wieder an den Qualm.
Dann erzählte ich von Ivan und davon, wie bescheuert ich ihn am Anfang gefunden hatte, wie wir uns wiedergetroffen hatten und langsam einander nähergekommen waren. Ich erzählte von unserem Weihnachtsabend, von Tante Elsies Beerdigung und von Katja.
»Und jetzt bin ich schwanger«, schloß ich.
Die beiden rissen die Augen auf. »Incinta, veramente?«
»Ja, ausgerechnet ich, die nie Kinder wollte! Von einem Mann, der nicht wirklich frei ist. Was soll ich bloß tun?« fragte ich verzweifelt.
Marina zog heftig an ihrer Zigarette. »Du mußt herausfinden, was *du* willst«, sagte sie schließlich, »laß den Mann aus dem Spiel. Du weißt nie, ob es klappt. Ein Kind ist am Ende immer dein Problem.«

»Weiß er es schon?« erkundigte sich Carlo.
Ich schüttelte den Kopf. »Heute nachmittag wollte ich es ihm sagen. Dann habe ich ihn mit Katja gesehen.«
»Bella merda.« Carlo kraulte gedankenverloren seinen Bart. »Marina hat recht. Es ist deine Entscheidung. Wir Männer machen die Kinder, ihr Frauen habt sie.«
Das war ein neuer Gedanke. Bisher hatte ich mir vorgestellt, Ivan würde mir die Entscheidung abnehmen, oder es wäre wichtig, was er darüber dachte, wie er sich dazu verhielt. Die Wahrheit war: Ich mußte entscheiden. Es war ganz allein meine Sache.
»Warum habt ihr euch gegen Kinder entschieden?« wollte ich plötzlich wissen.
»Es hat nicht in unser Leben gepaßt. Wir lieben unsere Arbeit, wir hängen nächtelang in Cafés rum, wir schlafen bis in die Puppen, wir reisen durch die Weltgeschichte«, erklärte Carlo, »und wir hatten eigentlich keine Lust, auf irgendwas davon zu verzichten.«
»Besonders nicht aufs Rauchen!« Marina lachte. Ernster fuhr sie fort: »Der Wunsch nach einem Kind war einfach nicht groß genug. Versteh mich nicht falsch, es hätte mich schon interessiert, wie es ist. Aber reicht das, um ein Kind in die Welt zu setzen?«
»Eigentlich nicht«, gab ich zu.
»Und muß man sich denn unbedingt reproduzieren?« fragte Carlo weiter.
»Nein«, sagte ich, »aber es ist sicher eine interessante Erfahrung.«
»Aus einem Hochhaus zu springen ist auch eine interessante Erfahrung, deshalb mache ich es trotzdem nicht«, konterte Carlo.
Wir lachten.
Nachdenklich ging ich an diesem Abend in mein Gästebett. Die beiden hatten sicher die richtige Entscheidung für sich

getroffen. Aber war ich so zufrieden mit meinem Leben, daß ich nichts daran ändern wollte? Eigentlich nicht. Mein Job ging mir auf die Nerven, ständig auszugehen fand ich auch nicht mehr spannend, verreisen war mir nicht wichtig, und ich rauchte auch nicht mehr. Blieb die Sache mit dem Ausschlafen. Na ja, ans frühe Aufstehen könnte ich mich zur Not gewöhnen. Aber reichte das, um ein Kind in die Welt zu setzen?

Am nächsten Tag wanderte ich allein durch Rom.
Ziellos ließ ich mich durch die Straßen treiben, setzte mich da und dort in ein Café, beobachtete die Menschen und belauschte ihre Gespräche.
Es war erstaunlich, wieviel banales Zeug auch hier geredet wurde, nur daß es auf italienisch viel interessanter klang. Die meiste Zeit redeten Italiener vom Essen. Hast du schon gegessen? Hast du gut gegessen? Mama kocht heute paglia e fieno! In diesem Lokal gibt es den besten Fisch in ganz Rom! Hast du gesehen, der geräucherte Schinken dort?
Am zweithäufigsten redeten sie vom Fußball. Und dann kam die Politik. Zumindest war das früher so gewesen. An diesem Tag hörte ich kein einziges Wort über Politik. Es war, als hätten die Italiener ihre Politiker aus dem Gedächtnis getilgt. Das waren alles Gangster, Betrüger, Mafiosi. Man wollte nichts mehr mit ihnen zu tun haben. Es hatte immer alles funktioniert, *obwohl* es eine Regierung gab. Jetzt hatte man das Gefühl, es gab gar keine mehr.
Ich erreichte die Piazza Navona. Es war inzwischen Mittag, in den Restaurants waren fast alle Plätze besetzt. Die Leute genossen die Frühlingssonne. Schließlich fand ich einen leeren Tisch mit einem prächtigen Blick auf die Brunnen. Die immer gleichen Jongleure, Pflastermaler und Souvenirverkäufer bevölkerten den Platz. Es war, als sei die Zeit seit meinem letzten Besuch stehengeblieben. Was waren denn

auch die zwei Jahre angesichts der Jahrhunderte, die diese Häuser hier auf dem Buckel hatten?
Ich betrachtete die wunderbar schlichte Fassade des Palazzo Pamphili und versuchte mir vorzustellen, daß er seit fast dreihundertfünfzig Jahren hier stand und in weiteren dreihundertfünfzig Jahren womöglich immer noch hier stehen würde.
Plötzlich kam mir meine ganze Misere ziemlich lächerlich vor. Ich saß hier und wälzte die Frage, ob demnächst ein Kind mehr oder weniger über diese Piazza laufen würde. Um mich her brodelte das Leben und fragte nicht danach, ob ich meinen Beitrag zu seiner Fortsetzung leisten würde oder nicht. Es würde einfach weitergehen, ob ich das Kind bekam oder nicht. Also war es völlig egal, ob ich es bekam. Oder doch nicht?
Ich beobachtete einen kleinen Jungen, der mit einem Tretroller über den Platz fuhr. Er stieß einem alten Mann in die Hacken, der drehte sich um und schimpfe hinter ihm her. Er umkurvte elegant zwei Teenie-Mädchen, die ihm lachend durch die Haare wuschelten. Er fuhr in großem Bogen um die Fontana dei fiumi und hielt an einem Süßigkeitenstand, um einen Lutscher zu kaufen. Sorgsam verstaute er die abgegriffenen Lirescheine, die der Verkäufer ihm zurückgab, in seiner Hosentasche. Schließlich stoppte er bei einer Bank, wo seine Eltern saßen und gemeinsam einen Kinderwagen schaukelten. Sein Vater packte ihn und hob ihn lachend in die Höhe. Kreischend vor Vergnügen schwebte der Junge über seinem Kopf.
In den wenigen Minuten, während ich ihm zugesehen hatte, war er sieben Menschen begegnet, deren Tag anders verlaufen wäre, wenn es ihn nicht gäbe. Die ganze Welt würde anders aussehen, wenn er nicht da wäre. Sein Leben lang würde seine Existenz in jeder Sekunde irgendeinen Einfluß auf den Lauf der Welt haben.

Ich war fasziniert von diesem Gedanken: Es war nicht egal, ob jemand existierte! Die Existenz jedes einzelnen Menschen hatte eine Bedeutung. Aber das hieß, daß meine Verantwortung viel größer war, als ich es bislang empfunden hatte. Ich entschied nicht nur über das Schicksal eines Menschen. Die Frage, ob mein Kind zur Welt kommen würde oder nicht, war mehr als eine persönliche Entscheidung. Es war die Frage nach dem Leben überhaupt.
»Permesso?«
Eine männliche Stimme riß mich aus meinen Gedanken. Ein unverschämt attraktiver Typ mit nach hinten gekämmtem halblangem Haar, einer teuren Sonnenbrille und hellem Leinenanzug deutete auf den zweiten Stuhl an meinem Tisch.
Ich nickte ihm freundlich zu.
Er setzte sich, streckte die langen Beine aus und schob seine Sonnenbrille auf die Stirn. Aus leuchtend grünen Augen traf mich ein abschätzender Blick.
»Mensch, Alte«, vernahm ich die Stimme meiner besseren Hälfte, »greif zu, solange du noch kannst!«
Ich war erstaunt. »Seit wann treibst du mich ins Abenteuer? Sonst willst du doch immer verhindern, daß ich meinen Spaß habe!«
»Vielleicht ist das deine letzte Gelegenheit! Bald hast du einen dicken Bauch, und nach der Geburt kannst du keinem mehr dein ausgeleiertes Bindegewebe präsentieren!«
Ich schnappte nach Luft.
Im gleichen Moment eröffnete der schöne Fremde die Unterhaltung. »Giornata splendida, vero?« sagte er mit unüberhörbarem römischem Akzent und warf einen Blick auf meinen Stadtplan. Schon wußte er, daß ich Touristin war. Ich nickte lächelnd.
Der Kellner servierte meine Penne arrabbiate, und der Schönling bestellte ein Bier. Er hatte einen wunderschönen Mund, regelmäßige Zähne und ein sympathisches Lächeln.

»Buon appetito!« wünschte er mir und wollte dann wissen, woher ich sei.
»Ich komme aus Deutschland«, sagte ich freundlich und begann zu essen.
»Ti piace Roma?«
»Ja, ich finde Rom sehr schön!« gab ich zu Protokoll und versuchte so zu essen, daß mir die rote Soße nicht auf die Klamotten spritzte. Ich haßte es, wenn mir jemand beim Essen zusah, der selbst nicht aß. Es machte mich ganz nervös.
»Quanto tempo resti?«
»Ich weiß noch nicht, wie lange ich bleibe. Ein paar Tage vielleicht.« Ich schob den halbvollen Teller von mir. Flirten und essen gleichzeitig ging einfach nicht. Dabei hatte ich solchen Hunger!
Er trank einen Schluck Bier, dann reichte er mir die Hand. Sie war schön geformt und perfekt manikürt. »Ciao, sono Francesco«, stellte er sich vor. Dann fragte er nach meinem Namen.
»Cora«, antwortete ich brav.
Es war geradezu lächerlich, wie voraussehbar alles lief. Gleich würde er vorschlagen, einen Spaziergang zu machen, unterwegs würde ihm einfallen, daß seine Wohnung ganz in der Nähe lag, und wenig später würden wir dort eine Nummer schieben.
Hatte ich dazu Lust? Der Typ sah wirklich gut aus, war höflich und hielt sich an die Spielregeln. Aber plötzlich langweilte mich das alles. Ich hatte es immer spannend gefunden, meine Wirkung auf Männer zu testen, aber jetzt machte es keinen Spaß mehr.
Ich dachte an Ivan. Viel lieber wollte ich in seinen Armen liegen als im Bett dieses Fremden. Ich hatte schreckliche Sehnsucht.
»Bist du geschäftlich in Rom oder zum Vergnügen?«

Francesco riß mich aus meinen Gedanken.

»Von beidem ein bißchen.«

»Was machst du denn beruflich?«

»Public Relation, und du?«

»Ich bin Philosoph.«

Ich schaute verblüfft. »Philosoph?«

»Ja, ich denke über das Leben nach.«

»Und wer bezahlt dich dafür?«

»Niemand, leider. Meinen Lebensunterhalt verdiene ich im Restaurant meines Onkels.«

Ich grinste. »Und worüber denkst du so nach?«

Francesco strich sich das Haar zurück. »Heute zum Beispiel ist mir klargeworden, daß der Mensch nicht Teil der Natur ist.«

»Was denn sonst?« Ich war leicht irritiert.

»Warst du schon mal in der Toscana?« fragte er anstelle einer Antwort. Ich nickte.

»Stell dir die Landschaft dort vor. Sanfte Hügel, Zypressen, da und dort ein paar Olivenbäume und Sträucher. Die Natur ist perfekt. Was stört den Eindruck? Häuser, Straßen, Hochspannungsleitungen – alles von Menschenhand geschaffen und aus Sicht der Natur völlig überflüssig. Der Mensch ist ein Störfaktor, mehr nicht.«

»Und was folgt daraus? Daß die Menschheit sich möglichst schnell selbst ausrotten soll?« fragte ich spöttisch.

»Das tut sie doch längst. Es ist die Bestimmung des Menschen, sich selbst zugrunde zu richten. Es wird vielleicht noch ein paar Jährchen dauern, aber die menschliche Existenz ist – auf lange Sicht gesehen – nur ein Intermezzo.«

»Aber die meisten Menschen sind wild darauf, sich fortzupflanzen«, hielt ich dagegen, »es kommen immer welche nach!«

»Die Reproduktion dauert viel länger als die Vernichtung. Rein rechnerisch ist es an irgendeinem Punkt vorbei.«

»Dann sollten wir uns also so schnell wie möglich fortpflanzen, um diesen Punkt ein bißchen rauszuzögern?« fragte ich.
Er lächelte mich vielsagend an. »Wie, du meinst, jetzt gleich?«
Ich mußte lachen. Der war nicht auf den Mund gefallen! »Du hast es ja ganz schön eilig!«
Er zuckte verlegen die Schultern und grinste. »Vielleicht habe ich nicht viel Zeit?«
»Ein paar Jährchen haben wir ja noch, wie du selbst gesagt hast. Irgendwann hast du sicher auch einen Stall voller Bambini!«
Er lachte kurz auf und sah mich dann ernst an. »Um die Wahrheit zu sagen, den habe ich schon.«
Ich starrte ihn an. »Was?«
»Ich habe zwei Kinder, das dritte ist unterwegs. Du siehst, ich tue mein Möglichstes, um den Untergang des Menschengeschlechts aufzuhalten!«
Mir blieb der Mund offen stehen. Der Kerl war Familienvater? Dem kletterten abends zwei Pimpfe auf dem guten Leinenanzug herum? Der wickelte Babys, kochte Fläschchen und schob den Kinderwagen durch die Straßen von Rom?
»Und warum sitzt du im Café und baggerst deutsche Touristinnen an?« fragte ich aufgebracht.
»Willst du die Wahrheit wissen?«
»Na klar, was denn sonst?«
»Meine Frau hat keine Lust auf Sex. Ich liebe sie, ich würde sie niemals verlassen. Aber sag mir, was ich tun soll, ich bin ein Mann!«
Du bist ein Arschloch, dachte ich. Oder vielleicht auch nur eine arme Sau. Ich legte zwei Zehntausendlirescheine für mein Essen auf den Tisch und stand auf.
»Versuch's mit kalten Duschen!«
»Und wenn das nichts hilft?« Er setzte den Dackelblick auf.

»Dann hol dir einen runter!« sagte ich laut und deutlich, und mindestens zwanzig Köpfe drehten sich gleichzeitig nach mir um. Entrüstet starrten die Leute mich an. Ich verließ schleunigst die Piazza, bevor die Meute mich steinigen oder dem Papst zum Fraß vorwerfen konnte.

Würde Ivan mich auch betrügen, wenn ich während der Schwangerschaft keine Lust auf Sex hatte? Würde ich überhaupt wieder Lust auf Sex haben? Wenn man den Leserbriefen in den Frauenzeitschriften glaubte, war Sex zwischen Paaren mit kleinen Kindern so selten wie Stierkämpfe in Oberbayern. Die Frauen klagten über Schlafmangel und totale Lustlosigkeit, die Männer über ihre lustlosen Frauen.

Vielleicht verändert sich der Körper auch so, daß man sich hinterher nur noch als Mutter fühlt und nicht mehr als Frau? Vielleicht ist der Busen dann nur noch die Nahrungsquelle für das Baby und keine erogene Zone mehr? Vielleicht ist man durch die Geburt so ausgeleiert, daß man den Schwanz nicht mehr richtig spürt? Vielleicht ist das Ganze ein riesiges, abgekartetes Spiel, bei dem diejenigen, die Bescheid wissen, den Ahnungslosen nichts sagen, damit die voll in die Falle tappen?

Panik!!! Ich stolperte in die nächste Telefonzelle und rief Uli an. Nach fünfmal klingeln meldete sie sich endlich.

»Uli, ich bin's. Kann man nach einer Geburt genauso vögeln wie vorher?«

»Sag mal, hast du keine anderen Probleme?« Uli war ungehalten.

»Doch, aber irgendwo muß man ja anfangen. Für mich ist das wichtig!«

»Und davon würdest du die Entscheidung abhängig machen?«

»Nein, natürlich nicht. Aber ich werde ja noch fragen dürfen!«

Plötzlich schämte ich mich. Das war vielleicht angesichts der Tragweite des Problems wirklich nicht die angemessene Frage.
»Wie geht's euch?« erkundigte ich mich kleinlaut.
»Uns geht's super!« sagte Uli. »Clara raubt mir den Schlaf, kein Gedanke an Sex, falls es dich interessiert. Trotzdem bin ich die glücklichste Frau der Welt! Wo steckst du überhaupt? Du hast mir gar nicht gesagt, wo du hinfährst.«
»Rom«, sagte ich.
»In Rom? Geschäftlich? Das glaubst du doch selber nicht!«
»Ich mußte in Ruhe nachdenken. Ich komme morgen mit der Abendmaschine zurück.«
»Ist gut, ich hol' dich ab. Tu mir einen Gefallen und denk mit dem Kopf nach und nicht mit dem Unterleib!« Uli legte auf.
Nachdenklich wanderte ich weiter. Das war ja nicht besonders erhellend gewesen. Aber wahrscheinlich würde man von niemandem die Wahrheit erfahren, genausowenig wie über die Geburt. In dem Punkt konnte mir allerdings keiner mehr was vormachen, da wußte ich Bescheid!

Als ich wieder am Flughafen Fiumicino stand, hatte ich sämtliche Argumente für und gegen Kinder bis zur Erschöpfung durchgekaut. Natürlich gab es eine Menge guter Gründe gegen Kinder: Kinder ruinieren die Figur, Kinder kosten Geld, Kinder machen alles kaputt, Kinder rauben einem die Nachtruhe, Kinder bedeuten Verantwortung und jede Menge Streß.
Andererseits: Wäre es nicht schade, wenn ich ausgerechnet diese von all meinen Fähigkeiten ungenutzt ließe? Vielleicht war ein Kind die Aufgabe, nach der ich schon lange suchte? Ich konnte ja schließlich nicht pausenlos Behindertenheime retten. Irgendwann wäre ich vielleicht zu alt zum Kinderkriegen und würde noch als sonnenstudiogegerbte Dame mit Hündchen enden. Außerdem: Wenn dieses Baby trotz

Spirale unbedingt zur Welt kommen wollte – durfte ich es dann verhindern? Es war vielleicht mein Schicksal, daß gerade ich in diese Lage gekommen war. Und das Komische war: Ich bekam langsam richtig Lust darauf, mich der Herausforderung zu stellen.
Ich würde Mutter werden, eine begehrenswerte Frau bleiben und auch noch Erfolg im Beruf haben. War ich nicht geradezu prädestiniert dafür, der Welt zu beweisen, daß all das möglich war? *Wie* das gehen sollte, wußte ich zwar auch noch nicht, aber ich würde es herausfinden!
Hocherhobenen Hauptes marschierte ich Richtung Flugsteig. Als ich an einem Zeitungsladen vorbeikam, fiel mein Blick auf die Schlagzeile einer deutschen Boulevard-Zeitung. In Riesenbuchstaben prangte dort die Schlagzeile LINIENMASCHINE ABGESTÜRZT – ALLE 126 INSASSEN TOT!
Ich stand da und starrte auf die schwarze Schrift.
»Ein Horror«, sagte eine Deutsche, die neben mir stehengeblieben war, »man darf es sich gar nicht vorstellen.«
Mit weit aufgerissenen Augen sah ich sie an. »Und wenn ich da drin gesessen hätte?« stammelte ich. »Was dann? Dann wäre ich jetzt tot! Und was hätte ich aus meinem gottverdammten Leben gemacht?«
Die Dame schaute mich verstört an und ging weiter. Ich blieb stehen und starrte vor mich hin. Wofür hatte ich meine Zeit bloß verschwendet? Für ein bißchen Spaß mit zweitklassigen Typen und für einen Scheiß-Job! Die einzige Spur, die ich auf der Welt zurücklassen würde, wären Tausende von Schokoladenverpackungen und ein paar gebrauchte Kondome!
In diesem Moment war ich mir endgültig sicher. Ich warf die Arme hoch und rief: »Jawohl, ich kriege das Kind, ich kriege es!«
Die Leute schauten mich verblüfft und belustigt an, ein jun-

ges Paar mit einem Kinderwagen drehte sich um und lächelte. »Ché bello!« rief der Mann mir zu. »Wie schön! Sie werden sehen: Kinder sind was Wunderbares!«

Uli erwartete mich am Flughafen. Sie sah mich erwartungsvoll an. »Und? Hast du dich entschieden?«
»Ich denke schon«, sagte ich und lächelte.
Sie zerrte ungeduldig an meinem Arm. »Nun sag schon, Cora, willst du das Kind oder nicht?«
Ich sah sie an. In Sekundenschnelle rasten vor meinem inneren Auge die Ereignisse der letzten Monate vorbei. Michael, Doris, die Wohnungsrenovierung, Thomas, die Schwangerschaftsgymnastik, Weihnachten, Silvester, Tante Elsie, Claras Geburt, das Kinderheim, Jakob, Ivan. Eine Abfolge von Ereignissen, eine Kette von Zufällen, ein Durcheinander ohne Plan – mein Leben. Und nun hatte ich mich entschlossen, dieses Leben selbst in die Hand zu nehmen, indem ich Verantwortung für ein anderes übernahm.
»Ich will es«, sagte ich.
Uli brach in Freudentränen aus und schmiß sich mir an den Hals. »Oh, Cora!« stammelte sie immer wieder und heulte mir die Mantelaufschläge naß.
Plötzlich hörte ich eine vertraute Stimme. »Darf ich auch was dazu sagen?«
Ich schaute auf und direkt in Ivans Augen. »Wie kommst du denn hierher?«
»Mit dem Auto«, sagte er trocken, »ich ging davon aus, daß du ein kleines Gepäckstück dabei hast.«
Kleines Gepäckstück war gut. Meine Reisetasche hätte für eine Amerika-Durchquerung gereicht. Grinsend nahm er mir das Ungetüm ab. »Mehr nicht?«
Ich sah von Uli zu Ivan und zurück. »Ihr seid zusammen gekommen«, kombinierte ich messerscharf.
»Erraten! Wir wollten dich überraschen.«

Das war ihnen gelungen.
»Freust du dich denn nicht?« fragte Uli.
»Doch ... es ist nur, ich bin ... ach, ich weiß auch nicht!« Ich stotterte hilflos.
Ivan stellte die Tasche ab und nahm mich in die Arme. »Du verrückte Person«, sagte er sanft und streichelte mich, »warum bist du denn einfach abgehauen?«
»Ich war so furchtbar durcheinander«, entschuldigte ich mich, »ich brauchte einfach Zeit zum Nachdenken.«
»Und warum wolltest du nicht mit mir reden?«
»Ich war ja bei dir! Aber da sah ich Katja, und plötzlich dachte ich, es hat alles keinen Sinn mit uns ...« Ich brach mitten im Satz ab.
Ivan und Uli wechselten einen Blick.
»Ach, jetzt kapier' ich«, murmelte er.
»Ihr habt ausgesehen wie ein Liebespaar«, sagte ich stockend, »ich kam mir einfach ... überflüssig vor.«
»Weißt du, warum Katja und ich zusammen waren?«
Ich schüttelte den Kopf.
»Es war Mattis Todestag. Wir kamen vom Friedhof. Wir waren traurig, aber wir haben auch beide gespürt, daß unser Leben wieder besser geworden ist. Katja ist glücklich in ihrem neuen Job, und ich bin glücklich mit dir. Ich habe ihr übrigens von dir erzählt! Sie hat sich sehr für mich gefreut.«
»Ob sie sich auch freut, wenn sie von dem Baby hört?« fragte ich zweifelnd.
»Das wird im ersten Moment nicht leicht für sie sein, aber sie wird es verkraften.«
»Also, zwischen euch ist nichts ... ich meine ... ihr liebt euch nicht mehr?« Ich fühlte mich sehr hilflos.
»Wir haben eine gemeinsame Geschichte«, sagte Ivan ernst, »die wird uns immer verbinden. Damit wirst du leben müssen.«
Ich nickte nachdenklich.

»Können wir jetzt gehen«, mischte Uli sich ein, »ich fürchte, Thomas ist nicht so gut im Stillen!«
Wir gingen Richtung Parkgarage. Als wir das Auto erreicht hatten, fragte sie: »Sag mal, Ivan, meinst du wirklich, du hältst es mit dieser Bekloppten aus?«
»Keine Ahnung.« Er sah mich zärtlich an. »Aber versuchen sollte ich es, oder?«
»Man muß sie schon sehr lieben.« Uli strich über meinen Arm. »Aber das tun wir ja schließlich beide!«
Wie zur Bestätigung machte Blue, der im Auto gewartet hatte, »wuff!« und leckte mir die Hand. Ivan zwinkerte mir im Rückspiegel zu und startete den Motor. Ich versank in meinem Sitz und war plötzlich sehr, sehr glücklich.

Achtundzwanzig

Drei Monate später.
Es war der Abend vor meinem 31. Geburtstag. In einer Stunde würde STIL-TV auf Sendung gehen, und zwar mit der »Show der guten Taten«. Ich war stolz, daß wenigstens mein Titel überlebt hatte! Welche meiner Ideen sie wohl noch verwendet hatten?
Ich freute mich schon darauf, mit den anderen vor der Glotze zu hocken und um das Geld für unsere Spendenkasse zu fiebern. Daß die Hälfte der Einnahmen ans Haus Sonnenschein gehen würde, hatte Schwalm mir hoch und heilig versprochen. Die andere Hälfte sollte einer Kinderkrebsklinik zugute kommen.
Nach der Sendung wollten wir hier feiern, schließlich war morgen mein Geburtstag!
Ich stand vor dem Spiegel und probierte, welches meiner Abendkleider noch paßte. Das rote? Fehlanzeige. Kniff bereits in der Taille. Das schwarze? Ging gerade noch, ich sah aber darin aus, als hätte ich zuviel gefressen. Ich entschied mich für eine schwarze Hose, die zum Glück einen Gummibund besaß, und für ein schwarz-goldenes Chiffonhemd, das so weit geschnitten war, daß ich es noch bis zur Entbindung würde tragen können.
»Alte, du siehst gut aus!«
»Danke, du bist ja heute so charmant!«
»Da staunst du, was?«
»Allerdings, so kenne ich dich nicht. Meistens stänkerst du nur rum!«
»Die Zeiten ändern sich eben. Und du nervst nicht mehr so wie früher.«

»Ach nee.«
»Echt, du bist viel umgänglicher geworden.«
»Sind die Hormone.«
Das behauptete wenigstens Uli. Die fand, ich sei so ausgeglichen und zufrieden, seit ich schwanger war. Alles Quatsch. Ich hatte nur beschlossen, mich aufs Wesentliche zu konzentrieren. Sparte 'ne Menge Adrenalin.
Ich stellte mich seitlich vor den Spiegel und strich mit der Hand über meinen Bauch, der sich schon ganz nett wölbte. Da drin saß Paul. Das war zumindest der Arbeitstitel. Ob's dabei bleiben würde, wußte ich noch nicht. Aber daß es ein Junge war, das war neulich nicht zu übersehen gewesen!
Ich lag bei der netten Ärztin auf der Untersuchungsliege und starrte gebannt auf den Monitor. Inzwischen war ich Expertin für Ultraschallaufnahmen, ich erkannte alles. Frau Niemann schob den Schallkopf durch das Glitschgel auf meinem Bauch, und da sah ich es: Vorwitzig lugte ein Zipfelchen zwischen den Beinen des Babys hervor.
»Da, schauen Sie, ist das ein Schniedel?« fragte ich aufgeregt.
Die Ärztin sah auf den Monitor. »Sieht tatsächlich so aus.«
»Dann krieg' ich also einen Jungen!« Ich hatte plötzlich das Gefühl, er müßte unbedingt Paul heißen. Genau würde ich das wahrscheinlich aber erst wissen, wenn das Baby geboren war.
Ich zog mich fertig an. Uli steckte ihren Kopf durch die Tür. »Alles klar?«
Ich salutierte. »Alles klar!«
»Sag mal, was schreibt eigentlich Hella?«
Ach ja, richtig, da war ja ein Brief gekommen! Ich suchte den Umschlag zwischen der Post und riß ihn auf. Darin war ein Foto von Hella, die in jedem Arm ein Neugeborenes hielt, und darunter stand: »Wir freuen uns über Hannah und Henry! Hella und Herbert Hennemann.«

Mit der Hand hatte sie danebengekritzelt: »Alles Gute, Cora! Bin total im Streß, zwei Raubtiere sind nichts gegen diese hungrige Brut! Melde Dich mal, in Liebe, Deine Hella!«
Lachend reichte ich Uli die Karte. »Die Gaußsche Normalverteilung: Ein Junge, ein Mädchen! Eigentlich nicht schlecht, zwei auf einen Streich!«
»Puh«, stöhnte Uli, »ich beneide sie nicht! Mich schafft schon eines.«
»Apropos, wo ist denn die Süße?«
»Ich hab' ihr 'ne doppelte Portion Valium eingeflößt, damit sie uns in Ruhe fernsehen läßt.«
»Spinnst du?« Ich war empört. »Das kannst du doch nicht machen!«
»Was du mir zutraust«, grinste Uli und verzog sich.

Kurz darauf ging ich ins Wohnzimmer. Die Getränke standen kalt, auf dem Tisch waren verschiedene Fressereien aufgebaut. Ich mußte derzeit jeden Moment etwas Eßbares in greifbarer Nähe haben, sonst befiel mich die blanke Panik. Die Portionen fielen deshalb ziemlich reichlich aus.
»Wer soll das denn alles essen?« fragte Thomas amüsiert, als er reinkam.
»Wart's ab!« Ich begann umgehend mit der Vernichtung des Krabbensalates.
Als nächster kam Arne, kurz danach Ivan. Er umfaßte zur Begrüßung liebevoll meinen Bauch. »Wie geht's Paul?« erkundigte er sich.
»Prima, er wird gut gefüttert!«
Zuletzt traf Gitti ein, die immer noch Ulis Laden schmiß. Demnächst wollte die junge Mutter wieder selbst arbeiten, aber es war völlig unklar, was dann mit Clara passieren sollte. Sie ins Geschäft mitzunehmen war nicht die Lösung, das hatte Uli inzwischen eingesehen. »Möchtest du sie

nicht nehmen?« hatte sie mich neulich gefragt. »Wäre doch ein gutes Training!«
Ich hatte mir nur an die Stirn getippt. Ich würde mir doch jetzt kein Baby aufhalsen, wo ich gerade noch ein paar Monate meine Freiheit genießen konnte? »Das ist schon dein Problem, meine Süße«, hatte ich ihr erklärt. Sollte doch Thomas den Hausmann machen! Aber der hatte es plötzlich unerwartet eilig mit seiner Praxisgründung.
Es ging los! Schnell versorgten wir uns mit Getränken und scharten uns im Halbkreis um die Glotze. Auf der Mattscheibe erschien ein Feuerwerk, und das Erkennungslogo von STIL-TV trudelte ins Bild. Eine sonore Männerstimme verkündete: »Willkommen bei Stil-TV, dem Sender, bei dem Fernsehen wieder zum Vergnügen wird! Sie erleben jetzt live die Geburtsstunde dieses neuen Kanals, der Ihnen viele unterhaltsame und interessante Stunden schenken wird. Ich gebe ab ins Sendezentrum!«
Die Sendezentrale von STIL-TV kam ins Bild. Mehrere aufgekratzte Menschen, darunter Edzard Schwalm, prosteten sich und den Zuschauern mit Sektgläsern zu und johlten laut. Die Kamera fuhr auf Schwalm zu, der, ein Glas in der Hand, lässig auf einer Tischkante saß.
Er sprach ein paar erhebende Worte, während der ich noch mal schnell zum Pinkeln ging. Als ich zurückkam, wünschte er den Zuschauern gerade gute Unterhaltung.
»So 'ne hohle Boje«, moserte Uli. »Gut, daß wir dem Ivans Bild weggeschnappt haben!«
Als nächstes kam der Vorspann zur Show.
»Lieber Gott, mach, daß heute abend die restliche Kohle ins Haus kommt«, flehte ich stumm.
Ein Insert erschien: »STIL-TV verzichtet bei dieser Sendung auf die Werbeeinnahmen. Der Erlös aller Werbeblöcke kommt in voller Höhe den geförderten Projekten zugute. Die heutige Spendensumme ist DM 120 000!«

»Das ist meine Idee gewesen!« rief ich aus.
»Wie funktioniert denn das genau?« fragte Uli.
»Also, die Firmen dürfen umsonst werben, zahlen dafür aber eine Spende, die sie absetzen können. Der Sender kann die entfallenen Werbeeinnahmen steuerlich abschreiben. So haben alles was davon: Die einen die Steuerersparnis und den Imagegewinn, die anderen die Kohle.«
»Klasse Einfall.« Ivan staunte. »Wie kommst du nur auf so was?«
»Durch Nachdenken. Ist doch ganz einfach.«
So stolz ich auf die Idee war, so verblüfft war ich, daß Schwalm sie unverändert übernommen hatte.
Jetzt kam der bekannte Moderator Tobias Gottwohl die Show-Treppe runter und begrüßte mit seinem unnachahmlichen Große-Jungen-Lächeln das trampelnde Publikum. Auch den hatte ich vorgeschlagen. War ja irre, daß sie ihn bekommen hatten!
Er bedankte sich, dann erklärte er den Fernsehzuschauern, um welche sozialen Projekte es in der Sendung ginge und wie sie spenden könnten. Die Telefon- und Faxnummern wurden eingeblendet und in der oberen rechten Bildhälfte erschien ein Kästchen, in dem von nun an laufend der aktuelle Spendenstand angezeigt werden würde.
Als nächstes kam der Einspielfilm über Haus Sonnenschein. Dafür, daß der Dreh so katastrophal war, war der Film ganz gut geworden.
»Wenn ich ein normaler Zuschauer wäre, würde ich sofort was spenden«, sagte Thomas anerkennend.
»Dann mach!« forderte ich ihn auf.
»O.k.« Er stand auf, um ans Telefon zu gehen.
Jetzt spielten die Prinzen »Du mußt ein Schwein sein in dieser Welt!« Wer konnte sich's danach noch erlauben, ein Schwein zu sein und nicht zu spenden? Dieser originelle Einfall war auch von mir.

Thomas kam zurück.
»Und wieviel hast du springen lassen?«
»Zweihundert.«
»Brav«, lobte ich ihn.
Jetzt plauderte Gottwohl mit einer Runde Promis über ihre Kinder, über Erfahrungen mit Krankheit und Behinderung. Erstaunlich, wer sich plötzlich alles traute zu erzählen, daß er einen behinderten Bruder, einen blinden Freund, ein krankes Kind hatte! Noch erstaunlicher aber fand ich, daß auch der Vorschlag zu einer solchen Talk-Runde Bestandteil meines Konzepts war.
Allmählich begriff ich, was los war. Schwalm hatte mich gnadenlos über den Tisch gezogen. Er hatte meine Idee von A bis Z geklaut und mich mit einem lächerlichen Betrag abgespeist.
Plötzlich lachte Uli und stupste mich. »Hör mal auf!«
»Womit?«
Sie zeigte auf die Tüte mit Erdnußflips, die schon fast leer war. Ohne es zu merken, hatte ich den Inhalt in mich reingeschaufelt. Das war die Aufregung. Andernfalls hätte ich wahrscheinlich an meinen Fingernägeln geknabbert.
Ich legte die Tüte weg, um gleich darauf nach der Platte mit den Fleischklößchen zu greifen. Mechanisch tauchte ich eines nach dem anderen in die scharfe Chilisoße.
Uli verdrehte die Augen. »Du wirst als Jahrmarktsattraktion enden!«
»Sagt mal, ist euch klar, daß diese Sendung genau so aussieht, wie ich sie entwickelt habe?« Ich sah kauend in die Runde.
»Freu dich doch«, sagte Arne.
»Wißt ihr auch, was der Kerl dafür gelöhnt hat?«
Erwartungsvolle Blicke richteten sich auf mich.
»Einen Tausender!«
»Dann war's ein ziemlich gutes Geschäft für Herrn

Schwalm.« Arne grinste. »Ich kenne mich mit Fernsehen nicht aus, aber das ist ein Riesenbeschiß, so viel ist klar.«
»Hey, schaut euch das an!« schrie Thomas und zeigte auf das Kästchen mit der Spendensumme. Dort ratterten die Zahlen wie in einem Spielautomaten. Als sie zum Stillstand kamen, konnten wir die Summe 86 400 lesen.
»Das war deine Spende«, sagte Uli lachend zu Thomas und schmiegte sich an ihn.
»Nicht schlecht, dafür, daß die Show gerade mal eine Viertelstunde läuft!« Ivan lachte.
Die erste Werbeunterbrechung kam, und ich raste zum Pinkeln.
Die Show funktionierte ja super. Die Mischung stimmte: Ein bißchen human touch, Promis, Musik und die steigende Spannung durch das ständige Anwachsen der Spendensumme. Die Zuschauer hatten das Gefühl, dazuzugehören, wenn sie ein Fax schickten oder anriefen. Genau so hatte ich mir das ausgedacht. Viel mehr als die entgangene Kohle wurmte mich jetzt die herablassende Art, mit der Schwalm mich damals abgefertigt hatte. Dieser Mistkerl!
Aus dem Wohnzimmer ertönte ein vielstimmiger Aufschrei wie bei einem Fußballspiel. Ich sauste zurück. Im Spendenfenster stand die Zahl 150 500!
José Carreras sang »Mai più«. Verzückt klebte Uli an der Mattscheibe. Auch ich hatte feuchte Augen. Wenn südländisch aussehende Männer von Liebe sangen, war bei mir immer schon das große Schmachten angesagt gewesen. Deshalb hatte ich Carreras ja vorgeschlagen! Ich hätte auch Plácido Domingo gut gefunden, aber der sang heute abend in der New Yorker Met.
Als Carreras geendet hatte, sprangen die Zuschauer von ihren Plätzen und applaudierten stehend. Gottwohl verneigte sich, die beiden umarmten sich, und der Tenor sagte mit seinem liebenswerten Akzent: »Bitte tun Sie etwas für

die Kinder, spenden Sie! Ich weiß, was es bedeutet, krank zu sein. Man braucht viele Liebe, um es zu schaffen. Ihre Spende ist Liebe!«
Er verbeugte sich leicht, die Hand ans Herz gelegt, und ging ab. Wir waren ergriffen. Im Spendenfenster ratterte es wie verrückt, die 200 000 waren überschritten.
»Das ist ja unglaublich!« Ivan jubelte.
»Das ist 'ne klasse Show!« Thomas massierte aufgeregt seine eigenen Füße.
»Ich muß unbedingt 'ne CD von ihm haben«, schniefte Uli.
Die letzten fünf Minuten liefen. Das Spendenkästchen zeigte inzwischen 300 230 DM an!
»Wahnsinn«, rief Ivan, »schaut mal, wieviel es jetzt ist! Mit den hundertzwanzigtausend aus der Werbung sind es über vierhunderttausend!«
»Die Hälfte davon gehört uns, wir haben es geschafft!« Ich sprang auf, stürzte in Ivans Arme und tanzte mit ihm vor Freude im Zimmer herum. Die anderen sprangen ebenfalls hoch und johlten so laut, daß Clara im Nebenzimmer sofort in das Freudengeheul einfiel. Uli rannte los, um sie zu holen.
Gottwohl versammelte gerade die Teilnehmer zum großen Finale auf der Bühne. Die Damen bekamen Blumensträuße und Küsse, die Herren einen Händedruck. Dann stimmten alle, auch die Zuschauer im Studio, die »Hymne der guten Taten« an.
Auch die war auf meinem Mist gewachsen. Ich hatte Rudi, meinen Ex-Lover von den »Drei Tournedos«, als Komponist vorgeschlagen. Wenn er das Ding wirklich geschrieben hatte, dann hatte er seinen Job gut gemacht!

Öffne dein Herz, laß die Liebe rein!
Die Welt ist groß, doch du bist nicht klein!
Öffne dein Herz, hab einfach Mut!
Sei jemand, der auch Gutes tut!

Es war ein richtiger Ohrwurm, wir sangen aus voller Kehle mit und schunkelten, was das Zeug hielt.
Was soll's, dachte ich. Schwalm hatte mich beschissen, aber der Zweck des Ganzen war erreicht: Wir hatten das Kinderheim gerettet!
Das Telefon klingelte. Arne hob ab und hielt mir den Hörer hin.
»Hier spricht Edzard Schwalm. Na, wie hat es Ihnen gefallen?«
»Sie sind ein Gauner«, sagte ich verächtlich.
»Nehmen Sie's nicht persönlich, Geschäft ist Geschäft! Wir haben im Lauf der Arbeit festgestellt, daß die meisten Ihrer Vorschläge ziemlich gut waren. Jetzt ist es doch noch Ihre Show geworden!«
»Darüber soll ich mich jetzt vermutlich freuen?«
»Eigentlich schon. Ist doch eine stolze Summe für Ihr Heim zusammengekommen!«
»Das ist wohl das mindeste!«
»Der zweite Teil Ihres Honorars geht Ihnen demnächst zu, ich lege noch ein bißchen was drauf!« Schwalm klang gönnerhaft.
Bevor ich einen Wutanfall kriegen konnte, fragte er: »Was haben Sie denn in den nächsten Monaten so vor?«
»Wieso interessiert Sie das?«
»Weil ich gern mit Ihnen über einen Job reden wollte.«
Einen Job? Der Kerl wagte es, mir einen Job anzubieten, nachdem er mich derartig abgelinkt hatte? Ich konnte es nicht glauben. »Wissen Sie was«, sagte ich kühl, »Sie können mich mal.«
»Überlegen Sie sich's!« Er schien unbeeindruckt. »Ich glaube, Sie haben eine echte Begabung fürs Fernsehgeschäft!«
Zack, weg war er. Ich ließ den Hörer sinken.
»Wer war das?« fragte Ivan.

»Schwalm. Wollte mit mir über einen Job reden. Weil ich so begabt fürs Fernsehgeschäft bin.«
»Ganz schön frech!« Ivan lachte.
»Aber du brauchst doch einen neuen Job, wenn du keine Lust mehr auf PR hast«, sagte Thomas.
»Lieber gehe ich zum Sozialamt, als meine Talente an Herrn Schwalm zu verschwenden«, erklärte ich großkotzig.
Gitti meldete sich schüchtern zu Wort. »Was willst du überhaupt machen, wenn dein Baby da ist?«
»Weiß ich noch nicht so genau, wird sich schon was ergeben«, sagte ich lässig.
»Mit einem Baby hättest du bei so einem wie Schwalm sowieso keine Chance. Der würde dich so schnell feuern, wie er dich eingekauft hat.« Uli war mit Clara auf dem Arm ins Zimmer zurückgekommen.
»Wenn ich das richtig sehe, habt ihr beide doch das gleiche Problem«, sagte Gitti, an Uli und mich gewandt. »Ihr müßt arbeiten, und Ihr müßt eure Kinder unterbringen. So geht es Tausenden von Müttern. Wenn euch dafür eine Lösung einfallen würde, wäre das so gut wie ein Lottogewinn.«
»Verstehe ich nicht«, sagte ich, »es gibt doch einen Haufen Mütter, die arbeiten.«
»Weil sie nur halbtags arbeiten, wenn die Kinder im Kindergarten sind. Oder weil sie eine Oma haben, die auf die Kinder aufpaßt. Habt ihr 'ne Oma?«
»Nein«, antworteten Uli und ich im Chor.
»Wir könnten uns eine Kinderfrau teilen!« schug Uli vor.
»Die ich dann allein bezahle, weil du mit deinen Hüten so toll verdienst!«
Uli verdrehte die Augen.
»Das ist doch der Knackpunkt.« Gitti brachte uns zum Thema zurück. »Die wenigsten Mütter haben das Geld für eine Kinderbetreuung. Da müßte man ansetzen.«
»Nicht schon wieder Spenden sammeln!« stöhnte ich.

Die anderen lachten. Ivan küßte mich auf den Nacken. Genießerisch schloß ich die Augen. Am liebsten würde ich mir jetzt nicht den Kopf über solchen Kinderkram zerbrechen, sondern sofort mit Ivan ins Bett verschwinden. Aber schließlich war morgen mein Geburtstag, es mußte noch gefeiert werden.
In diesem Moment kam mir ein Einfall. Langsam richtete ich mich auf und schaute in die Runde. »Ich hab's. Gitti hat recht! Wenn die Kohle das Problem ist, dann müssen wir doch fragen: Wer hat ein Interesse daran, daß Frauen weiterarbeiten – auch wenn sie Kinder haben?«
Erwartungsvoll sah ich mich um.
»Die Männer?« mutmaßte Uli. Das lag nahe, sie kämpfte mit Michael um den Unterhalt für Clara.
»Nein«, sagte ich, »die Arbeitgeber! Die meisten Frauen sind ja nicht selbständig wie wir, sie sind in irgendeiner Firma angestellt.«
»Na und?« Uli verstand nichts.
Ich räusperte mich, stand auf und klopfte mit einer Gabel gegen ein Glas. Uli, Thomas, Arne, Ivan und Gitti sahen mich erstaunt an.
»Hört zu. Die Sache ist doch ganz einfach: Die Unternehmer wollen ihre guten Mitarbeiterinnen nicht verlieren, und viele Mütter würden gern weiterarbeiten. Woran scheitert es? An der Kinderbetreuung. Wenn man nun die Unternehmen dazu kriegen könnte, was dazuzubezahlen, könnten die Frauen sich eine Kinderbetreuung leisten. Das kommt für die Firmen billiger, als ständig neue Leute zu suchen und auszubilden. Und wer sorgt dafür, daß die Frauen eine gute Tagesmutter oder Kinderfrau kriegen?«
Triumphierend sah ich in die Runde und fuhr fort: »Ich, Cora Schiller! Ich werde für jede Frau die passende Lösung finden. Die eine braucht vielleicht nur ein Au-pair-Mädchen für halbtags, die andere braucht jemanden für nachts, weil

sie Schichtarbeit macht, die nächste arbeitet nur drei Tage, vielleicht teilen sich zwei eine Kinderfrau – da gibt's jede Menge Möglichkeiten! Am Ende sind die Kinder gut versorgt, die Mütter zufrieden, die Unternehmer sparen Geld, und es sind neue Arbeitsplätze entstanden – darunter einer für mich! Ich kann das alles von hier aus machen, und vielleicht verdiene ich ja damit so viel, daß für mich auch eine Kinderfrau abfällt!«

Einen Moment lang waren alle still.

Dann rief Gitti begeistert: »Das ist die Lösung! Brauchst du eine Mitarbeiterin?«

»Mindestens eine!« Ich lachte und sah Uli an.

»Du meinst ... ich auch ...?«

»Wenn du Lust hast? Die Kinderfrau teile ich dann natürlich mit dir! Bei mir verdienst du sicher mehr als jetzt!«

»Klingt nicht übel«, sagte Uli, »Hüte scheinen doch eine rezessionsanfällige Branche zu sein. Vielleicht sollte ich umsatteln?«

»Was ist mit mir?« Arne stellte sich vor mir auf.

»Dich brauchen wir auf jeden Fall!« sagte ich mit Nachdruck und grinste ihn an. »Wir Mädels gehören doch zusammen!«

»Gut«, sagte Arne, »ich kümmere mich dann um die alleinerziehenden Väter! Die können den Service doch auch in Anspruch nehmen, oder?«

»Na klar!«

»Und wie soll das Unternehmen heißen?« wollte Ivan wissen. »C.S.-Promotion paßt ja dann nicht mehr.«

»Wie wär's mit Kinder-Kontor?« schlug ich vor. »Würde dir das gefallen?«

Ivan sah mich verliebt an. »Mir gefällt alles, was von dir kommt, meine Traumfrau!«

»Ich muß dich warnen, Ivan!« Jetzt mischte Thomas sich ein. »Diese Traumfrau hat ziemliche Nebenwirkungen. Du

weißt, ich spreche aus Erfahrung!« Er knuffte Ivan freundschaftlich in die Seite.
»Ich bin hart im Nehmen«, konterte Ivan gelassen.
»Alle mal herhören!« rief Uli. »Es ist Mitternacht! Unsere Traumfrau hat Geburtstag!«
»Jaaaah!« riefen alle durcheinander und stimmten das unvermeidliche »Happy birthday« an. Verlegen stand ich da und hörte zu.
Gitti brachte eine Geburtstagstorte, die mit einem Haufen Kerzen geschmückt war. (Es waren einunddreißig, nahm ich an.)
Plötzlich mußte ich an meinen letzten Geburtstag denken. Da hatten zweihundert Leute für mich gesungen, aber es war nicht halb so schön gewesen wie heute! Mein Gott, war viel passiert in der Zwischenzeit! Dabei war ich einfach nur ein Jahr älter geworden. Das Komische war: Mir ging's heute tausendmal besser. Einunddreißig zu werden war entschieden leichter, als dreißig zu werden!
Clara sah während des Gesangs mit großen Augen von einem zum anderen und fing an zu weinen. »Leider nicht musikalisch, das Kind!« sagte Uli bedauernd.
Alle lachten, beglückwünschten mich und küßten mich. Und da kapierte ich es: Tante Elsie war tot, aber ich hatte wieder eine Familie. Eine Familie aus Freunden!
Ivan zog mich aus dem Zimmer auf den Flur. Ich lehnte mich an die Wand. Er stellte sich vor mich. Lange sahen wir uns schweigend in die Augen. Dann sagte er: »Ich liebe dich, du verrückte Person! Und ich bin dein bester Freund. Du kannst dich auf mich verlassen, egal, was passiert.«
In diesem Moment fühlte ich es. Ungläubig sah ich auf meinen Bauch. Da! Da war es wieder!
»Es hat sich bewegt!« rief ich. »Ich hab's genau gespürt!«
Ivan schloß mich in die Arme. »Unser Paul«, sagte er gerührt.

Ich fühlte mich so stark wie noch nie in meinem Leben. Ich würde es schaffen, da war ich sicher. In diesem Moment gab es nichts, was ich mir nicht zugetraut hätte.
Plötzlich meldete sich meine bessere Hälfte. »Na, Alte, sieht so aus, als könntest du zukünftig auf meine Dienste verzichten!«
»Meinst du das im Ernst?«
»Du brauchst mich nicht mehr, du kommst jetzt allein klar. Du bist erwachsen geworden, hast du das noch nicht gemerkt?«
»Ich glaube, das kommt dir nur so vor.«
»Wir werden ja sehen, Alte.«
»Ich werde dich vermissen!«
»Mach's gut, Alte.«
»Mach's besser!«
Für einen Moment war ich traurig. Aber wahrscheinlich hatte sie ja recht. Ich war einunddreißig Jahre alt. Und ich war endlich in meinem eigenen Leben angekommen.